读客® 这本史书真好看文库

轻松有趣，扎实有力

大唐兴亡三百年 ②

比《唐书》有趣，比《资治通鉴》通俗，
比《隋唐演义》靠谱，一部令人上瘾的300年大唐全史。

王觉仁 著

人民日报出版社

北 京

图书在版编目（CIP）数据

大唐兴亡三百年 . 2 / 王觉仁著 . -- 北京：人民日
报出版社 , 2018.10

ISBN 978-7-5115-5488-8

Ⅰ . ①大… Ⅱ . ①王… Ⅲ . ①中国历史—唐代—通俗
读物 Ⅳ . ① K242.09

中国版本图书馆 CIP 数据核字 (2018) 第 108989 号

书　　名	大唐兴亡三百年 . 2
	DATANG XINGWANG SANBAINIAN 2
作　　者	王觉仁
出 版 人	刘华新
责 任 编 辑	林　薇
特 邀 编 辑	汪超毅　沈　骏
封 面 设 计	谢明华
出 版 发 行	人民日报出版社
出 版 社 地 址	北京金台西路 2 号
邮 政 编 码	100733
发 行 热 线	（010）65369527 65369512 65369509 65369510
邮 购 热 线	（010）65369530
编 辑 热 线	（010）65369526
网　　址	www.peopledailypress.com
经　　销	新华书店
印　　刷	三河市龙大印装有限公司
开　　本	710mm x 1000mm 1/16
字　　数	260 千
印　　张	19
印　　次	2018 年 10 月第 1 版　2021 年 11 月第 13 次印刷
书　　号	ISBN 978-7-5115-5488-8
定　　价	49.90 元

如有印刷、装订质量问题，请致电 010-87681002（免费更换，邮寄到付）

目 录

| 第四章 | **年号：贞观**

| 第五章 | **贞观制度：开明政治的典范**

| 第六章 | **李世民：当皇帝这点事**

| 第一章 |

李唐王朝统一海内

李世民：李渊的尴尬王牌

武德五年（公元622年）正月初，在河北打造了一个不败神话的刘黑闼终于顺理成章地迈上了他的人生巅峰。

他自称汉东王，定都洺州，改元天造，以范愿为左仆射，董康买为兵部尚书，高雅贤为右领军；同时让旧夏朝的文武百官全部在他的新朝廷中官复原职。

对李唐王朝而言，这个继窦建德之后崛起的河北政权显然有青出于蓝而胜于蓝之势。因为刘黑闼在司法、行政等一系列政治举措上全部效法窦建德，而在军事上则比窦建德更为强悍，"攻战勇决过之"（《资治通鉴》卷一九〇）。

刘黑闼之所以能一帆风顺地走到这一步，实际上应该感谢一个人。

李渊。

因为李渊客观上给了他时间——发展壮大的宝贵时间。

在刘黑闼纵横河北的半年间，其实李渊随时可以把李世民这张王牌打出去，可他就是迟迟没有打。因为李渊觉得，李世民的尾巴已经翘得太高了，不能再让他以朝廷栋梁自居了！之所以挖空心思地封给他一个所谓的天策上将，就是希望把他的虚荣心一步到位地封死，让他的权力欲望和政治野心从此冷却，夹起尾巴做人，老老实实当他李渊的好儿子、李建成的好弟弟、李唐朝廷的好臣子！

所以，不到万不得已，李渊不会让李世民再以舍我其谁、力挽狂澜的姿态去平定刘黑闼，去建立更大的功勋。因此，李渊自然就把平定刘黑闼的希望寄托在了李神通、罗艺和李世勣他们身上，然而，结果却让李渊大失所望。

这些人居然没有一个是刘黑闼的对手！

到了武德四年十二月末，眼看刘黑闼和徐圆朗重新点燃的战火在大河两岸已成燎原之势，李渊才不得不再度起用李世民这张一度被冷藏的王牌，把他从谈玄论道、吟诗作赋的文学馆中请出来，任他为主帅，李元吉为副帅，让李世民再度出征。

武德五年正月初八，李世民率领东征大军浩浩荡荡地进抵获嘉（今河南获嘉县）。刘黑闼采取避敌锋芒的战略，撤出相州（今河南安阳市）守军，全力据守洺州（今河北永年区）。正月十四，李世民收复相州，挺进肥乡（今河北肥乡区），在洺水（流经洺州城南）南岸扎营，威逼洺州。

与此同时，幽州罗艺也率数万兵马南下，意图对刘黑闼形成南北夹击之势。刘黑闼接获战报，决定先行北上击败罗艺，回头再与李世民决战。他留给了范愿一万人，命他保卫洺州，然后亲率大军北上，迅速进抵沙河（今河北沙河市北）。

为了迫使刘黑闼回军，李世民决定对洺州施加压力。他派遣部将程名振带小队人马和六十面战鼓渡过洺水，在距洺州城西二里的河堤上猛烈擂击，对范愿发动心理战。一时间，整座洺州城都在震天的鼓声中摇撼，范愿吓破了胆，以为唐军主力马上就要攻城，慌忙派快马向刘黑闼告急。刘黑闼进退两难，最后还是不放心老巢，只好率大部队回师，同时命他的弟弟刘十善和大将张君立率一万人继续北上，阻击已进抵鼓城（今河北晋州市）的罗艺。正月三十，双方在徐河展开遭遇战，汉东军大败，损失八千余人，刘十善和张君立带着残部落荒而逃。同日，洺水县（今河北曲周县）人李去惑忽然发动暴乱占领县城，向唐军投降。李世民大喜过望，立刻命王君廓率一千五百人进驻洺水。

二月十一日，刘黑闼迅速回军，企图夺回洺水，却遭到唐将秦叔宝截击，夺回洺水的愿望落空。稍后数日，李世民又分兵绕过洺州，收复了北面的邢州（今河北邢台市）和太行山脉的一个重要关口井州（今河北井陉县西北）。二月中下旬，罗艺一路南下，接连攻克定州、栾州（今河北赵县）、廉州（今河北藁城区）、赵州（今河北隆尧县），兵锋直指洺州。

至此，唐军已经成功地对刘黑闼实施南北合围，将他压缩在洺州的弹丸之地，使其基本上丧失了转圜空间和机动作战能力。此时的刘黑闼可谓四面楚歌：北面的邢州和赵州已经落入唐军手中，而且罗艺来势凶猛，刘黑闼转战河北腹地的可能性已绝；西面则有太行山脉的天然阻隔；南面是李世民的唐军主力；唯一未被唐军占领的地盘就只剩下洺州东北面，也就是洺水上游一带的贝州（今河北清河县）、冀州（今河北冀州市）等地了。这个地区现在是刘黑闼最后的后勤补给基地，要想不被唐军活活困死，刘黑闼只能依靠从这一线运来的粮草和给养。

可要命的是，如今这条生命线的咽喉也被唐军扼住了。

这个咽喉就是半个多月前丢失的洺水县。

洺水是洺州下辖的一个小县城，位于洺州城的东面，本来也算不上什么战略要地，但对于此刻的刘黑闼来讲无疑变得性命攸关，因为它就在贝州、冀州通往洺州的必经之路上。从贝冀一线运往洺州的补给，无论走陆路还是走水路，都要经过这座小小的洺水县城。所以，要想不被唐军活活困死或者瓮中捉鳖，刘黑闼只有两个选择：第一，摆脱唐军前锋小股部队的牵制和纠缠，从东面突围，退守贝冀一线，伺机再战；第二，重新控制补给线，依靠持续的后勤补给与唐军对峙，再寻找机会与李世民决战。

而这两个选择的前提恰恰都是——夺回洺水。

很显然，"敌之要点即我之要点"，因此对于唐军而言，眼下的洺水城也绝不是可有可无的。首要的作用当然就是扼住汉东军的咽喉；其次，由于唐军主力驻守在洺水河南岸，而洺水城位于北岸，此城就成了唐军的滩头阵地，是李世民插在刘黑闼眼皮底下的一把尖刀！占据此城有助于唐军以小股兵力对刘黑闼主力进行袭扰和牵制，刺探其动向与虚实，防止其突围逃逸，为唐军主力最终全歼刘黑闼创造有利条件。

因此，在两军真正的决战到来之前，双方势必要在洺水城展开一场激烈的争夺战。

接下来我们就将看到，这场争夺战的确打得十分惨烈。李世民的麾下猛将罗士信就是在这场战斗中被俘身亡的。

从二月下旬开始，刘黑闼就对洺水城发起了持续不断的猛烈进攻，李世民三度率军渡河增援，均被汉东军击退。眼看奋力死守的王君廓已经力不能支，李世民召开会议商讨对策，骁将罗士信遂自告奋勇，带着亲兵两百人前往接应。结果在混战之中，王君廓突围而出，罗士信反而冲进了汉东军的重围之中，继续据城而战。刘黑闼日夜猛攻，唐军多次试图增援，却因连日天降大雪而受阻，罗士信带着两百人独自坚守八天之后，终于城破被俘。刘黑闼感其骁勇，劝他投降，罗士信誓死不从，被刘黑闼斩首，死时年仅二十岁。

刘黑闼虽然一度夺回洺水，但到了二月末，李世民还是命李世勣将其重新占据。三月初，罗艺率军进抵洺水南岸，与李世民主力会师。刘黑闼不断挑战，李世民再次采用了他的一贯战略，坚壁不出，只是派兵封锁汉东军的补给线。三月十三日，从冀州、贝州、沧州（今河北盐山县西南）、瀛州（今河北河间市）等地发出的粮草和补给分水陆两路向洺州运来，李世民立刻命程名振率部阻截，将汉东军的粮船和粮车全部焚毁。

从二月初一直到三月下旬，唐军与汉东军就这样在洺水两岸僵持了将近六十天。

刘黑闼逐渐陷入绝境。

三月二十三日，为了摆脱困境，刘黑闼出动大军，全力攻击李世勣，李世民亲率一部渡河袭击刘黑闼的后背，不料刘黑闼反而回军将李世民重重包围。

李世民再次经历了他军事生涯中又一个可怕的生死瞬间。

千钧一发之际，尉迟敬德率部突入重围，奋力救出了李世民。

随后的几天，李世民料定洺州城粮草已尽，刘黑闼必将被迫发动决战。为了吸引刘黑闼到南岸来决战，一举歼灭刘黑闼的有生力量，李世民遂命部将到洺水上游拦河筑坝，并且下了这样一道命令："待我与贼战，乃决之！"（《资治通鉴》卷一九〇）

所谓"乃决之"，就是决堤泄洪！

洪水无情，在两军会战之时决堤泄洪，是否意味着唐军将士将与敌人玉石俱焚、同归于尽？

让我们暂时搁置这个问题，先来看看这场战役的经过。

三月二十六日，决定刘黑闼命运的洺水之战打响了。

刘黑闼率步骑两万，南渡洺水，紧逼唐军大营列阵。李世民亲率精锐骑兵首先攻击刘黑闼的骑兵，将其击破，并乘胜冲入汉东军的阵地，横扫其步兵。刘黑闼深知，输掉这一仗他就很难再有翻身的机会，于是率众殊死奋战。而他麾下这些剽悍骁勇的河北将士也人人抱定背水一战的决心，所以打得异常顽强。两军一直从中午苦战到黄昏，往来冲杀，难分胜负。唐军虽然略占上风，但始终未能取得决胜的优势。

就是在这场激烈的战斗中，李世民所骑的那匹旋毛黑嘴的骏马拳毛𬴊[1]身上足足被射中了九箭，前胸六箭，背后三箭，最终倒在了战场上，其表现可谓壮烈！

暮色徐徐降临，双方仍然鏖战不止。汉东军将领王小胡发现汉东军

---

1 拳毛𬴊也是著名的昭陵六骏之一。李世民为其题写的赞辞是："月精按辔，天驷横行。孤矢载戢，氛埃廓清。"

已经渐露颓势，连忙对刘黑闼说："看来是顶不住了，咱们还是趁早抽身吧。"刘黑闼虽然极不情愿，但他对战场上的形势同样不抱乐观态度，无奈之下，只好和王小胡等少数将领暗中撤出了战斗。

刘黑闼就这么脚底抹油、一走了之了，可他麾下的绝大部分将士却根本没有察觉，依旧在那里拼死砍杀。最后汉东军再也无力坚持，只好向洺水北岸溃逃。

就在他们全部进入河沟的时候，洺水河上游的滔天巨浪轰然而下。

当精疲力竭的汉东军士卒睁着血红的双眼，看见一丈多高的洪水仿佛万马奔腾一样席卷而来的时候，他们几乎连恐惧和绝望都来不及体会，就在一瞬间被咆哮的洪水全部吞没。

此次战役的结果是：汉东军被"斩首万余级，溺死数千人"，几乎全军覆没，刘黑闼仅与范愿等人带着两百余骑逃奔东突厥。

很显然，虽然刘黑闼逃脱一死，但是有生力量丧失殆尽，唐军大获全胜，可以说李世民的战略目的基本上是达到了。

但是，让后人诟病不已的就是李世民那个决堤泄洪的命令。

人们往往据此大骂李世民残酷无情。比如柏杨先生就对此大为不屑，发表了一番义正词严的评论，而且他的观点流传甚广，似乎挺能代表相当一部分人的看法。为了辨明这个历史真相，首先让我们来看柏杨先生的原话："一般战争中，使用水攻，都在敌人'半渡'之时，或进军半渡，或退军半渡，这样才能发挥歼灭性的效果。洺水之战则不然，李世民的命令没有提到敌人'半渡'，而是明确地说：'等我跟叛贼会战，你就破坏堤防！'两军会战时凿堤，大水没有眼睛，岂能分辨敌我！很明显的，李世民在这场战役中，采取的是敌我同归于尽的战术，李世民和高级将领没有危险，因为他们早就脱离战场……李世民决心要牺牲那些效忠他的政府军士卒，用以消灭刘黑闼这个突然崛起的劲敌。否则，不会在两军杀成一团的会战时决堤。这场在历史上并没有名气的水淹三军，恐怕是一个残酷的集体谋杀。"（《柏杨白话版资治通鉴》）

事实果真如此吗?

并非如此。

虽然我们首先要肯定柏杨先生的人道主义精神和人本主义立场,但我们还是不得不指出,柏杨先生的这段评论基本上是无的放矢,甚至不客气地说——纯属无稽之谈。

柏杨先生所采信的唯一史料就是《资治通鉴》中记载的"待我与贼战,乃决之",因而一再强调使用这种水攻战术的正确方法应该是在敌人"半渡"之时,而李世民只说"与贼战",没提到"半渡",所以结论当然就是李世民犯了"集体谋杀罪"。然而,我们不得不说,柏杨先生单凭一种史料就如此断言,实在是过于颠顼和草率了!

在李世民发布的命令里,到底有没有提到"半渡"?

首先我们来看《旧唐书·刘黑闼传》,上面白纸黑字写着:"我击贼之日,候贼半度(渡)而决堰。"如此分明的"半度(渡)"二字,柏杨先生为何视而不见呢?此外,《新唐书·刘黑闼传》的表述更为准确:"须贼度,亟决之!"一个"须"字,一个"度"字,一个"亟"字,足以表明李世民此项命令的关键之处就是对决堤时机的精确掌控,也就是必须等到敌军溃逃、渡至河沟中的时候,才决堤泄洪,断非两军在混战之时不管三七二十一地凿堤放水。

要进一步弄清李世民这个命令的真实含义,就有必要了解李世民所想达到的战略目的。关于这一点,《旧唐书·太宗本纪》记载得很清楚,之所以要拦河筑坝,目的就是"堰洺水上流使浅,令黑闼得渡",也就是故意降低洺水的水位,诱使刘黑闼渡河到南岸与唐军决战,然后最大限度地消灭刘黑闼的有生力量。

李世民最擅长的就是给对手布置这样一个舞台,让敌人在他所安排的时间和空间中与死神共舞,最后以他所给定的方式和节奏走向死亡。这项独特的本领无论是在平定薛仁果、宋金刚时,还是在虎牢之战与窦建德交手时,都表现得淋漓尽致。而这场洺水之战,据两《唐书》记载,其结果同样不出李世民的战略预期，并没有出现任何失控的局面，更没有导致唐军将士溺毙的后果，因而所谓的"敌我同归于尽"根本就无从谈起。按《旧唐书》："黑闼果率步骑二万渡洺水而阵，与官军大战，贼众大溃，水又大至，黑闼众不得渡。"《新唐书》的记载也与之大同小异："黑闼果率步骑二万绝水阵，与王师大战，众溃，水暴至，贼众不得还。"由此可见，正是在这场战斗已经接近尾声而汉东军向北岸溃逃之时，大水才轰然而至的，其结果就是使刘黑闼的部众无法渡过洺水，只能全部落入被杀和溺毙的绝境。而这一切恰恰与李世民所欲达到的战略目的完全吻合。

听到刘黑闼逃亡突厥的消息后，山东（太行山以东）地区的部众顿时斗志全丧，纷纷归降唐朝。

只有高开道和徐圆朗这两把不安分的野火在熊熊燃烧。

这一年四月初，高开道攻陷了易州（今河北易县），斩杀刺史慕容孝干。数日后，徐圆朗也吞并了浚仪（今河南开封市）变民首领刘世彻的部众，将其诱杀，并将势力范围扩展到了谯州（今安徽亳州市）和杞州（今河南杞县）一带。

正当李世民准备南下进攻徐圆朗时，李渊突然把李世民召回了长安，于四月初九亲自到长乐坂迎接，满脸笑容地为李世民接风洗尘，以示尊宠。

刘黑闼终于败了，所以李渊迫不及待地要把这张尴尬的王牌收回去。可当李世民向他面陈徐圆朗依旧猖獗的反叛形势时，李渊的笑容立刻凝结在了脸上。

他不得不再次把李世民派往黎阳征讨徐圆朗。几天后李渊又追下了一道诏书，命李神通一同进攻徐圆朗，事实上就是希望他能取代李世民，接管征讨事宜。

对于父皇李渊的猜忌之心，李世民比谁都清楚。七月初，当李世民接连攻克河南的十余座城池、平定了徐圆朗的部分势力后，便主动班师回朝了，把彻底肃清徐圆朗的任务交给了李神通、李元吉和李世勣。

差不多在李世民班师的同时，刘黑闼又借助突厥兵力卷土重来，南下进围定州，其旧部董康买和曹湛立刻在鲜虞（定州州府所在地）起兵响应。七月十五日，李渊任命年仅十九岁的淮阳王李道玄为河北道行军总管，让他负责征讨刘黑闼。

李渊的用意很明显，就是尽量培养宗室的后起之秀，给他们在战场上历练的机会，同时对功高盖世的李世民形成一定的制衡。

可李渊绝对没有想到，他刚把李世民这张王牌收回去，李道玄转眼就命丧刘黑闼之手，致使河北唐军再遭重挫。刘黑闼也因之死灰复燃，旬月之间再度恢复夏朝全境。

刘黑闼再犯大唐

武德五年（公元622年）八月初，正当复仇之神刘黑闼借助突厥人的力量再度南下时，东突厥的颉利可汗也亲率数十万铁骑大举入侵唐朝边境。

颉利可汗名叫阿史那咄苾，是启民可汗的第三子、始毕可汗和处罗可汗的弟弟，他在唐武德三年（公元620年）即位时，正值东突厥达到全盛之际，拥有雄兵百万，所以极为骄狂，一直有侵凌中原之心。而武德初年的李渊出于天下未定、内战频仍的原因，只好对其采取绥靖策略，始终以防御为主，不愿与突厥全面开战。

自从李渊入据长安开创大唐后，东突厥与李唐王朝之间的战争总是时断时续，规模虽然不是很大，但从未完全停止。突厥人虽然在李渊起兵初期曾对他提供援助，但到了李渊登基称帝、势力逐渐壮大之后，突厥人就转而支持其他的割据势力，一意对李唐王朝进行制衡。几年来，东突厥曾经不遗余力地支持过薛举、李轨、刘武周、梁师都、窦建德、王世充等人，目的就是让他们与李渊相互制约，以便坐收渔翁之利。

只不过让突厥人没有想到的是，李唐崛起的速度实在是太快了，短短几年间便有一统天下之势，而那些原本与其势均力敌的割据群雄则一一败亡，灰飞烟灭。到了武德五年，突厥人手中的筹码只剩下梁师都、刘黑闼、高开道以及刘武周的部将苑君璋。就这几只阿猫阿狗，显然已经不能对李渊构成威胁。

这种一边倒的局面是突厥人最不愿看见的。一个统一而强大的中原王朝的兴起，对突厥人而言只会有百害而无一利。

所以，此次颉利可汗亲率大军南下，就是想挫一挫李唐的锐气，让李唐感受一下突厥人在军事上的强大威胁，对突厥心存忌惮。当然，就像突厥军队每一次南下所做的那样，劫掠金银财帛也是他们此次南侵的题中之义。

这一年八月初十，颉利可汗从雁门入侵，随即兵分两路，他自己亲率十五万，攻击李唐的发祥地并州，另一路攻击原州（今宁夏固原市）。

突厥人大兵压境、来势汹汹，李渊不敢掉以轻心。八月十一日，李渊命唐军兵分四路，由太子李建成率一路出豳州（今陕西彬县），迎战突厥的西路军；由秦王李世民率一路出蒲州（今山西河津市），迎战突厥主力东路军；另派云州总管李子和（郭子和）奔赴云中（今内蒙古和林格尔县），从侧翼攻击颉利大军；最后由左武卫将军段德操奔赴夏州（今陕西靖边县北）切断突厥西路军的后路。

虽然进行了周密部署，但李渊还是不希望与突厥全面开战。他随即召开廷议，向百官询问战和之策。曾多次出使东突厥的太常卿郑元璹说："开战则加深与突厥的积怨，以臣之见，还是和解比较有利。"中书令封德彝则认为："突厥人自恃兵强马壮，历来有轻视中国之心，若不战而和，则是向敌人示弱，突厥日后必定卷土重来。臣认为应当奋勇还击，先打几场胜仗再来讲和，如此方可彰显我大唐恩威！"

李渊最终采纳了封德彝的意见。

八月二十日，突厥东路的主力大军进抵汾水东岸，唐并州大总管、襄邑王李神符率部迎战，击破突厥军队，首战告捷。稍后，汾州（今山西汾阳市）刺史萧颛也率汾州守军迎战，大破突厥的先头部队，斩首五千余级。

二十九日，突厥的西路军攻陷了大震关（今甘肃张家川回族自治县东南）。

颉利可汗亲率的东路军虽然略遭挫折，但是兵力仍然十分强大，遂一路向纵深挺进。河东的唐军侦察兵很快向朝廷发回了战报，说突厥大军已经深入介休与晋州（今山西临汾市）一带，数百里之内，漫山遍野都是突厥骑兵。

眼看一场大战已经不可避免，就在这个时候，李渊派出的和谈使者郑元璹来到了颉利可汗的大营。

郑元璹进入可汗大帐时，摆出一副强硬姿态，诘问颉利为何背弃盟约悍然入寇。颉利一时语塞，不知该说什么才好。

对于这个外交斡旋高手郑元璹，颉利可汗是相当了解的。此前郑元璹曾四度出使突厥，每一次都是在他们突厥人的刀尖上游走，可到最后总能化险为夷。他上次出使突厥是在武德三年，其时李唐刚刚消灭刘武周，梁师都顿感唇亡齿寒，连忙游说当时的处罗可汗发兵进攻李唐。处罗可汗随即与梁师都制订了一个大举入侵中原的计划，但是未及实施，处罗可汗便暴病而亡。正当此时，郑元璹代表李唐来与突厥和谈，遂被强行扣押。直到后来形势缓和，两国互相交换被扣使节，郑元璹才得以安然回国。但是在郑元璹被扣期间，颉利可汗记得很清楚，这个硬骨头从来没有表现出半点恐惧，该吃就吃该睡就睡，就像住在自个儿家里一样。对于这样的胆识，颉利可汗确实是有几分佩服的。

而今这个"老朋友"又来了，颉利顿时有些头大，仓促之间实在想不出什么冠冕堂皇的入侵理由。

就在颉利可汗尴尬之时，郑元璹的脸色忽然缓和下来，换了一种商量的口吻说："唐与突厥，风俗不同，突厥即使得到唐的土地，也不能长久居住。而今突厥掳掠所得，都落入将士之手，您身为可汗，可曾捞到什么好处？我看不如撤军，与唐室重新修好，如此一来，可汗你也不必有跋涉之劳，而唐室的金帛又能入可汗您个人的府库，这岂不是一举两得？又何必幡然背弃友邦之间的兄弟之情，而给子孙后代结下无穷仇怨呢？"

听完这一席话，颉利可汗的脸上露出了笑容。

因为他听见了"金帛"二字。

说老实话，颉利可汗此次南侵固然是想挫一挫李唐的锐气，可主要目的还是想捞一些真金白银，至于李唐的土地，突厥人实在没多大兴趣，就像郑元璹说的，抢过来也没什么用，而且劳师费财，得不偿失。况且此次亲征，颉利可汗也领教了唐军的战斗力，真正开打，突厥人未必能占便宜。更何况，李建成和李世民兄弟这一次又双双上阵，其麾下都是李唐最精锐的部队，特别是李世民，能够在短短几年里扫灭群雄，其军事才能绝对不可小觑，如果与他交手，颉利可汗并没有多少胜算。现在李唐既然主动提出馈赠金帛，颉利正好就坡下驴，当即与郑元璹达成修好协议，随后带着李唐贿赂的一大堆金帛撤兵北还。

通过此次南侵，颉利可汗自认为在军事上对李唐还是具有威慑力的，这一点让他很有些自鸣得意。他觉得就算李唐最终一统天下，也改变不了他们对突厥心存畏惧的事实。只要他隔三岔五地派兵到李唐地面上转一转，相信每次都能满载而归。

颉利可汗对此充满自信。

然而，此时的颉利绝对不会想到，短短四年后，李唐政权便会突然易手，而李世民上台之后，突厥对李唐所拥有的强势地位随即一落千丈，最后甚至荡然无存。

更让他想象不到的是，又过了四年，大唐名将李靖会一战将他击溃，曾经如日中天的突厥汗国竟然在他手中灭亡，而他本人也被俘送长安，最终抑郁而亡，客死异乡。

武德五年深秋，驻守河北的唐军再次感到了一种莫名的恐惧。

因为复仇之神刘黑闼归来了。

他在九月末一举攻克瀛州，斩杀了唐刺史马匡武。刘黑闼兵势复振，据守盐州（今陕西定边）的变民首领马君德立即献出州城，归附刘黑闼。十月初五，刘黑闼的弟弟刘十善与唐贝州刺史许善护在鄃县（今山东夏津县）展开激战，唐军被击溃，许善护全军覆没。初六，唐观州（今河北泊头市西）刺史刘会献出州城，投降刘黑闼。

十月十七日，刚刚被李渊任命为河北道行军总管的淮阳王李道玄在下博（今河北深州市东南下博镇）与刘黑闼会战，结果唐军大败，李道玄被刘黑闼斩首。

当时李道玄拥兵三万，在兵力上占据优势，可为何最终还是兵败身亡？

表面上的原因是他太年轻、缺乏军事经验，而对手刘黑闼又太强悍，但最根本的原因却不在此，而在天子李渊。

李渊让年轻的李道玄担任统帅出来历练，这本身并没有错。此外李渊还让沙场老将史万宝担任李道玄的副手，事实上就是当他的教练，这看上去想得也挺周到。

可李渊的错误恰恰就在这个地方。

首先他为李道玄圈定的这个教练人选就有问题，因为史万宝历来与李道玄不睦，绝对不可能与他同心协力，更不可能传授给他什么经验。此外李渊又下了一道手诏给史万宝，说："淮阳王还年轻，军事行动由你全权负责。"如此一来，史万宝又怎么可能把李道玄放在眼里？

李渊不经意间犯下的这两个错误，最终酿成了李道玄的悲剧。

当时战斗一打响，贪功冒进的李道玄就决定率先突击，命史万宝率大军随后跟进。可当他率轻骑兵一头冲入汉东军阵地的时候，史万宝却按兵不动。左右见淮阳王处境危急，大为不安，可史万宝居然用一种幸灾乐祸的口吻说："我接到皇上手谕，说淮阳王不过是一个娃娃，军事上由老夫全权负责，而今他轻率妄进，如果跟他一同进攻，一定同归于尽。不如以淮阳王为诱饵，等他一败，贼兵争相来攻，我们严阵以待，必能将他们击败。"

于是数万大军就这么眼睁睁地看着李道玄和他的少数轻骑被敌人慢慢

吃掉，士兵们无不心寒。所以当刘黑闼的主力随后攻上来时，唐军早已斗志全失，无论史万宝如何叫喊，也挡不住大军溃逃的脚步，下博之战就此失败。

听到年仅十九岁的李道玄阵亡的消息后，李世民深感惋惜，对身边的人说："道玄多次跟随我南征北战，看我经常深入敌阵，心中羡慕，想要效法，以至于此啊！"言罢涕泪沾襟。

淮阳王李道玄的兵败身亡对河北唐军无疑是一个沉重的打击。

这年十月末，唐洺州总管、庐江王李瑗在无尽的恐慌中弃城而逃。

山东一片震骇，各州县纷纷叛降。

旬月之间，复仇之神刘黑闼再次克复夏朝全境。李世民洺水之战的胜利果实完全付诸东流。

十月二十七日，刘黑闼以一种王者不死的姿态大摇大摆地进入他的都城洺州。

十一月初，唐沧州刺史程大买弃城而逃。与此同时，正驻兵河南的齐王李元吉尽管早已接到李渊进兵的诏令，却也始终不敢跨过黄河一步。

面对这个可怕的复仇之神的归来，大河南北的唐朝将吏似乎都当起了缩头乌龟。

此时，魏徵正在长安的太极宫里用一种时不我待的口吻对一个人说——

机会来了，该您上场了！

魏徵妙计安天下，李建成赢了一回

魏徵此时的职务是太子洗马。

所谓太子洗马，并不是为太子管理马厩和洗马的，而是东宫的图书馆馆长，换言之就是太子的幕僚。

毫无疑问，这个即将在贞观时代与李世民共同演绎一出千古佳话的魏徵，此刻并不是李世民的人，而是太子李建成的死党。

眼看秦王李世民几年来威望日增、勋业日隆，魏徵一直替太子李建成感到忧心忡忡。

一年前，当李世民被封为旷古未有的天策上将并开府置官时，魏徵就觉得秦王的势力已经是一时无匹了，半个月前李世民又因驱逐刘黑闼之功被封为十二卫大将军，总揽全国兵权，更是让魏徵意识到太子的地位已经岌岌可危。

太子李建成如果再不有所作为，迟早会被秦王取而代之。

魏徵感到了一种深深的忧惧，为李建成，也为自己的未来命运。

为此，当复仇之神刘黑闼并没有被李世民一举歼灭，而是很快就卷土重来、再度猖獗时，魏徵发自肺腑地笑了。

他原本以为所有的蛋糕都被秦王李世民一个人吃了，没想到刘黑闼这么快又做了一个。

这真是天赐良机！

魏徵随即与太子中允王珪一起对李建成说："秦王功盖天下，中外归心；殿下但以年长位居东宫，无大功以镇服海内。今刘黑闼散亡之余，众不满万，资粮匮乏，以大军临之，势如拉朽，殿下宜自击之以取功名，因结纳山东（此处指崤山以东）豪杰，庶可自安！"（《资治通鉴》卷一九〇）

李建成深以为然。

自己终于可以扬眉吐气了！

几年来，李建成身为大唐帝国的堂堂储君，却在秦王李世民的绚丽光芒之下黯然失色。李世民赢得了多少鲜花、掌声和赞誉，他就相应承受了多少失落、愤懑和不甘。这太子当得实在是窝囊透了！瞧瞧去年七月那场万众瞩目的凯旋仪式，那简直就是李世民个人专场的武功秀嘛！瞧瞧他那副趾高气扬、不可一世的样子，愣是没把任何人放在眼里，别说自己这个当兄长的，就算父皇李渊，恐怕在他心目中也没什么分量。李世民啊李世民，你怎么就敢明目张胆地把你的尾巴翘上天呢？

武德五年十一月初七，当太子李建成带着一副舍我其谁的表情向李渊主动请缨时，李渊顿时感到了一阵由衷的欣慰，并且如释重负。

是啊，太子是该上场了。

秦王那头的分量太重了，眼下还有什么比增加太子这边的砝码更迫切、更重要呢？

李渊当天就颁发了一道诏书，命太子李建成率军征讨刘黑闼。

李建成这次得到的职务是——陕东道大行台及山东道行军元帅，"河南、河北诸州并受建成处分，得以便宜从事"。这也就意味着，整个潼关以东的所有唐朝将吏全部要受李建成一体节制，且赋予了他临事专断之权。

十一月二十二日，在得知兄长李建成率领的大军已经从关中出发后，李元吉终于鼓起勇气打了一仗，在魏州（今河北大名县）一带击败了刘十善。二十六日，刘黑闼率部南下，攻克元城（今大名县东），相州以北的州县纷纷归附，只剩下魏州总管田留安仍然在坚守孤城。刘黑闼随即将魏州团团围困，日夜猛攻。

十二月中旬，李建成的大军进抵中原战场，与李元吉会师，在昌乐（今河南南乐县）列阵扎营。刘黑闼立刻掉头南下，与唐军对峙。

此时的刘黑闼万万没有料到，这一次他将不战而败。

并且将一败而亡！

因为李建成实际上跟他打了一场不见血的战斗，如此高明的战略实在出乎刘黑闼的意料。

这个战略是魏徵提出来的。

就在两军对峙之时，魏徵对李建成说："当初击破刘黑闼时，我们一抓到他的将领就全部处死，逃亡的全部通缉，妻子儿女也一并关进监狱，所以迫使他们下定了反抗到底的决心。前不久齐王李元吉虽然宣布了大赦令，可他们却不敢相信，以为又是一个陷阱。而今我们应该把汉东军的战俘全部释放，安抚慰勉，送他们各回家乡，如此一来，不用我们动手，定可坐视刘黑闼部众离散。"

李建成依计而行，不与刘黑闼正面对决，在战场上两次列阵却又两次收兵。刘黑闼满腹狐疑，担心李建成设下埋伏，所以没有贸然进攻。

对他来讲，昌乐对峙的这几天是他一生中最后的，也是最宝贵的机会。

但是刘黑闼错过了。

永远地错过了。

随后的几天，刘黑闼军中开始断粮。

而更要命的是，魏徵的策略对他的部队产生了致命的影响。部众中开始不断有人逃亡，有些士兵甚至把他们的将领捆起来一块投降了唐军。

刘黑闼很想发动进攻、决一死战，可他又担心魏州的田留安攻击他的后背。思前想后，刘黑闼决定三十六计走为上。

留得青山在，不愁没柴烧！

先退回河北的根据地，休整一阵子再说。

十二月二十五日，刘黑闼趁着夜色向馆陶（今河北馆陶县）方向撤退。就在他撤至永济运河的时候，李建成的大军尾追而至。刘黑闼命王小胡背靠运河列阵，然后亲自督促士兵搭设浮桥。桥一搭好，刘黑闼立刻带着数百名骑兵冲到了西岸。可当他回过头来的时候，对岸的情景令他目瞪口呆。

留在对岸的部众全都乖乖放下了武器，高举双手向唐军投降。

还没等刘黑闼回过神来，唐军骑兵已经冲上浮桥向他杀来。万般无奈的刘黑闼只好带着几百个亲兵头也不回地落荒而逃。

唐军骑兵刚刚有一千余人冲到对岸，仓促架设的浮桥就轰然崩塌了。唐军只好停止追击。

武德五年最后的日子里，刘黑闼在冰天雪地里一路向北狂奔——除了继续流亡突厥之外，他别无选择。

李建成派出的唐军大将刘弘基在背后拼命追赶。

刘黑闼一刻也不敢停下来，他现在是在跟死神赛跑。

在马不停蹄的逃亡路上，刘黑闼肯定一直在思考一个问题——自己为何不战而败？

即便是打遍天下无敌手的李世民，跟他过招的时候也要杀得天昏地暗、日月无光，最后还要靠决堤泄洪这样的损招才把他的主力吃掉，可如今这个李建成却连仗也不用打，几乎不费吹灰之力就把他彻底击败了。

这到底是为什么？

刘黑闼唯一知道的原因就是背叛——万千部众在他毫无防备的时候集体背叛。

可问题在于，他们为什么背叛？

刘黑闼不知道。

因为他只是一个将军，不是一个政治家。而关于人心向背的问题属于政治范畴，所以也就超出了刘黑闼思考的范围。

魏徵正是敏锐地抓住了他的这个致命弱点，才对他打了一场防不胜防的攻心战。

刘黑闼的部众就是在这场凌厉的攻心战中丢盔卸甲、不战而降的。从这个意义上说，刘黑闼第二次起兵不是败给了唐军元帅李建成，而是败给了政治家魏徵。

武德六年（公元623年）正月，当普天之下的人们都在迎接新年的时候，刘黑闼和他最后的一百余名亲兵却还饥肠辘辘、疲惫不堪地奔跑在逃亡路上。

初三，这群饥寒交迫的逃亡者跑到了饶阳（今河北饶阳县）。刘黑闼的部下、饶州刺史诸葛德威亲自出城迎接。

可刘黑闼却不想进城。

因为他现在已经成了一只惊弓之鸟，他怀疑任何人都有可能背叛他。

对于这个姓诸葛的人，刘黑闼同样不抱信任。但是这个人的真情最终却让他无法抵挡。

因为诸葛德威万分悲伤地流下了两行热泪——为汉东王刘黑闼落到这步田地而流，也为老大刘黑闼居然失去了对他的信任而流。

在这样一个大地冰封、寒风凛冽的早晨，这两行清亮的热泪是很容易温暖人心的。

刘黑闼心上的坚冰就在这一刻彻底融化了。

他相信人间或许还有真情。

而此时此刻，他和他饥寒交迫的一百多号弟兄，是多么需要真情、多么需要一碗热气腾腾的小米粥啊！

刘黑闼没有抵挡住真情和小米粥的诱惑，解除警惕走进了饶阳城。

诸葛德威果然给他们送上了热气腾腾的小米粥，还有同样热气腾腾的白馒头。

刘黑闼和弟兄们刚喝了半碗粥，刚咬了几口馒头，殷勤的诸葛德威很快又给他们送上了一样东西。

钢刀！

每个人脖子上都架了一把明晃晃的钢刀。看着刀刃上泛起的森寒白光，刘黑闼生平第一次感到了一种绝望的眩晕。

刘黑闼和弟弟刘十善一起被押到洺州斩首的时候，这位复仇之神仰天长叹，说了一句很没有英雄气概的话。他说："我本来在老家好好种菜，都是高雅贤这帮人把我害到今天这个地步！"

很显然，刘黑闼到死也没搞懂人心向背的问题，到死也没搞清楚自己迅速崛起又突然败亡的根本原因。

其实，刘黑闼第一次起兵之所以能够气势如虹、所向披靡，根本原因有二：首先，窦夏政权虽然已经垮台，但是它在河北经营多年的统治根基却还十分牢固。换句话说，李唐虽然凭借虎牢之战一举消灭了窦建德，并收降了齐善行、曹王后、曹旦等窦夏政权的高层人物，摧毁了窦夏政权的统治核心，但是并未真正铲除夏朝中下层将吏在河北根深蒂固的势力，进而言之，李唐朝廷根本不可能通过一场战役的胜利就彻底降服河北的人心。更何况虎牢之战本来就是窦建德离开本土所进行的外线作战，对于河北境内的大多数将吏和军民而言，由战争所引发的流血、痛苦和创伤并没有波及他们，在此情况下让他们突然接受失败，一夜之间要求他们弃旧迎新，向李唐俯首称臣、献上忠心，这实在是有点强人所难。

其次，窦夏政权垮台后，李唐朝廷对河北所采取的政策似乎也有高压之嫌，窦建德的旧部感受不到李唐对他们进行招抚和收编的诚意，也看不到相应的实实在在的利益，所以完全有理由对李唐感到不满，对前途感到渺茫。在此情况下重操旧业，是顺理成章的事情。更何况燕赵之地自古民风彪悍，且河北民众对窦夏政权的满意度一直都很高，因此李唐的高压政策无异于把一副强硬的弹簧压迫到底，最后这些人自然会高度反弹。

所以，刘黑闼等人再度揭竿而起是必然的。

李唐的虎牢之战赢得过于轻松了，代价就是必须回头再补上一战。

简言之——河北的血并未流够！

与此同时，李唐朝廷也必须调整其强硬的河北政策，改高压为真正的安抚，才可能消除河北叛乱的外部因素。我们看见魏徵正是准确地抓住了这一点，所以积极采取安抚政策，迅速释放弹簧的压力，消解其反弹能力，从而促使刘黑闼在一夜之间丧失了部众的拥戴。魏徵的聪明在于，他知道河北问题归根结底是一个政治问题，因此，用政治手段解决远比用军事手段解决节约成本，也更高效。当然，李世民首先在军事上挫尽了刘黑闼及其部众的锋芒和锐气，让河北该流的血都流够，这绝对为魏徵日后采取政治手段铺平了道路。

至于刘黑闼，他当然没有能力看清楚上述这一切。

如果说在隋末唐初的乱世中，刘黑闼还称得上英雄的话，那他也只能算半截子英雄。

问题倒不是出在他最终的失败上，因为历史上多的是虽败犹荣的英雄。关键是刘黑闼身上缺乏一种视死如归的精神，缺乏一种一以贯之的人生信念，所以才会在临死前说出那种很没有英雄气概的话，抹杀了自己的一世英名。

一个人失败了并不可耻，可耻的是在面对失败的时候丧失了勇气和信念，只剩下一副悔恨交加、怨天尤人的嘴脸。

所以最后我们只能说——复仇之神刘黑闼的结局，实在不够漂亮。

爱吃仙丹的叛军头头

新的一年来了。李渊欣喜地看到，燃烧多年的烽烟仿佛正在散去，遍及天下的战火似乎也已逐渐熄灭。

正月初，刘黑闼败亡，河北平定。

二月，徐圆朗势穷力蹙，弃城而逃，被流民所杀，河南平定。

三月下旬，梁师都的大将贺遂、索同率领下辖的十二州降唐。梁师都的势力从此大为削弱，虽然仗着突厥人的支持不时犯边，但基本上已是日薄西山，难以有所作为。

六月中旬，一直据守马邑（今山西朔州市）的苑君璋（刘武周旧部）被其部将高满政发动兵变驱逐，逃亡东突厥。高满政随后献出马邑归降唐朝，被封为荣国公，任朔州总管。

到这一年初秋为止，虽然高开道还在河北进行小范围的袭扰劫掠，各地也还有一些零零星星的小规模叛乱，但是天下趋于稳定已经是一个有目共睹的事实，四海人心在经历多年的战乱之后也无不渴望和平、期待统一。

这是李渊在武德六年对天下大势的一个基本判断，也是李唐朝廷上上下下的一个基本共识。

可是，在这个世界上，总有人不愿做一个治世的良吏或良民，更愿做一个乱世的英雄或枭雄。尽管像刘黑闼和徐圆朗这种失败的教训就在眼前，可还是有人愿意步他们的后尘，豁出性命再玩一次心跳。

这最后一波叛乱的发动者，就是杜伏威多年的战友和副手——辅公祏。

这一年八月初九，时任淮南道行台仆射的辅公祏据丹阳（今江苏南京市）复叛，杜伏威原有的部众和辖区几乎全部跟随辅公祏揭起反旗。

消息传至长安，杜伏威就像被一记响雷击中了天灵盖，好久没有缓过神来。

几年来他最担心的事情，终究还是发生了。

其实早在刘黑闼、徐圆朗和高开道等人复叛之后，杜伏威就有一种临深履薄之感。因为同样作为隋末唐初折腾得比较凶的反王之一，杜伏威很难让人相信他没有复叛的企图。即便他现在自认为一颗忠心向着李唐，可过去的反王身份还是很容易招致人们怀疑和戒惧的目光。虽然李渊始终没有表现出对他的猜忌，但是杜伏威很清楚天子内心的真实想法，所以他知道，必须主动做点什么，才能消除朝野上下对他的腹诽和猜疑。

要做点什么呢？

思前想后，最好的办法只有一个——入朝。

武德五年七月，正当李世民在淮河一带大举征讨徐圆朗时，其时驻守丹阳的杜伏威就向李渊上表请求入朝。对于杜伏威这种主动避嫌以示忠心的聪明做法，李渊甚感欣慰，随即召他入朝，并任命他为太子太保，遥领东南道行台尚书令之职。而且宠遇甚隆，连朝会的班位都排在齐王李元吉之前，随同杜伏威入朝的义子阚稜也官拜左领军将军。

面对天子的信任和礼遇，杜伏威既感激又满足。

可越是对现状感到满足，他就越担心有人会破坏它。

他担心谁？

辅公祐。

表面上，谁都以为杜伏威和辅公祐是生死之交，可事实上这种关系早已不复存在。在造反初期，他们之间或许还有点惺惺相惜、相濡以沫的味道，可随着时间的推移和环境的变化，他们二人便渐行渐远，从冷淡和隔膜走向了互相防备和猜疑。后来杜伏威的地位越来越高，辅公祐既羡且妒，可他城府极深，从不表露。内心越是觊觎权力，辅公祐的外表就越是装得满不在乎，最后甚至和老友左游仙成天炼丹修道，以不食人间烟火之状敛藏自己的锋芒，淡化杜伏威的戒心。

然而，杜伏威对他的戒心始终没有解除。

常年在刀口上讨生活的人，没那么容易被人麻痹。

但是表面文章总是要做的，辅公祐既然表现得如此低调，杜伏威当然也没什么理由跟他翻脸，所以始终把辅公祐放在二把手的位置上。

如果没有刘黑闼等人掀起的波澜，杜、辅二人的太极推手也许会一直这么打下去，谁也别想把谁怎么着。可后来时势大变，杜伏威不得不入朝，而且不得不把丹阳的行政大权交给辅公祐。临行之前，杜伏威特意把他的义子、麾下猛将王雄诞安插在辅公祐身边，命他掌管军权，并郑重叮嘱说："我到长安后，如果一切顺利，千万不能让辅公祐生变！"

王雄诞是一名勇将，胆识和忠心都不缺乏，可唯独缺乏心计。所以杜伏威入朝不久，辅公祐就略施小计夺取了王雄诞的兵权——他放出一条消息，说他接到杜伏威的一封密函，信中对王雄诞的忠心甚表怀疑。王雄诞立刻中计，从此心灰意冷，托病不入州衙，军政大权随即落入辅公祐手中。

直到辅公祐做好了一切叛变准备，派人对王雄诞发出最后通牒，逼他入伙时，王雄诞才如梦初醒，悔之莫及。他对来人说："而今天下方平，吴王（杜伏威）又在京师，大唐兵威所向无敌，为何要无故反叛，自求灭族？雄诞唯有一死而已，不敢自陷于不义！"随即被辅公祏缢杀。

随后辅公祏便迫不及待地揭起了反旗，在丹阳登基称帝，国号为宋，设立文武百官，命左游仙为兵部尚书，同时联合洪州（今江西南昌市）的变民首领张善安，命他掌西南道大行台。

辅公祏之叛，无疑让杜伏威百口莫辩。而且辅公祏又是处心积虑打着他的招牌，说是奉他的密令起兵，摆明了就是要借朝廷之刀置他于死地。

杜伏威意识到——自己的功名富贵和身家性命就这么被辅公祏一夜之间全给毁了。

八月二十八日，李渊下诏，命各地唐军兵分四路：赵郡王李孝恭率水军向江州（今江西九江市）出发，岭南道特使李靖率交州、广州等地军队向宣州（今安徽宣州市）出发，怀州（今河南沁阳市）总管黄君汉自谯亳（今安徽亳州市）出兵，齐州（今山东济南市）总管李世勣自泗水出兵，一同讨伐辅公祏。

九月，辅公祏命大将冯慧亮、陈当世率水军三万进驻博望山（今安徽当涂县西南），另派陈正通、徐绍宗率步骑三万进驻青林山（今安徽当涂县东南），两军互成掎角之势，协同攻防。此外，宋军又在梁山（今安徽和县南）一带的长江两岸拉起铁链，横断江面，以此阻挡唐朝的水军，并且在沿岸修筑了大量堡垒，绵延达十多里，最后在长江西岸安营扎寨，严阵以待。

宋军迅速在唐军面前筑起了一道铜墙铁壁。

十月，李孝恭和李靖的水军合兵一处，进抵舒州（今安徽潜山县）。与此同时，李世勣率步兵一万南渡淮河，攻占寿阳（今安徽寿县），并进驻硖石（今安徽寿县北）。

十一月，宋军将领陈当世率部南下阻击唐军。唐舒州总管张镇周出兵迎战，在猷州（今安徽泾县）的东南面大破陈当世。

十二月，唐安抚使李大亮在洪州设计诱捕了宋西南道大行台张善安，并击溃了他的部众，成功斩断了辅公祏延伸出来的一只臂膀。

武德七年（公元624年）正月十一，李孝恭和李靖一路向长江下游挺进，先是进围枞阳（今安徽枞阳县），击破驻守此地的宋军，继而在二月初攻克鹊头（今安徽铜陵市北），随即向冯慧亮驻守的博望山挺进。

李孝恭和李靖势如破竹、直捣宋军腹地的同时，杜伏威忽然在长安暴毙。

杜伏威之死非常蹊跷，各种史书的记载都很简略。《资治通鉴》只写了一个字"薨"，而《旧唐书》只说了两个字"暴卒"，只有《新唐书》给出了死因："伏威好神仙长年术，饵云母被毒。"云母是道家的一种丹药，可见杜伏威是服食丹药中毒而死。但问题是，这丹药究竟是杜伏威自己过量服用而死，还是因某种外在力量的逼迫服食而死？换言之，杜伏威到底是自杀还是他杀？

关于这个问题，史书没有给出答案。可我们根据此后发生的一系列事件来推断，答案很可能是后者。首先，一个多月后李孝恭平定了辅公祏，抄出了杜伏威与辅公祏之间的所谓"反书"上报朝廷，声称杜伏威是辅公祏叛乱的幕后主使，而李渊竟然二话不说，当即下诏追夺杜伏威的官爵，并将其妻儿全部籍没为奴。联想到此前杜伏威所受的尊宠和礼遇以及他的太子太保和吴王的身份，即便有所谓的"反状"，也应该通过有关部门进行周密的调查审理，找到确凿无疑的证据后才能定罪，而李唐朝廷为何不经过任何正常程序，仅凭别有用心的辅公祏所炮制的所谓"反书"，就迫不及待地将杜伏威"斩草除根"呢？这不得不让人怀疑李渊的真实用心。

其次，随同杜伏威入朝的义子阚棱此后的际遇则更为不堪。唐军大举征讨辅公祏时，阚棱也参与了平叛战役，并且在战场上发挥了不小的作用。《新唐书·阚棱传》记载："公祏反，棱功多。"大军攻克丹阳后，李孝恭不但没有论功行赏，反而不分青红皂白地抄没了杜伏威、王雄诞和阚棱在丹阳的所有家产，理由是辅公祏被捕后供认阚棱与他串通谋反。很明显，辅公祏的供词纯粹属于诬告，因为阚棱和王雄诞都是杜伏威的心腹，而阚稜又亲自参与征讨他的战斗，辅公祏死前当然要拉阚稜垫背，所以他的供词绝对是靠不住的。这一点谁都看得出来，想必李孝恭也是心中有数。可他居然还是抄没了阚稜的家产。阚稜当然不服，于是据理力争，李孝恭索性以谋反罪名将阚稜就地斩首，连上报朝廷的环节都省了。对此我们不能不提出疑问：李孝恭凭什么听信辅公祏的诬告，凭什么如此轻率地把"谋反"罪名安在阚稜头上并抄没他的家产？即便他本人相信阚稜的确参与谋反，可在事情没有调查清楚之前，他凭什么不经过朝廷同意就擅杀一个朝廷命官、平叛功臣？如果李孝恭背后没有朝廷撑腰、没有天子李渊事先授意，他敢这么做吗？再者，王雄诞是因为不愿参与反叛而被辅公祏杀害的，这一点更是人所共知的事实，按说他应该算是李唐的忠臣和烈士，可为何连他也被视同谋反？这一切实在有悖常理。

最后，一个更加意味深长的事实是——贞观元年（公元627年），唐太宗李世民即位，当年就为杜伏威平反昭雪，"诏复官爵，以公礼葬，仍还其子封"（《新唐书·杜伏威传》）。李世民如此急切地替杜伏威平反，起码说明了一点，那就是这起事涉多人的冤假错案绝对不可能是李渊朝廷的无心之过，而是借辅公祏叛乱的机会痛下杀手，一举剪除以杜伏威为首的"江淮小集团"。

众所周知，杜伏威是隋末最早的割据势力之一，在江淮一带拥有很大的影响力，虽然杜伏威归附了唐朝，但是他和李唐朝廷之间的相互猜忌是在所难免的。正因为此，杜伏威才会在刘黑闼、徐圆朗等人复叛后赶紧主动入朝为质。李渊表面上不动声色，对入朝的杜伏威恩宠有加，事实上内心的忌惮是极为强烈的。我们甚至可以说，他内心越是忌惮，表面上就越要表现出对杜伏威的恩宠，二者其实是成正比的。而辅公祏公然复叛后，在江淮大有振臂一呼、应者云集之势，李渊就更加感到这股江淮旧势力是帝国南部一个极大的不稳定因素。所以，与其担心这个江淮小集团中还会有人继辅公祏之后造反，倒不如借此机会赶尽杀绝，一劳永逸地根除后患。

综上所述，我们有理由认为，杜伏威很可能是死于谋杀，而整起冤假错案的幕后制造者就是——大唐天子李渊。

武德七年三月，李孝恭和李靖在芜湖击败宋军，并迅速北上，一举攻克梁山（今安徽和县南）的三座军镇，随即进抵博望山，将博望山和青林山的所有宋军堡垒全部攻克。冯慧亮等人狼狈逃回丹阳，宋军被杀和溺毙于长江者数以万计。

李靖所部率先攻至丹阳城下，辅公祏怯战，放弃丹阳，率数万人马向东逃窜，准备投奔左游仙驻守的会稽。其时李世勣的军队也已赶到，在后面紧追不舍。当辅公祏仓皇逃至句容时，数万大军已经相继逃散，最后只剩下五百余人。

三月下旬的一个夜晚，失魂落魄的辅公祏带着残部逃到常州，部将吴骚等人在馆驿里密谋，准备逮捕他投降唐军。生性多疑的辅公祏察觉，于是连夜抛弃妻儿，只带着数十名亲兵再度逃窜。一行人逃到武康（今浙江德清县西）时，遭当地流民袭击，辅公祏被生擒，旋即押赴丹阳斩首。唐军分兵搜捕辅公祏的残余党羽，随后全部诛杀。

至此，江南彻底平定。李唐王朝"北自淮，东包江，度岭而南，尽统之"（《新唐书·河间王孝恭传》）。稍后，朝廷撤销东南道行台，改称大都督府，李孝恭以平定帝国半壁之功，被擢升为扬州大都督，李靖为都督府长史。李渊在人前人后不住地夸奖李靖："李靖真是萧铣和辅公祏的克星啊！"

就在江南这最后一波叛乱平定前夕，河北怀戎（今河北怀来县）自称燕王的高开道就已先于辅公祏走向灭亡了。

从背后向高开道捅刀子的人，是他最信任的义子——侍卫队长张金树。

武德七年二月的一天，张金树发动兵变，包围了高开道的府邸。高开道自知在劫难逃，就把妻妾和子女全都召集起来，和他们一起饮酒，甚至还命乐工奏乐助兴。这凄凉的绝命酒喝了整整一夜。等到案上杯盘狼藉、人人酩酊大醉的时候，东方的天空也已渐露曙色。高开道手里拿着一根绳子，摇摇晃晃地在大堂里走了一圈，把妻妾子女挨个勒死，然后就上吊自杀。

当天早晨，张金树命令部队全城戒严，并把高开道的其他义子全部砍杀，然后砍下高开道的头颅，遣使向唐朝投降。

二月二十日，李渊的受降诏书和任命状迅速抵达怀戎。

几天前还无人知晓的毛头小子张金树，就在这天摇身一变，成了大唐帝国的北燕州都督。

长江后浪推前浪，一代新人换旧人。

从来只有新人笑，有谁听见旧人哭？

旧人不哭。

因为旧人已经成了尸骨。

累累尸骨堆成阶梯，造就了新人脱颖而出的高度。

人皆如此，王朝何独不然？

自从隋大业七年（公元611年）邹平人王薄在齐鲁大地唱响那一支振聋发聩的《无向辽东浪死歌》，到唐武德七年（公元624年）高开道和辅公祏等人的相继覆灭，一个历时十三年的天崩地裂、血雨腥风的时代终于画上了句号。

回首来时路，人们不禁要问，这究竟是一个什么样的时代？

我们只能说——

这是一个翻手为云、覆手为雨的时代。

这是一个一切皆有可能的时代。

天堂和地狱只在一念之间。贵贱、穷通、生死、荣辱、成败、利钝、得失、福祸……这些貌似矛盾对立的两极事物，往往在某些阴差阳错的瞬间相互易位，迅捷如同闪电。而你在如烟过眼的短暂一生中，能见证什么叫作星移物换、沧海桑田；你也能在某个刀光闪过的短暂一秒中，见证什么叫作人生如梦、刹那永恒。

这是一个一着不慎、满盘皆输的时代。

这是一个一切皆具宿命的时代。

历史的大棋盘乍一看风起云涌、龙盘虎踞，可就在你不经意的转身与回眸之间，一切都已尘埃落定。你只能遗憾，为什么不能让一切从头再来？

当命运的弈局开场时精彩无比，你自以为手段精妙，纵然走不出吞吐天下的乾坤步，至少能博一个逍遥一方的玲珑局。可你却英雄气短，一步走来一寸灰，到最后你也许会伤感，为什么没有人在一开始就告诉你——小心，落子不悔！

看似天下太平

日月双飞箭，乾坤一转丸。

公元624年的农历三月，春暖花开，万物生长。新生的大唐帝国在经历了一连串血与火的洗礼之后，终于呈现出一片海晏河清的太平景象。除了依然盘踞在朔方（今陕西横山区）的梁师都之外，四方群雄皆灭，天下复归一统。李渊父子及其政治军事集团经过七年的浴血奋战和不懈努力，终于在这片古老的土地上重新缔造了一个庞大的帝国和强有力的中央政府，并恢复了崩溃已久的社会秩序，重建了大一统的政治权威。

一切似乎都已走上了正轨。

然而，当这个横空出世的新王朝正以一种生机勃发的姿态展现在世人面前的时候，一场可怕的政治风暴，却已经在帝国的权力之巅酝酿。

风暴起源于两大水火不容的集团之间由来已久的政治博弈。

从武德初年起，围绕着帝国的最高权力，以李建成为首的太子集团和以李世民为首的秦王集团就一直在寸步不让地暗中较量。到了天下大致平定的武德五年以后，这种暗流汹涌的政治博弈就逐渐演变成公开化的激烈斗争。而齐王李元吉也差不多在这个时候作出了自己的政治抉择——加入李建成的阵营，联手对付李世民。

李元吉之所以在关键时刻投靠李建成，并非出于他与长兄的感情，而是因为他同样怀有个人的政治野心。李世民图谋取代储君之位，而李元吉同样也在觊觎皇权。假如拥戴战功显赫、威望卓著的李世民夺嫡继位，那他李元吉永远也别想有出头之日；而如果是与东宫联手剪除秦王，回头再除掉太子，在李元吉看来则是易如反掌之事。说白了，李建成在李元吉心目中就是一块通向皇位的跳板，因此他才会毫不犹豫地投靠东宫。

唐高祖李渊晚年的爱情生活丰富多彩，后宫嫔妃成群，终日莺歌燕舞，其中尤以张婕妤和尹德妃最受李渊宠幸。太子和秦王为了能让嫔妃们的枕头风对天子的各种决策施加影响，增加自身的博弈筹码，不约而同地把PK的阵地从外廷延伸到了后宫。

对于这些年轻的嫔妃而言，天子李渊年事已高，随时可能龙驭宾天，所以，为了巩固自身的政治地位并长保富贵，她们必然要在年长的皇子中为自己和年幼的儿子寻找未来的政治靠山，因此也必然会自愿地加入太子与秦王的这场政治PK中来。史称："上晚年多内宠，小王且二十人，其母竞交结诸长子以自固。建成与元吉曲意事诸妃嫔，谄谀赂遗，无所不至，以求媚于上。"据说，太子与齐王甚至还因此与张婕妤和尹德妃传出了宫廷绯闻："或言烝于张婕妤、尹德妃，宫禁深秘，莫能明也。"（《资治通鉴》卷一九〇）

而在交结后宫、争取内援方面，李世民当然也不会无所作为。但是他更为谨慎，并没有亲自出面，而是让妻子长孙氏在后宫开展活动。"时太宗功业既高，隐太子（李建成）猜忌滋甚。后（长孙氏）孝事高祖，恭顺妃嫔，尽力弥缝，以存内助。"（《旧唐书·文德皇后长孙氏传》）

可见当时的后宫嫔妃也分成了亲太子和亲秦王的两派。但是太子和齐王最终还是在这场后宫之战中占据了上风，因为他们与张、尹二妃关系非同一般，而她们恰好又对天子李渊最有影响力。所以当李建成与张、尹二妃拧成一股绳之后，他们就毫不犹豫地对李世民出手了。手段是故意制造事端，引发冲突，从而离间李渊与李世民的父子关系。

太子集团的离间计非常成功，可以从下面这几件事情中明显地看出来。有一次杜如晦骑马从尹德妃的父亲尹阿鼠的府门前经过，尹府的下人忽然冲出来，把杜如晦拉下马一顿暴打，并且折断了他的一根手指。尹阿鼠还指着杜如晦的鼻子咆哮："你是什么东西，敢过我家门而不下马！"然后尹德妃就恶人先告状，向李渊哭诉说："秦王左右欺凌妾家。"李渊不分青红皂白，回头便斥责李世民："我嫔妃家尚且被你左右的人欺凌，更何况小老百姓？"李世民极力解释，可李渊却不肯相信。

还有一次，李世民把长安附近几十顷的良田赐给了淮安王李神通，太子集团马上采取行动，由张婕妤去向李渊求情，替自己的父亲讨要这块田产。李渊不知此田已赐给李神通在先，于是二话不说颁下手诏，把地赐给了张婕妤的父亲。在武德中后期，太子令、秦王教和齐王教可以与天子诏书并行，具有同等效力，有司对此无所适从，最后形成了一个惯例：以先收到的为准。既然如此，李神通手上有秦王的赐令，当然不肯把土地让出来。张婕妤抓住把柄，对李渊说："皇上赐给妾家的田地，被秦王夺走，转赐给李神通了。"李渊勃然大怒，立即把李世民叫来一顿训斥，最后说："我的手诏不如你的手令，是不是？"

通过这些刻意制造出来的摩擦，太子集团达到了目的。李渊对李世民越来越失望，曾经对左仆射裴寂感叹道："此儿典兵既久，在外专制，为读书汉所教，非复我昔日子也！"（《旧唐书·隐太子建成传》）

武德五年以后，随着天下的逐渐平定，李渊便经常在宫中大宴群臣。每逢此刻，李世民就会思念自己早逝的母亲，感叹她不能亲见父亲君临天下，一念及此，总是黯然神伤，独自垂泪。正在兴头上的李渊时常在无意中看到秦王那张郁郁寡欢的脸，愉快的心情总是一扫而光。

秦王这种不合时宜的触景生情，很快又成了心怀叵测的嫔妃们尽情攻击的靶子。宴会过后，嫔妃们就不失时机地对皇帝说："如今四海升平，陛下年事已高，唯一的养生之道就是娱乐。可秦王却总是哭泣败兴，正是因为憎恨妾身们。陛下万岁以后，妾身母子们必不为秦王所容，到时候恐怕一个也不会剩下了！"说到伤心处，这些嫔妃一个个哭成了泪人。

最后她们说："皇太子为人仁孝，陛下将妾身母子们托付给他，方能保全性命。"

李渊看着这群美丽的嫔妃梨花带雨的脸庞，听着她们伤心凄恻的啜泣，不禁悲从中来，陪着她们长吁短叹。他无奈地发现，自己和次子李世民之间的那条裂痕，如今已然塌陷成一道巨大的鸿沟！

面对这种历朝历代似乎都难以避免的政治隐患和亲情危机，他至今也找不到妥善的解决办法。此外，建成、元吉与世民之间日益尖锐的矛盾也让他感到莫大的忧虑和恐慌。

怎么办？

难道要眼睁睁地看着历史上那种父子反目、兄弟相残的悲剧在自己面前重演吗？

| 第二章 |
政变的开端

太子李建成"谋反"

许多年以后，当鬓发苍白的唐高祖李渊被遗弃在宫城西侧那座不事修缮而且乏人问津的大安宫里，独自咀嚼生命中最后的孤独、失落和忧伤时，他将会不止一次地回想起武德七年那个燠热难当的夏天。

在老病交侵的落寞岁月里，尽管不堪回首的沧桑往事早已把这个老人的生命记忆啃噬得面目全非、斑驳支离，但是那个夏天发生的事情还是无比清晰地烙印在他的心底。对于这个从权力之巅遽然跌落并丧失了一切的昔日天子而言，似乎没有人比他更有理由确信武德七年夏天是所有悲剧的开端。正是从这个时候开始，一张由欲望、阴谋和杀戮共同编织成的灾难之网，便不由分说地朝着李唐皇族的头顶罩了下来，最终酿成了武德九年那一幕禁门喋血、骨肉相残的惨剧。

其实李渊一直在努力避免悲剧的发生。

面对建成、元吉与世民之间明争暗斗的诸般事实，李渊并不是无所作为、听之任之，而是一直在他们之间尽力弥缝，煞费苦心地维持某种利益平衡，努力做到一碗水端平。然而，就像人们常说的那样：努力一定有结果，但不一定有好结果。李渊的努力就在武德七年夏天结出了令他难以置信的恶果——庆州都督杨文干悍然起兵，而太子竟然涉嫌谋反！

许多年后，李渊依然清晰地记得他在听到这个消息时的愤怒、震惊与错愕。

太子谋反？

这可能吗？太子真的是杨文干兵变的幕后主使吗？

自从武德六年（公元623年）正月平定刘黑闼之后，太子李建成就有了一种扬眉吐气的感觉，他发现自己终于在李世民的面前重拾了失落已久的自尊和自信，而日渐动摇的储君地位也由此得到了巩固。此外这次东征还让他得到了两个额外收获：其一是和四弟李元吉结成了政治同盟，一起把矛头指向了李世民；其二是与燕王李艺（罗艺）深相交结，推荐他入朝担任了左翊卫大将军，并将其纳入了自己的阵营。

凯旋回朝后，李建成开始不遗余力地扩充武装力量。他私自招募长安及四方的骁勇之士两千余人，分别驻守东宫的左、右长林门，号长林兵。同时他暗中派遣右虞侯可达志前往幽州，从李艺的旧部中抽调了三百名身经百战的突击骑兵，秘密屯驻东宫附近诸坊，准备进一步充实东宫卫队。

李建成之所以搞这么多小动作，目的只有一个——对付李世民。

因为他知道迟早有一天要和李世民刀兵相见。

然而，就在那三百名幽州骑兵刚刚进驻长安不久，事情就被人告发了。有人一状告到了皇帝那里，李渊顿时感到事态严重。一个储君居然背着朝廷，把一支地方军队千里迢迢地调入京师，这绝对是让人无法容忍的。李渊立刻把李建成召去训斥了一番，随后便将东宫将领可达志流放巂州（今四川西昌市），以示惩戒。

李建成很窝火。他比谁都清楚，告密者肯定是秦王的人。可既然是自己违规操作被人抓了小辫子，他也无话可说，只好忍耐。

可有个人却不想忍耐。

他就是齐王李元吉。

这个一贯凶暴蛮横的老四，再也不想跟李世民玩暗中角力的游戏了，他频频怂恿太子先下手为强，干掉李世民。他咬牙切齿地对李建成说："当为兄手刃之！"李建成觉得时机尚不成熟，没有答应。李元吉嫌老大优柔寡断，决定自己找机会动手。

机会很快就来了。

有一次李世民陪同李渊莅临齐王府，李元吉遂命侍卫宇文宝埋伏在内室，准备刺杀李世民。李建成察觉之后，及时制止了他。在他看来，老四这么做简直就是玩火自焚——在你自己的府上、在天子的眼皮底下行凶杀人，暂且不说成功的概率有多大，就算得手了，你的手下刺客宇文宝能逃得掉吗？万一他招供了，你李元吉就算有十个脑袋也不够砍；就算他不招，你齐王身为他的主人，难道不要负主要责任？现如今谁都知道我和你是一条船上的人，到时候不光你身败名裂、小命不保，就连我李建成恐怕也难逃干系！

在李建成的极力阻止下，李元吉的暗杀计划被迫取消。他愤愤不平地对李建成说："为兄计耳，于我何有？"（《资治通鉴》卷一九一）

武德七年（公元624年）夏天，炎炎烈日炙烤着帝京长安。

李渊发觉整座皇宫到处闪耀着令他头晕目眩的白光，灼人的热浪团团包裹着他，让他浑身乏力、呼吸沉重。除此之外，太子与秦王之间的矛盾冲突似乎也在这个时候进入了白热化状态，甚至出现了武力对抗的苗头……这一切都让李渊感到心烦意乱。

五月中旬，位于长安以北宜君县境内的一座山中行宫——仁智宫竣工落成，李渊当即决定去仁智宫避暑散心，纾解一下连日来郁闷烦躁的心境。为此他特意点了两个儿子的名：秦王李世民和齐王李元吉，让他们陪同前往，同时命太子李建成留守长安，负责处理日常政务。

说什么也不能让这兄弟仨待在一起，否则他们准得闹事。

李渊觉得自己的安排很合理。把这几个小子分开，自己或许就能在这林木幽深、风景宜人的仁智宫过一个安心而清凉的夏天了。

可李渊并不知道，他的銮驾刚出长安，有两个东宫的军官随后就押着几车物资悄悄离开京城，一路向西北方向急行。

他们是太子手下的郎将尔朱焕和校尉桥公山，车上装的是一大批崭新的盔甲。

二人奉太子之命，准备将盔甲运往庆州（今甘肃庆阳市）交给都督杨文干。

很显然，这又是一次违规操作。就像前几次一样，李建成自以为这次私运兵器同样做得神不知鬼不觉。可他绝没想到，他的一举一动都没有逃过秦王的眼睛。他更不会想到，这一次秦王会抓住这个把柄把他往死里整。

六月初，也就是在李渊驾临仁智宫的同时，尔朱焕一行也走到了从长安到庆州途中的豳州。

而武德七年这场震惊朝野的"太子谋反"事件，就在这一刻东窗事发。

不知道出于什么原因，尔朱焕和桥公山到达豳州后就不再往前走了，而且突然向豳州地方官举报，声称有重大案情要上告。豳州地方官不敢怠慢，即刻将他们送到了天子所在的仁智宫。尔朱焕和桥公山随即向李渊面奏，指控太子李建成准备与庆州都督杨文干里应外合，趁天子不在京城之机发动兵变。

那一刻李渊几乎不敢相信自己的耳朵。就在他极度震惊并且满腹狐疑的时候，又有一个叫杜凤举的人也从宁州（今甘肃宁县）赶赴仁智宫告发了太子。

他的指控和尔朱焕、桥公山如出一辙。

这个杜凤举是什么角色，史书并无记载，但是有一点我们可以肯定，他和尔朱焕、桥公山的背后，一定有一种相同的力量在操纵，否则他们不太可能在同一时间发出对太子李建成同样不利的指控。

面对这接踵而来的控告，李渊再也坐不住了，他立刻找了一个理由传令太子到仁智宫面圣。无论太子谋反是真是假，李渊都必须在第一时间把他控制住。

接到天子的手诏后，李建成蒙了。

出了什么事？天子为何平白无故召自己上山？

此时的李建成并不知道尔朱焕等人不但已经把他卖了，而且给他扣上了大逆不道的谋反罪名。所以，他的第一反应只能是——私运盔甲之事又被秦王的人告发了。

私运盔甲虽然不是什么死罪，但是这一次却不太一样。因为运送的目的地是庆州，而众所周知的是，庆州都督杨文干是东宫旧部、太子嫡系，李建成当初组建卫队时就曾经从庆州暗中征调过一批将士。这些因素综合起来，极易让人产生丰富的联想。何况此前可达志的事情已经是一次严厉的教训，这次又明知故犯，天子一定大为震怒，否则也不会这么急着召他去行宫。要知道，身为储君却暗中与地方将领交结，并且频频征调部队、私运军用物资，这些事情堆在一起很容易被人控以一个可怕的罪名，那就是——串通地方将领，阴谋反叛。

想到这里的时候，李建成不禁惊出了一身冷汗。

他不知道此刻的天子是否已经起了这样的疑心，可他知道这种可能性绝对不会小。

怎么办？

幕僚们开始七嘴八舌地献计。太子舍人徐师谟提议，干脆起兵，趁天子不在把京师占了。

这显然是个馊主意，跟挖一个坑把自己埋了没啥两样，所以李建成并未采纳。

詹事主簿赵弘智则提出了一个比较理性的建议，他认为：太子应该贬损车服、摒弃随从，独自上山向皇帝请罪。李建成觉得事已至此，也只好这样了，于是带着东宫属官前往仁智宫，在距行宫六十里外的毛鸿宾堡命随从们留下，然后带着十余个侍卫上山。

一见到李渊，太子立刻做出一副痛心疾首的样子，极力表明自己的清白，而且"叩头谢罪，奋身自掷，几至于绝"（《资治通鉴》卷一九一）。

可李渊却一脸怒容，不为所动，一直到太子表演完了，才命人把太子软禁起来，当晚只给了他一碗麦饭充饥，并命殿中监陈福严加看管。

控制了太子之后，李渊立刻命司农卿宇文颖驰赴庆州，召杨文干前来面圣，决定把案件查个水落石出。

可出乎所有人意料的是，宇文颖此行不但没有召来杨文干，反而激起了他的兵变。

史书没有记载宇文颖到底跟杨文干说了些什么，《资治通鉴》只有这么一句话："颖至庆州，以情告之，文干遂举兵反。"虽然我们无从得知宇文颖"以情告之"的"情"到底是实情还是谎言，但是却不妨做一个推论，也就是说——究竟在什么情况下，杨文干才会不顾一切地悍然起兵？

如果宇文颖跟杨文干说的是实情，亦即皇帝对谋反之事只是有所怀疑而并未确认，那么杨文干不太可能起兵造反。因为这么做只能在客观上证实李建成的谋反之罪，让太子跳进黄河也洗不清。而杨文干是太子的死党，他们的关系是一荣俱荣一损俱损，所以在皇帝尚未弄清太子谋反的事实真相之前，杨文干根本没有理由把自己和太子往火坑里推。

由此可见，宇文颖说实话的可能性很小。既然如此，那么促使杨文干孤注一掷的原因只有一个，那就是——宇文颖捏造了某种事实。

也就是说，宇文颖很可能告诉杨文干，太子已被皇帝逮捕，随时可能废黜，谋反行迹已经彻底败露，从而让杨文干产生绝望心理，最后不得不铤而走险、悍然起兵。

如果我们的推论属实，那么接下来的问题就是：宇文颖为什么要撒谎？

就像尔朱焕等人控告太子的动机在史书中是一团迷雾一样，宇文颖诱使杨文干起兵的动机同样隐藏在历史的背光处。然而，只要我们换个方式来提问，那么有关太子谋反和杨文干兵变的真相很可能就会浮出水面。

刑侦学的原理告诉我们，一起案件发生后，要锁定犯罪嫌疑人，一个最基本也是最简单的手段就是，看看有哪些人会因为某人的被害而获取利益或消除风险，那么凶手最有可能在这些人中间。

所以，我们的问题就是——在太子涉嫌谋反的情况下，杨文干兵变对谁最有利？

进而言之，在尔朱焕、桥公山、杜凤举、宇文颖这几个看上去毫不相关的人背后，是否有一只看不见的手在操控一切？

杨文干兵变的幕后黑手

六月二十四日，杨文干兵变爆发。消息传到仁智宫，李渊勃然大怒，同时也感到极度的伤心和失望。因为杨文干的行动等于自动承认了他与太子串通谋反的事实。联系此前尔朱焕等人的告发，整个事件已经真相大白，似乎没必要再寻找什么证据了，李渊很容易就能得出结论——所有这一切的幕后主使不是别人，正是太子李建成。

意识到这一点的时候，李渊的难过自不待言。废立太子看来是势在必行了，可眼下的当务之急却是如何把叛乱消灭在萌芽状态。次日，李渊立刻派遣左武卫将军钱九陇，会同灵州（今宁夏灵武市）都督杨师道出兵讨伐杨文干。

二十六日，也就是杨文干起兵的第三天，李渊召见了李世民。

李渊首先询问他对当前形势的看法。李世民不假思索地说："杨文干这个竖子，竟敢如此狂逆！儿臣以为，他很快就会被自己的部将所杀，即便不会，派遣一个普通将领也足以将他讨平。"

李渊摇了摇头，说："不然。文干事连建成，恐应之者众。你应该亲自出征，回来后就立你为太子。但是，我不能效法隋文帝害死自己的儿子，所以，应该给建成留条后路，封他为蜀王。蜀地狭小，蜀兵脆弱，将来建成若能服从你，你就要保全他的性命；若不服从，你要制伏他也易如反掌。"

至此，整个太子谋反事件最大的获益者就站在我们面前了。

他就是秦王李世民。

杨文干兵变最终促使李渊下定决心——废黜太子，改立秦王。

那么，李世民在这次事件中到底扮演了什么角色？他在背后都做了些什么？

要弄清这一点，首先必须研究一个问题：李建成有没有可能谋反？

我们的答案是：可能性几乎不存在。原因大致有以下三点：

第一，虽然太子与秦王的矛盾由来已久，且有愈演愈烈之势，但是李建成的储君地位始终是稳固的。最主要的原因是：李渊出于立嫡以长的原则和政治稳定的考虑，不可能像当年的隋文帝杨坚那样随意废立太子。

事实上，当秦王势强、太子势弱的时候，李渊也始终站在抑制秦王、扶持太子的立场上，否则也不会在刘黑闼第一次起兵时迟迟不愿起用李世民，更不会在刘黑闼二次起兵时全力支持李建成挂帅出征，建立战功。而李建成讨平刘黑闼之后，声望显著提升，势力有所增强，储君地位也随之巩固，根本无须担心被李世民取而代之。武德中后期，李渊对世民"恩礼渐薄"，而建成和元吉则"转蒙恩宠"（《旧唐书·隐太子建成传》），只要李建成保持现状，等到李渊百年之后，天子宝座自然就是他的。既然如此，在总体形势对其绝对有利的情况下，作为既得利益者的李建成怎么可能会谋反？

第二，就算李建成为了防患于未然，打算彻底消除威胁他储君地位的危险因素，那么他要对付的人也应该是秦王李世民，而不是高祖李渊。因为直到武德七年，李渊仍然是李建成最大的政治靠山，而且即便是在李建成多次违规操作被揭发的情况下，李渊仍旧一如既往地对他寄予信任，否则也不会在前往仁智宫避暑的时候命太子监国，留守长安。

但匪夷所思的是，李建成串通杨文干谋反的目的却是篡夺皇位。换句话说，他们矛头所指正是李渊本人。试问，在明知道李世民对其太子之位虎视眈眈的情况下，李建成怎么可能动手推翻自己的政治靠山呢？除非他有绝对的把握将李渊和李世民一举剪除，否则以李世民的军事才能和在军队中的势力来看，李建成这么做无异于自掘坟墓。

第三，退一步说，就算李建成真的铁了心要将李渊和李世民一网打尽，那么他的谋反计划也应该是首先在长安发动政变，彻底控制李渊，一举消灭李世民（在后来的"玄武门之变"中，李世民正是一边控制皇帝一边剪除对手的），掌握了中枢大权后，再命令杨文干在外围起兵响应，这样才能确保万无一失。

可事实恰好相反，李建成偏偏是等到李渊去了仁智宫后，才让杨文干在异地起兵，此时无论是李建成从长安发兵还是杨文干从庆州发兵，一路上都必须经过高祖仍然有效控制的州县，最后才能打到宜君县的仁智宫。这不但是鞭长莫及，而且是打草惊蛇。暂且不说叛军有没有能力打到宜君县，就算其占了先机，一路畅通无阻地打到仁智宫，高祖和秦王肯定也早已扬长而去，并且极有可能调集了四方兵马，给他们布下了一个天罗地网。所以说，这样的谋反计划是十分愚蠢的。李建成纵然军功不及李世民，可他也是开创李唐的元勋之一，其政治智商断不至于如此低下。

就算我们换一个角度，假设李建成这么做是想趁李渊离开京师、朝廷空虚的时候夺取政权，那么这个谋反计划是否就变得可行了呢？

很遗憾，这样的设想同样不能成立。

道理很简单，在武德七年的李唐王朝，论政治号召力，高祖李渊依然是当之无愧的一号人物，他对政权的控制仍然是有力的。而论及在军队中的影响力和势力，可以说整个李唐王朝无出秦王之右者。在此情况下，李建成就算控制了朝廷、占领了京师，他所得到的只不过是一个政权的空架子和长安一座孤城而已。

而高祖和秦王就算身在宜君县的避暑行宫中，同样可以在政治上和军事上牢牢把握这个帝国，照样可以从仁智宫发出一道道对全国州县具有绝对权威的政令和军令。而这一切，当了多年太子、长期在李渊身边协理政务的李建成绝对不可能意识不到。

综上所述，李建成谋反的可能性微乎其微，而《资治通鉴》中关于这个事件的记载也是漏洞百出，存在太多违背逻辑和自相矛盾的地方。

所以，当代的一些学者在深入研究后也纷纷提出质疑，最后作出了否定的结论。

如李树桐在《唐史考辨》中说："《通鉴》内，有关杨文干反事连建成案的记载，必与事实不符。"

牛致功的《唐高祖传》称："事实证明，杨文干造反与李建成没有关系。"

黄永年在《唐史十二讲》中说："李渊既然对李世民'恩礼渐薄'，而'建成、元吉转蒙恩宠'，建成又何必冒险用军事行动来夺取政权？如真有其事，何以第二年李渊还派建成前往幽州以备突厥，毫无恩宠衰薄的迹象？足见统统出于诬陷增饰，不是事实。"

事实上，就连《通鉴》的编纂者司马光本人也不敢肯定太子谋反之事的真实性，所以才会在《通鉴考异》中引用刘𬤇（《史通》作者刘知几之子）在相关著述中的话，说当时这个事件的起因是有人"妄告东宫"。

所谓"妄告东宫"，关键就在于这个"妄"字。也就是说，尔朱焕和桥公山对太子的指控很可能属于诬告。那么，此二人既然都是太子的手下，又为何会胳膊肘朝外拐呢？

很显然，他们如果不是被人收买，就是受人胁迫。

那么，又有谁会去收买或胁迫他们诬告太子呢？

答案只有一个——秦王府的人。

众所周知，在武德年间，当"两大集团正在进行激烈斗争的时候，与事无关者是不会陷害太子，为李世民出力卖命的"（牛致功《唐高祖传》）。因此，我们有理由认为——不管是尔朱焕和桥公山，还是杜凤举和宇文颖，其背后很可能都有秦王府的力量在驱使和操控。

换言之，李世民就是幕后那只看不见的手。

武德七年六月二十六日，当高祖对秦王郑重作出废立太子的承诺后，李世民一定以为自己已经在这场漫长的政治PK中胜出。那一刻，道士王远知三年前说的那句"方作太平天子，愿自惜也"的预言一定无比豪迈地回响在他的耳边。

然而，接下来事态的发展却完全出乎李世民的预料。

就在他距离太子之位仅有半步之遥的时候，忽然间梦想破灭，功亏一篑，一切都打回原形——太子依然是太子，秦王照旧是秦王。

李世民竹篮打水一场空。

这到底是为什么？

原因很简单：李渊反悔了。

正当李世民意气风发地率军前去征讨杨文干时，李建成施展浑身解数，动用他的所有政治力量对皇帝施加影响，其中包括齐王李元吉、后宫的嫔妃群和当朝重臣、侍中封德彝，最后终于促使李渊回心转意，收回了废立太子的成命。

要说李渊是因为耳根子软，禁不住这些人的软磨硬泡，那就过于低估李渊的政治智慧了。就像我们前面分析的那样，整个太子谋反事件漏洞百出，李渊不可能对此毫无察觉。尤其是当太子已经被软禁，围剿杨文干的军事行动也已展开的时候，李渊必定会冷静下来，仔细思考整个事件的来龙去脉，这时候他自然会看出此案的众多疑点。再加上身边各色人等的解释、劝说和提醒，李渊就会意识到自己废立太子的决定做得过于草率了。整个事件中唯一能够认定的太子过失，无非就是"私运盔甲"这一条，可要说杨文干的起兵一定是太子的指使，那明显是证据不足的。当然，太子私运军用物资肯定也属于违法行为，但断不至于被废黜。

所以，李渊最后肯定也会意识到，这起事件很可能是有人抓住太子违法的把柄，然后精心制造了一个太子谋反的假象，目的就是颠覆太子的储君之位。

换句话说，这是一起阴谋。

至于说这起阴谋的制造者是谁，那就不言自明了。当今天下，还有谁比秦王更具有相应的动机和强大的策划能力呢？

当然，李渊没有证据。

他只能猜测。

但就算是这样的猜测也足以让他打消废黜太子的念头了。

他随后就把太子放了，命他仍回京师留守，然后各打五十大板，责备太子和秦王"兄弟不睦"。最后从东宫和秦王府找了几个替罪羊，把他们全部流放巂州，他们是太子中允王珪、太子左卫率韦挺以及天策府兵曹参军杜淹。

就在李渊做出上述决定的同时，李世民也轻而易举地平定了杨文干叛乱。

在这场短命的叛乱中，杨文干唯一的"战绩"就是出兵占领了宁州，可当李世民率领大军进抵宁州城下的时候，杨文干的军队马上就不战自溃了。七月初五，杨文干被自己的部将刺杀，首级立刻传送长安。

武德七年夏天的杨文干事件就这样不了了之、草草收场了。

高祖李渊以各打五十大板的方式，给这起震惊朝野的事件画上了一个并不算圆满的句号。之所以说它不算圆满，是因为这种和稀泥的处置方式即便能够勉强维系太子与秦王之间的平衡，那也是一种极其脆弱、危机四伏的平衡。

无论是太子还是秦王，对这个处置结果都不会感到满意。

对李建成来说，既然高祖收回了废立太子的成命，并且对太子和秦王各打五十大板，那就说明他已经意识到太子是被诬陷的，而且肯定也意识到秦王就是制造假案的那只幕后黑手。按照唐律，诬告别人谋反若不属实，诬告者本人是要处以谋反罪的，这就是"反坐法"。可现在倒好，仅仅流放一个秦王府的属官杜淹，秦王本人却安然无恙，丝毫不受惩处，这怎么说得过去？这不是在纵容秦王阴谋夺嫡吗？

而对李世民来说，既然高祖已经做出了立他为太子的承诺，而且没有过硬的证据表明太子谋反案确为秦王府一手炮制，那么高祖就不应该打秦王板子——流放他的属官，而应该兑现承诺，立他为储君。所谓天子口中无戏言，堂堂的一国之君怎么能信口开河、出尔反尔呢？再者说，就算太子谋反是假，可杨文干兵变总是真的吧？杨文干是东宫旧部也是真的吧？太子给杨文干私运盔甲更是不争的事实吧？就冲这些证据确凿的事实，太子便负有不可推卸的责任，怎么能不痛不痒地流放两个东宫官吏就算完事了呢？更何况杨文干兵变毕竟是秦王平定的，到头来平叛功臣反而遭到责罚，如何能让人心服？

所以，尽管让李渊深感不快的这一页貌似翻过去了，但是对于不共戴天的李氏兄弟而言，事情却远远没有了结。

换言之，杨文干事件仅仅是一个悲剧的开端。

不把对方整垮甚至彻底消灭，太子和秦王谁也不会善罢甘休。

如履薄冰的李世民

李渊期望中的清凉一夏就这么被搞得兴味索然，于七月底悻悻回到了长安。

为了改善一下父子及兄弟间日趋紧张的关系，李渊特意在城南举行了一次狩猎活动，让三个儿子比赛骑射。

李渊万万没有料到，这场旨在增进感情的比赛居然又出了问题，使得原本就极为紧张的父子和兄弟关系再度雪上加霜。

问题源于一匹胡马。

这匹胡马属于李建成。

比赛开始时，李建成笑容满面地牵着这匹膘肥体壮的胡马，亲手把缰绳交给了李世民，很诚恳地说："这是匹罕见的骏马，能跨越数丈宽的沟涧，二弟善于骑术，可以驾驭看看。"李世民接过缰绳，想都没想就跃上马背，然后鞭子一挥，胡马立刻像离弦之箭奔了出去。

那一刻，李渊一定甚感欣慰。不容易啊，这对天天死磕的兄弟终于握手言和了。

可李渊并不知道，这是一个陷阱。

太子交给秦王的是一匹尚未驯服的烈马。这种野性未驯的烈马通常都有一个特征——喜欢玩它的骑手。往往在飞速奔跑的过程中，烈马会忽然玩一些惊险动作，而骑手就算不被摔死，也得落个残废。

李世民正恣意狂奔，拼命追逐前面的一头麋鹿，李建成和李元吉紧随其后，不觉相视一笑。很快，他们期待中的一幕发生了：秦王胯下飞奔的胡马突然间身子一蹶，两条前腿跪屈在地，李世民立刻从马背上飞了出去……

太子和齐王心里顿时乐开了花，再次交换了一下得意的眼神。

然而，当他们再把头转过去的时候，眼前的情景却让他们目瞪口呆——秦王正稳稳当当地站在胡马旁边，神情自若，毫发无损。

紧接着，太子和齐王看见秦王远远地对他们冷笑了一下，再次跃上马背。胡马不断故伎重施，可秦王每次都安然无恙。最后这匹烈马服了，任由秦王纵横驰骋，一点脾气也没有。

回来的路上，李世民笑着对身边的宇文士及说："有人想用这匹马杀我！奈何死生有命，他岂能杀得了我！"

有人立刻把这句话向太子通报，然后又通过太子之口落进了后宫嫔妃的耳中，李渊回宫后，嫔妃们马上又把秦王的话告诉了皇帝。但是这句话最后却变成了这个样子："秦王自言，我有天命，方为天下主，岂有浪死！"李渊怒不可遏，随即把三个儿子都召了进来，当着太子和齐王的面怒斥秦王："天子自有天命，非智力可求，汝求之何急邪？"（《资治通鉴》卷一九一）

很显然，高祖对秦王的这句斥责分量很重，因为它赤裸裸地揭露了李世民夺嫡篡位的野心。

其实，与其说这是李渊听信谗言后的一种无端指责，还不如说这是他在借机发泄对李世民由来已久的不满。

我们可以回想一下，早在武德四年七月，当李世民一举消灭王世充和窦建德两大割据政权，并且刻意搞出那场锋芒毕露的武功秀后，李渊必定已经感受到了秦王功高震主的威胁了。更何况，在这些年南征北战的过程中，秦王顺理成章地招揽了四方豪杰和天下名士，在高祖的眼皮底下建立了一个实力雄厚的政治军事集团。对这一切，李渊怎么可能视而不见呢？如果秦王不是自己的亲生儿子，而是任何一个异姓功臣，李渊很可能早就把他杀了。

开国元勋刘文静之死就是明证。因此，李渊对李世民的种种不满其实已经在心里埋藏了很久，只是一直没有挑明罢了。而这次李渊之所以不再隐忍，无疑是受到了杨文干事件的刺激。

假如李渊大致能够确定秦王是此事的幕后操纵者，那他必然会感到极大的恐慌——既然秦王已经具有操控东宫官属和朝中大臣的能量，那他还有什么做不到的？

李渊完全有理由相信——秦王的实际影响力已经远远超乎他的想象，并且极大地超出了他可以容忍的范围。

所以李渊才会毫不客气地对秦王提出严厉的警告，目的就是防止他在阴谋夺嫡的道路上越走越远，这和此前流放他的属官、打他的板子是一个道理。

但是，面对高祖的斥责，秦王却不卑不亢地"免冠顿首"，要求皇帝"下法司案验"，也就是主动要求由司法部门立案审查，表现出一副坦荡无愧的样子。

秦王的这种表现意味着他并不接受皇帝的警告。因为"免冠顿首"只是人臣在面对君父斥责时的正常礼节，并不代表屈服。而更让李渊愤怒的是，李世民竟然主动提出"下法司案验"，这就几乎是在跟他抬杠了。

众所周知，无论李渊对李世民做出怎样的指责，其性质仍然是君父在教训儿臣；无论李渊和太子对秦王的不满和忌惮已经达到了怎样严重的程度，这一切通通属于皇族内部矛盾。而一旦"下法司案验"，就是把矛盾公开化了，而且性质要严重得多，那相当于把李唐皇室的父子相猜和兄弟不睦扩大并升级为朝野皆知的一起政治案件——而且是严重影响社稷稳定的重大案件。暂且不论李家的父子及兄弟到底谁是谁非，单是把这件事情闹上公堂本身，就已经是李唐皇室的一个莫大耻辱了。

李世民很清楚，李渊无论如何也不会这么做。

明知道皇帝不会接受，还偏偏要提出来，这不是抬杠是什么？

面对李渊的敲打和警告，李世民的这种态度不仅是毫不屈服，而且充满了对抗和要挟的意味。

李渊真的是忍无可忍了。

看来自己不久前对心腹裴寂发的那句牢骚一点都没错——"此儿典兵既久，在外专制，为读书汉所教，非复我昔日子也！"再不给这小子一点颜色瞧瞧，他真要把尾巴翘上天了。

看着皇帝吹胡子瞪眼的模样，旁边的太子和齐王不禁眉飞色舞，丝毫不掩饰他们的幸灾乐祸之情。

这一次，秦王绝对是吃不了兜着走了。

可是，就在这节骨眼上，一道来自边境的加急战报飞进了长安的太极宫。

李渊的愤怒转眼就被震惊所取代。

该死的突厥人又来了。

早在一个月前，当李渊被杨文干事件搞得焦头烂额的时候，突厥人就已经在漫长的边境线上对唐朝发起了攻击。当时，代州（今山西代县）、朔州（今山西朔州市）、原州（今宁夏固原市）、陇州（今陕西陇县）、阴盘（今甘肃平凉市东）、并州（今山西太原市）等重镇和据点都遭到了进攻，但是突厥人的这一次攻击力度却不是很大，基本上仍是以袭扰劫掠为主，并无进一步南侵的意图，所以李唐朝廷只命骁将尉迟敬德及各地守将出兵迎击，便遏止了突厥人的攻势。

可眼下边境发来的战报却显示：这一次突厥大可汗颉利亲自出马，并与小可汗突利（颉利长兄始毕可汗之子）联合出兵，倾全国精锐之师南下，而且兵锋直指原州，显然有入侵关中、进逼长安的企图。

这种大规模的、带有明显战略意图的入侵不能不引起李渊和整个朝廷的震恐。

大敌当前，李渊还能处罚李世民吗？

当然不能。

李渊不得不收起满面怒容，再次施展他一贯擅长的变脸绝技，让秦王起身系好冠带，并且大加慰勉，然后就直奔主题，和他商讨应对突厥的策略。

那一刻，太子和齐王肯定在心里把突厥人的十八代祖宗都问候了一遍。

因为该死的突厥人又帮了李世民一个大忙。

可这又有什么办法呢？李世民的运气就是这么好。

每当高祖试图将李世民打压或冷藏的时候，某种不可预知的外部力量就会突然降临，把李唐王朝这张独一无二的军事王牌从困境中拯救出来，并且再次给予他建功立业的机会。不管是武德二年刘武周进犯河东，还是武德四年刘黑闼悍然起兵，或者是眼下突厥人大举入寇，无疑都在客观上证明了这一点。

当天，高祖李渊召开御前会议，命三个儿子和当朝重臣一起讨论当前的抗突形势。

就是在这次会议上，有人提出了迁都的动议。理由是长安离边境线太近，而"子女玉帛"众多，所以突厥才会屡屡入侵，不如一把火烧了长安，把都城迁移到内地，突厥人自然就不会来了。很显然，这是一个十分消极，甚至近乎荒谬的提议。在正常情况下，任何一个有头脑的帝王都不可能采纳。

可让人意想不到的是，李渊居然同意了。他即刻下令，命中书侍郎宇文士及准备前往樊、邓（今湖北襄阳）一带考察迁都地点，而太子、齐王和尚书仆射裴寂等人也纷纷表示赞同。

如此荒谬的提议，为何有这么多人赞同呢？

原因很简单，并不是这些人没有头脑，而是因为他们都不希望秦王再立军功。当然，即便是迁都樊、邓也不能彻底杜绝突厥对唐朝的入侵，但能有效避免突厥对帝国政治心脏的威胁。一旦都城远离前线，突厥人顶多就是在边境进行一些小规模的袭扰而已，很难发起针对大唐帝都的战略性进攻。既然如此，边境的防御交给一些普通将领就够了，根本不需要秦王挂帅出征，这样就能达到将这张王牌长期冷藏的目的。

此外，据陈寅恪先生考证，当初李渊太原起兵时"称臣"于突厥，往来交涉的虽是刘文静，但主谋者却正是李世民，所以李世民一直被李渊和李建成"目为挟突厥以自重之人"（《陈寅恪全集》之《论唐高祖称臣于突厥事》）。可见，高祖等人执意迁都表面上是为了防范和消除突厥人的威胁，其实更是对李世民的一种刻意打压。

对于这个匪夷所思的迁都之议，大臣萧瑀等人都不以为然，因为迁都是动摇国本的一件大事，绝不可草率行之。但既然高祖发话了，他们也只能保持缄默，谁也不敢犯颜直谏。

最后只有一个人发出了孤独的抗议之声。

这个人当然就是李世民。

他说："戎狄为患，自古有之。陛下神圣英武，犹如巨龙兴起民间，鼎定中原！麾下有精兵百万，所向无敌，岂能因为胡人骚扰边境就迁都躲避？岂非贻四海之羞、为百世之笑？当年的霍去病不过汉廷一将，犹立志消灭匈奴，何况臣身为帝国藩垣？请给臣数年时间，定当拴住颉利的脖子牵到宫门。如若不成，迁都未晚！"

太子大为不屑地瞥了秦王一眼，说："当年，西汉的樊哙大言不惭，曾经在朝堂上说要率十万部众横扫匈奴，结果很快就意识到自己做不到了，秦王今天的话何其相似也。"

李世民据理力争："形势不同，战略不同。樊哙一个小人物何足道哉？我不出十年，必定漠北，绝无虚言！"。

秦王的这番豪言壮语有没有打动李渊呢？

我们只知道，最终的结果是，李渊确实打消了迁都的念头，但是这个回心转意的过程，各种史料却记载不一。据《通鉴》记载，李渊听完后立刻大呼一声："善！"而《册府元龟》甚至称李渊哈哈大笑，并称赞秦王乃"吾家千里驹"云云。这种一百八十度的转弯显然不太符合常理，李渊即使要改变主意也需要一个过程，或者说需要一个台阶下，不大可能当着大臣和儿子们的面轻易反悔，自打嘴巴。

相对而言，我们发现《旧唐书·太宗本纪》中的记载就合理得多——就在秦王慷慨陈词之后，"高祖怒，仍遣太宗将三十余骑行划。还日，固奏必不可移都，高祖遂止"。也就是说，在当天的廷议上，李渊非但没有被李世民的豪言壮语打动，反而故意命他去考察新都地点，直到李世民回朝，仍旧坚决反对，并提出了一些实地考察中发现的现实问题，李渊才取消了迁都计划。

其实，李渊最终之所以放弃迁都，恐怕也并不是被李世民一而再、再而三的劝谏所说服，而是因为这个迁都之议本来就不是什么铁板钉钉的事情。从某种意义上说，这件事更像是对李世民"挟突厥以自重"的严厉警告：为了遏制你的锋芒，我连烧毁长安这种事都敢做，我还有什么不敢豁出去的？

而现在李渊反正已经作足了姿态，不管是威胁还是警告都已表露无遗，所以趁势就坡下驴也就很好理解了。更何况突厥两可汗的大军已经长驱南下，很快就要打到家门口了，即便他内心仍有迁都之念，但远水救不了近火，当务之急是要先打退突厥大军。

所以，武德七年闰七月二十一日，李渊不得不再次起用这张独一无二的王牌，命李世民挂帅出征，迎战突厥。同时，李渊还特意安排齐王李元吉当副帅，用意很明显，就是防止秦王一人独大。

秦王李世民在危难之际重新走上战场，其中流砥柱的形象又一次无比高大地树立在世人面前，太子李建成自然又感到强烈的不安。他怂恿嫔妃们一起跟高祖吹风，说："突厥虽然屡屡侵犯边境，可事实上得到贿赂就退兵了。秦王表面上打着一致对外、抵御外寇的旗号，其实还不是想总揽兵权，完成他夺嫡篡位的阴谋？"

李建成的这番话固然是出于私心的揣度，可也道出了一部分事实：在整个武德中后期，李世民在朝中受到太子、齐王、裴寂和后宫嫔妃们的联手打压，处于极为不利的境地。他唯一可以凭恃的就是自己的军功。只有通过战争，他才能继续保持自己在朝野的威望，巩固自己的地位。

李世民再次出征了。

李渊在兰池（今陕西咸阳市东）为他和齐王把盏饯行。

这一年初秋的大风从北方席卷而来，在满目萧瑟的五陵原上奔走呼啸。李世民听见父皇李渊的一番勖勉之词在呜咽的秋风中显得空洞而缥缈。他仰起脖颈把那杯饯行酒一饮而尽，一股难以言传的苦涩迅速从他的喉咙一直流到他的心里。

是从什么时候起，这杯盛满了壮志与豪情的饯行酒变得如此难以下咽？

是从什么时候起，奔赴沙场的激越与兴奋之情已经蒙上了一层莫名的沉重和焦虑？

李世民不知道。

他只知道很多日子以来，自己就像一个在深渊上走索的人，必须保持不断前行的惯性才能维持身体的平衡。他一刻也不能停下来，否则马上会从悬索上跌落。而不断前行的结果同样面临巨大的危险，因为这是一条由低到高的悬索，往前多走一步，安全系数就会降低一分。尽管李世民相信这条危险的高空之索最终必然通向一座风光无限的山峰，但是此时此刻，眼前只有一团浓得化不开的黑雾。除此之外，就只有从四面八方凶猛袭来的冷雨和阴风。

还需要走多远？

没有人告诉他。

在这个初秋的早晨，让李世民感到忧虑的不是他在朝中的艰难处境，也不是茫然不可预知的政治前途，而是他即将面临的这场抗击突厥的战争。

李世民之所以感到忧虑，并不是由于对手的强大，而是由于军队的虚弱。

曾经骁勇善战的李唐军队已经今非昔比了。

当奉命出征的唐军将士，在兰池宫外的五陵原上完成集结，李世民稍事检阅之后，一个极其严重的问题就暴露在他的面前——士兵们军容不整、士气低落，所装备的铠甲和武器也显得残破陈旧。谁都看得出来，一股浓厚的厌战情绪正在即将出征的这支军队中蔓延。

李世民很清楚，自从武德初年以来，李唐军队长年征战、兵戈不息，将士们的疲惫情绪一直在潜滋暗长，之所以没有明显地表露出来，是因为一次又一次的胜利以及随之而来的分封和犒赏鼓舞着他们的斗志，支撑着他们的精神。而当统一天下的战争宣告结束，勉强撑持的士气就不可避免地衰竭了，而酝酿已久的厌战情绪也就随之爆发。

并且，频繁征战的一个直接后果就是导致各种武器装备过快的折旧和损耗。但是随着和平年代的到来，李唐朝廷把执政重点从军事建设转向了政治和经济建设，军队待遇也就随之降低，因而各种武器装备便得不到及时更新和补充，这也从另一方面导致了士兵的不满，严重削弱了军队的战斗力。

除了军队的现状不容乐观之外，还有一样东西也让李世民感到如芒在背。

那是一个人的眼神。

齐王李元吉。

从两个人并辔走出长安金光门的那一刻起，李世民就发现齐王向他投来的目光中充满了怨恨和敌视的意味，却唯独没有半点同仇敌忾、一致对外的意思。齐王似乎憋足了劲要看秦王的笑话，看他如何打赢这场敌强我弱的战争。

李世民不禁苦笑，这就是父皇李渊给他安排的副手——一个事不关己高高挂起、准备看主帅笑话的副统帅。

军队迅速向前线开拔。

远方的天际黑云翻涌。

这年秋天的五陵原上，李世民打马北去的背影写满了忧郁和苍凉。

单枪匹马离间可汗大军

武德七年八月初一，突厥颉利、突利两可汗率领的大军开始猛攻原州（今宁夏固原市），并很快突破外围防线，连营南下，直逼长安。与此同时，为了多方牵制唐军，突厥又派出偏师分别攻击忻州（今山西忻州市）、并州和绥州（今陕西绥德县），其附庸国吐谷浑也出兵入寇鄯州（今青海乐都区）。

形势危急。

八月初九，长安宣布戒严。

此时，北上御敌的唐军也遭遇了意想不到的困难。由于关中连日来天降暴雨、洪水泛滥，许多道路和桥梁被阻断，加剧了行军的难度，后方的粮草和补给又供应不上，致使原本就萎靡不振的士气越发消沉。

八月十二日，唐军与突厥大军在豳州的五陇阪（今陕西彬县西南）正面遭遇。突厥军队迅速抢占有利地形列阵，唐军将士大为震恐。李世民意识到一场恶战已经在所难免，遂对李元吉说："而今胡虏逼到眼前，不可示之以怯，当与之一战，你能不能和我一起上阵？"

李元吉的嘴角滑过一丝冷笑："胡虏兵势如此强大，岂能轻率出战？万一失利，后悔都来不及！"

不出所料，齐王果然是一心作壁上观来了。

大敌当前，副帅公然对主帅采取不合作的态度，这对原本涣散的军心无疑又是一大打击。史书没有记载此次随同出征的其他将领的情况，但我们根据唐军此时面临的不利局面，再结合李世民稍后出人意料的做法来看，其他将领的反应很可能和齐王一样——有意无意地采取了消极避战的立场。

此刻的李世民显然在某种意义上被孤立了。

这个曾经对军队拥有绝对控制力的秦王、天策上将、十二卫大将军，现在却忽然变成了一个光杆司令。

连自己的部属都无法支配，还打什么仗？

外面的突厥大军虎视眈眈，内部的局面又如此艰难，李世民该怎么办？

就在此刻，这个不按常理出牌的李世民再次做出了令人意想不到的举动。他若无其事地对李元吉说："既然你不敢出战，那我就单独前往，你就留在大营中观战吧。"

还没等齐王反应过来，李世民已经率领仅有的百余名亲兵朝敌阵飞驰而去。

来到突厥大军前，李世民高声向颉利可汗喊话："可汗既与大唐和亲，为何背弃盟约，深入我国？我是秦王，可汗如果认为自己能打，就出来和我单挑！如果要以众凌寡，我就用这一百人和你拼了！"

颉利可汗顿时丈二和尚摸不着头脑。

这小子在玩什么？居然只带着百来个人出战？而且居然用这种蹩脚的激将法逼我跟他单挑？他是不是早已埋设了伏兵，想引诱我往口袋里钻？

颉利可汗相信这其中必定有诈，于是按兵不动，笑而不答。

接下来，让颉利更为惊奇的事情发生了。李世民居然带着他的一百名骑兵又往前逼近了一程，而且派人跑到他的侄子突利小可汗阵前，唧唧歪歪地不知道说一些什么。颉利可汗满腹狐疑地拉长耳朵，终于听了个大概——"你从前跟我盟誓，有难同当，有急相救，今乃引兵相攻，何无香火之情也！"

颉利可汗大惊失色。难道突利这小子早就跟李唐二皇子有一腿了？怪不得他这回屁颠屁颠地一定要随我一同出征，原来是早有预谋，想趁两军交战之际对我下黑手！好悬啊……还好自己遇事冷静，刚才没有一下子冲出去，否则后果将不堪设想。

思虑及此，颉利转过头去看突利，只见他默不作声，一副此地无银三百两的表情。

就在这时候，李世民再次逼近，正准备策马跨过两军之间的河沟。颉利可汗立即派人去跟李世民传话："大王不必过河，我并无他意，只想与贵国重申前盟而已。"随后传令全军，即刻收兵回营。

看着颉利可汗率大军匆忙退去的身影，李世民长长地松了一口气。

这回总算是忽悠过去了，可突厥大军并未撤退，危险仍然存在。接下来该怎么做？

李世民知道，急中生智的忽悠只能偶尔来一次，再来就不好使了。要让突厥人退兵，必须在军事上有所行动。即便没有办法与突厥大军正面决战，也要适当对他们施加压力。同时让李世民感到庆幸的是，这次成功的忽悠让他抓住了突厥人的一个致命弱点，那就是颉利大可汗与突利小可汗之间的矛盾。

只要利用这个矛盾，军事手段和谋略手段双管齐下，进一步离间两个可汗的关系，就能让他们互相猜疑，最终迫使颉利可汗撤军，不战而屈人之兵。

这一刻，虽然连绵不绝的秋雨依旧笼罩在五陇阪的上空，可盘桓在李世民心头多日的阴霾却一扫而光。

李世民随即召开了军事会议。

他环顾着毫无斗志的唐军将领，胸有成竹地说："突厥人最倚仗的武器是弓箭，如今他们在野地宿营，连日的雨水会使弓矢上的弦筋胶化，失去弹性，弓箭的威力就发挥不出来，犹如飞鸟折断翅膀。而我们则住在可以生火的干燥房屋内，刀槊等武器仍然锐利，此刻不发动攻击，更待何时？"

当天夜里，李世民出动军队，冒着大雨悄悄逼近突厥军营。与此同时，他派遣了一个特使秘密潜入敌营，找到了突利可汗，与他进行了一番密谈。史书没有记载这次密谈的内容，但是李世民肯定是向突利抛出了颇具诱惑力的橄榄枝，所以就在唐军逼近突厥大营的同时，突利已经愉快地同李世民派来的密使订下了盟约。

突厥军队绝对没有料到，唐军会在这个大雨滂沱之夜突然出现在他们面前，军营上下顿时一片慌乱。颉利可汗本来想要迎战，可一想到他的侄子突利和李世民之间很可能有什么阴谋，心里马上敲起了退堂鼓。

经过一番思想斗争后，颉利终于决定退兵。

因为他绝不希望在与唐军交战的时候，让这个居心不良的侄子从背后捅他一刀。

尽管此刻退兵让颉利很不甘心，可他没有别的办法，只好派遣突利和另一个亲王阿史那思摩到唐军大营，与李世民议和。而突利则借此机会，正式和李世民结下了兄弟之盟。

此后突厥退兵，这场有惊无险的五陇阪之战终于落下帷幕。李世民以他超乎寻常的胆识和谋略，演绎了一出经典的"孤胆英雄记"，不但兵不血刃地逼退突厥大军，而且成功地缔结了一个政治盟友，可以说在他辉煌的军事生涯中又增添了精彩绝伦的一笔。

也许正因为李世民的表现太过精彩了，所以历来很多人认为五陇阪之战精彩得有些过头。除了让人觉得不可思议外，似乎还有严重低估突厥人智商的嫌疑。对此胡如雷先生也曾提出如下疑问：首先，突厥倾国而来，意在一决，怎么会以优势兵力而慑于世民的诱说，竟轻易讲和退兵呢？世民的个人作用似乎夸大得太不近情理了。其次，世民施反间计是肯定的，但内容究竟是什么呢？最后，世民对待两可汗的态度有显著差别，可以概括为拉突利打颉利，采取这样的策略有什么根据和条件呢？

对此，胡如雷先生以陈寅恪先生的考证为依据，证实"大约在克长安前，世民曾遵突厥风俗，与突利可汗约为'香火兄弟'（这可能只是一次非正式的口头约定）"。因此，李世民在五陇阪不战而胜的原因也就不难理解了——"这是他在突厥上层中实行分化政策的反映，正因为世民在过去早已在二可汗中预布了棋子，才能在这次事件中收'叔侄内离'之效，取得戏剧性的结果。"（胡如雷《李世民传》）

至于李世民派密使向突利施行反间计的具体内容，史书没有记载，胡如雷先生也没有提出他的看法，但是我们站在突利小可汗的立场上，完全可以推测出李世民向他传达了怎样的信息。

据《旧唐书·突厥传》，突利可汗在"幽州以北"统领着数十个小部落，但由于"征税无度"，导致"诸部多怨之"。由此可见，作为颉利长兄始毕可汗的嫡子，突利不但因年龄关系未能继承大可汗的宝座，而且现在连小可汗的位子也坐得不太稳当，日子显然并不好过。在此情况下，李世民很可能会向突利做出承诺：只要他与李唐交好，密切配合李唐对突厥的一切军事和外交行动，那么李世民就能保证作为突利的强力外援，尽可能维护他的利益，帮助他巩固地位，甚至在有可能的情况下，还可以帮他夺回大可汗之位。

为了自己的利益，突利可汗当然没有理由拒绝李世民。

不管李世民采用了什么手段，总之"五陇阪之战"确实是不战而胜了。

毫无疑问，五陇阪的精彩表现，使得李世民在那条通往权力顶峰的高空悬索上又往前迈进了一步。

我们不知道，当秦王李世民再次凯旋时，齐王李元吉和太子李建成会用一种什么样的眼神看他。不过有一点可以肯定，他们眼中那嫉妒和愤怒的火焰，一定燃烧得比以往任何时候都更加灼热。

而此刻的高祖李渊又是一种怎样的心情呢？

他首先当然是感到欣慰，因为穷凶极恶的突厥人终于走了，京师长安总算化险为夷了。但是除了欣慰外，李渊肯定也会感到更深的无奈和不安，因为秦王头上的光环更加璀璨了，他对太子的威胁当然也就更大了。

然而，李渊又能怎么办呢？

除了尽其所能对秦王进行制约和防范之外，老皇帝还能做什么呢？毕竟秦王是帝国独一无二的军事王牌，如今边患频仍，只要突厥人的威胁一日不除，秦王就一日不可或缺。虽然李唐王朝并不缺将才，可问题是把兵权交给任何一个异姓将领，李渊都会一百个不放心。退一步说，即便秦王不是帝国的中流砥柱，他也是自己的儿子——掌心是肉，掌背也是肉。只要他没有公然做出夺嫡篡位的举动，李渊就只能苦心孤诣地保持现状，维持平衡。他一方面必须遵循"立嫡以长"的原则，始终维护李建成的太子之位，防止李世民越过雷池；另一方面也要念在秦王长年征战、劳苦功高的分上，给予他应有的荣誉和地位，不赞成太子和齐王采取过激的手段对付他。

总而言之，李渊唯一能做的事情就是尽量把一碗水端平。

但是武德七年夏秋之交，我们却赫然发现，老皇帝手上的这碗水正在儿子们日渐升级的政治PK中剧烈颤动……

没有人知道它什么时候会突然倾覆。

| 第三章 |

玄武门之变

突厥又来了

武德八年（公元625年）夏末秋初，大唐帝国的边境线上再次燃起烽火。

东突厥的颉利可汗自从去年秋天倾巢南侵、无功而返后，顿觉颜面尽失，大为不甘。经过将近一年的养精蓄锐，颉利便再度挥师南下。

这一次，颉利改变了战略。他并不打算再干上次那种看上去气势汹汹、到头来却劳而无功的蠢事，而是在西起凉州（今甘肃武威市）、东至幽州（今北京）的数千里战线上，采用"多点进攻、袭扰为主"的战略，专搞打砸抢，捞一把就走，不问仗打得漂不漂亮，只求有没有捞到实惠。这样的战争虽然不像去年那样直接威胁唐朝中枢，但覆盖面广、持续时间长，也着实让唐军在相当长的一段时期内东奔西跑、疲于应付，大伤了一回脑筋。

从六月末颉利亲率大军攻击灵州（今宁夏灵武市）开始，这场长达一年多的断断续续的骚扰战就拉开了序幕。

七月十二日，李渊对负责起草诏书的侍臣宣布："突厥人贪得无厌，朕将与其全面开战，从今往后，给突厥人去函不能再以平等的'国书'形式，而要一律改用'诏书'和'敕令'！"

相对于突厥的战略转变，李唐朝廷这次的军事任命也有了微妙的变化。李渊先后把右卫大将军张瑾、安州大都督李靖、行军总管任瑰等人调到前线御敌，而李世民则只是作为后备力量被派驻蒲州（今山西永济市），防守关中门户。

李世民之所以没有像往常那样被推上第一线，主要原因当然是突厥的这一波入侵并未对唐帝国构成太大的威胁，但同时也表明了李渊的用心，那就是尽可能抑制李世民的锋芒，不让他再出风头。

在前线看不到李世民的身影，这对颉利来讲绝对是一大利好。八月初，颉利亲率十万大军劫掠朔州（今山西朔州市）。张瑾等人急忙北上御敌，于十一日在太谷（今山西太谷县）与颉利会战。令人遗憾的是，这一仗张瑾全军覆没，出任行军长史的中书侍郎温彦博被俘，张瑾仅以身免，狼狈投奔李靖。

此仗突厥完胜，颉利发现自己有了讨价还价的筹码，便在八月末派人与唐帝国"和解"。可想而知，这种打完胜仗后主动提出的所谓"和解"事实上就是要挟，无非是想挟新胜之威狠狠敲一次竹杠。史书没有记载李渊对此作何反应，但从颉利随后便引兵北还的结果来看，李唐朝廷很可能又是违心地给了颉利可汗一笔数目可观的贿赂。

颉利这次之所以见好就收，一来当然是贯彻他"捞一把就走"的战略思想，二来估计也是担心继续向纵深推进迟早会碰上李世民。

突厥人的主力虽然撤了，但是其他各路偏师却依然在唐帝国广袤的北部边境袭扰不止。这场旷日持久、令人不胜厌烦的骚扰战就这样断断续续地打到了武德九年（公元626年）。

在这一年的六月份之前，除了边境线上这种小打小闹的骚扰之外，唐帝国基本上没有什么大事发生。唯一值得一提的是四月二十日这天，李靖在灵州境内的硖石与突厥军队狠狠干了一仗。据说这一仗打得极为惨烈，唐军从是日清晨一直血战到黄昏，最后终于将突厥人击退。大约也在同一天，朝中的太史令傅奕上了一道奏疏，内容是请求皇帝禁止佛教。李渊基本上采纳了傅奕的奏议，随后颁下一道诏书，对全国范围内的寺庙和道观进行一次大规模的清理整顿。

除了这两件事，这些日子总体而言相对平静。在这种表面的平静之下，时间走到了武德九年的六月初一。

这个盛夏的早晨，大唐帝国的一切看上去都与往日并无不同。

阳光依旧明媚而灿烂，天空依旧澄澈而蔚蓝。

然而仔细一看，这个早晨的天空却有些异样。

因为天上多出了一个东西。

那不是UFO。那是一颗星星——一颗大白天跑出来闲逛的星星。

武德九年六月初一的早晨，耀眼的太白金星在光天化日之下大摇大摆地从大唐帝国的天空上划了过去。

按古人的说法，这叫"太白经天"，是一种奇异而重大的天象。

那么，这种天象意味着什么？

史书说："太白经天，天下革，民更王！"（《汉书·天文志》）金星白昼划过长空，天下将发生变革，人民将拥有一个新的君王。

此刻的李世民并不知道，两个月后，他就将成为这个新的君王。

尽管冥冥中一直怀有天命在我的自信，尽管对自己在政治上、军事上以及其他各方面所拥有的绝世才华从来不曾怀疑，但是眼下，李世民却只是一个受困于现实的藩王。

是的，起码到目前为止，他仍然只是不断遭人排挤、生存空间日益狭小的一介藩王。

从懂事的时候起，李世民就感到自己体内奔流着一种无以名状的巨大能量。这种能量显得如此完美、强烈而又如此自然，以至于李世民相信它绝对是上天的赐予。随着这种与生俱来的能量在生命各个阶段的流淌、奔腾和外溢，它便具有了诸多的表现形式，并被赋予了各种名称——

在少年时代，它表现为"幼聪睿"（《旧唐书·太宗本纪》）、"好弓矢"（《贞观政要》卷一）、"尚威武"（《全唐文》卷九）；稍长，它表现为"玄鉴深远、临机果断"（《旧唐书·太宗本纪》）、"聪明勇决、识量过人"（《资治通鉴》卷一八三）；后来，它在战场上表现为一种无坚不摧的惊人意志，一种藐视对手的傲然气概，一种冲锋陷阵横扫千军的骁勇和无畏；再后来，这种能量逐渐转化为一种掌控外部世界的欲望，一种睥睨世间万物的雄心，一种经天纬地、济世安民的抱负；到了最后，这种能量终于不可遏止地演变成一种问鼎皇权、君临天下的政治野心。

一个人能成为什么，他就必须成为什么。

巨大的潜能促使李世民自觉或不自觉地寻求着生命的自我实现。他似乎始终坚信，上天既然赋予他这种潜能，必是要让他完成某种神圣的使命。

不可否认，这是一种强烈的自我期许。

说白了，这就叫自我暗示。武德四年李世民刻意去找道士王远知，也许正是为了加强这种心理暗示。所谓"眷言风范，无忘寤寐"（《旧唐书·王远知传》），正是他不断进行自我暗示的生动写照。

不过，我们有必要知道，这样的自我暗示恰恰是一个伟人宝贵的品质之一，恰恰是伟人区别于凡人的重要标志——"它标示出我们，似乎我们注定要从事伟大的事业！这是一种我们不知不觉自我赋予的价值。正是靠这种品质，我们赢得了其他人的尊敬，也正是它，常常使我们高出那些门第出身、高官显爵和功勋本身。"（拉罗什福科《道德箴言录》）

树立一个远大的目标，然后不断地进行自我激励，这一切共同构成了李世民精神力量的源泉。毋庸置疑，这种精神力量要远远大于门第、官爵和功勋这些外部事物所提供的价值。换言之，只有始终如一地告诉自己"注定要从事伟大的事业"，只有持续不断地让这种自我激励的精神之光投射到外部事物上面，通往伟大的道路才能被真正照亮。

美国精神之父爱默生说："一心朝着自己的目标前进的人，整个世界都会为他让路。"

然而，如果说在武德前期整个世界确实都在为李世民让路的话，那么到了武德中后期，这个世界却在他面前筑起了一道无形的高墙。

　　与此同时，李世民发现自己汪洋恣肆的巨大能量也被悄然纳入了一个无形的容器中。

　　这个容器是高祖李渊亲自为他量身定制的——不但划定了尺度，而且打造了边框。

　　李世民试图冲破它，可无论他往哪个方向奔突，到头来所有努力均告失败。

　　最后一次努力就是武德七年六月的杨文干事件。

　　从这个事件之后，无论是李世民还是李建成，肯定都会不约而同地意识到——用常规的政治手段解决问题已经变得不可能了。

　　剩下的办法只有一个：武力。

　　只有挥起手中的剑，才可能结束这一切。

　　就像亚历山大曾经做过的那样。

　　传说在公元前333年，亚历山大入侵小亚细亚，并占领了曾经辉煌一时的古代伦帝那王国的首都格尔迪奥斯城。他进城后的第一件事就是直奔城中的宙斯神殿，希望了却自己的一桩夙愿。

　　几百年来，这座神殿中一直供奉着一辆古老的战车。在这辆战车的车辕上打着一个复杂的绳结。神谕说，谁能解开这个结，谁就能成为亚细亚的统治者。几百年来，无数的国王、智者、能工巧匠为之殚精竭虑，却无人能将其解开。

　　这就是著名的格尔迪奥斯绳结。

　　当亚历山大站在这个绳结前的时候，他凝视了很久，可最终的心情却跟所有人一样沮丧。

　　亚历山大非常沮丧。因为他连绳头都找不到，遑论把它解开。

　　就在亚历山大即将放弃的一瞬间，他忽然想：为什么一定要遵循常规呢？为什么不用自己的方式把它解开呢？

亚历山大唰的一声抽出佩剑。

寒光闪过之处，绳结断裂。

这个几百年来难倒了无数人的格尔迪奥斯绳结就这样被亚历山大"解开"了。

对于一个政治家而言，当你无法用智慧解决问题的时候，就只能用武力。

这是一切政治斗争中的永恒法则。

而当李世民和李建成长久地凝视着横亘在他们面前的那个"格尔迪奥斯绳结"，到最后肯定也都有了拔剑的冲动。

唯一的问题只是——谁会比谁先出手。

亲兄弟下毒，李世民吐血

在最后的PK到来之前，李世民首先意识到的一点是：必须先稳定自己的大后方。

为此他选择了关东的那个形胜之地——洛阳。

那是他经营已久的根据地。此前李世民早已将自己的嫡系、陕东道行台工部尚书温大雅派驻洛阳。而眼下，为了迎接这场生死PK，李世民又特意命麾下骁将、秦王府车骑将军张亮率左右侍卫一千余人前往洛阳。李世民给了张亮一大笔金帛，让他暗中结交山东（崤山以东）的英雄豪杰，做好一切应变准备。

万一在长安的斗争中失利，李世民打算退守洛阳，与朝廷分庭抗礼。如果形势一再恶化，实在迫不得已，就与李建成裂土而战。

然而，此次秘密行动却没有逃过齐王李元吉的眼睛。

他一直在暗中监视秦王府的一举一动，而今这一千多名武装人员忽然大举调动，当然会引起他的高度怀疑和警觉。李元吉立刻入宫，指控张亮阴谋反叛。李渊随即下令逮捕了张亮，命有关部门调查审理。

情况十分危险。万一张亮的嘴被撬开，李世民的麻烦就大了。

所幸李世民没有用错人，张亮算得上是一条好汉。不管审讯官员采用什么手段进行逼供，始终无法从他口中得到只语片言。在毫无证据的情况下，朝廷只好将他释放。张亮随后便按原计划率部赶赴洛阳。

"张亮事件"总算是有惊无险，但是下面这个事件却差点要了李世民的命。

这是一场诡异的夜宴。

就是在这次夜宴上，发生了一起扑朔迷离、备受后人争议的"毒酒事件"。

据《旧唐书·隐太子建成传》记载（《新唐书》《资治通鉴》所载与之大同小异）："（建成）与元吉谋行鸩毒，引太宗（李世民）入宫夜宴，既而太宗心中暴痛，吐血数升。"淮安王李神通赶紧将李世民送回秦王府。李渊闻讯，立即下了一道手诏给李建成，说："秦王一向不能饮酒，从今往后不准再举办夜宴。"言下之意是警告太子不要再玩什么小动作，随后李渊便亲自前往秦王府探视李世民。

李渊肯定意识到太子和秦王已经水火不容了，于是就向李世民提出了一个消解纷争的办法。他说："当初建立大计，后来又平定海内，都是你的功劳，当时就想立你为太子，可你却坚决推辞，我也只好成全你的美意。再说建成年长，当太子的时日已久，我也不忍心剥夺他的继承权。看你们兄弟好像不能相容，都住在京城里，必定要产生冲突，我想让你重新掌管陕东道大行台，居住洛阳，自陕州（今河南三门峡市）以东的国土都由你做主，准许你建立天子旌旗，一切仿照西汉梁孝王刘武的做法。"

李渊说完，秦王已经泣不成声，以不愿远离膝下为由推辞。

这当然是李世民在故作姿态，其实高祖的安排正是他求之不得的。

我们知道，唐朝实行"兵农合一"的府兵制，士兵平时务农，农闲习武操练，战时出征，所以，除非面临战争，由天子下诏，兵部颁令，将领才有权统率军队，否则即使是像李世民这样的十二卫大将军，平时手中也没有兵权。而在长安，东宫和齐王府的势力加起来要比秦王府强大得多。东宫曾私募长林兵两千余人，而齐王也一直在"募壮士，多匿罪人"（《旧唐书·巢王元吉传》），两人兵力相加，总数应该不下于三千人。而秦王虽然也"素所蓄养勇士八百余人"（《资治通鉴》卷一九一），但明显处于劣势，双方一旦在京师开战，秦王很可能会吃亏。所以，出镇洛阳对于李世民来说，实在是进可攻、退可守的上上之策。李世民之所以命温大雅和张亮经营洛阳，其用意也正在于此。

李渊最后说了一句："天下一家，东西两都，相距很近，我想念你的时候就去看你，你不必伤心。"于是事情就这么定了下来。

听到李世民即将被派驻洛阳的消息，太子和齐王大感不妙。秦王一旦到了洛阳，手上就掌握了土地、城池和军队，这无异于猛虎归山，必将后患无穷。二人紧急磋商之后，得出了一致结论——如果把秦王控制在京师，要摆平他易如反掌。

随后太子便命人向高祖递上密奏，声称："秦王左右都是山东（崤山以东）人，一听说要前往洛阳，没有不欢呼雀跃的，观察他们的心志，恐怕是一去不返了。"同时授意心腹大臣不断向高祖分析其中弊害，劝他收回成命。这些人向李渊说了什么史书无载，但按照上述的密奏内容，其游说之言不外乎如此：一旦秦王据有洛阳这个形胜之地，刚刚统一的国家就会再度面临分裂的危险。陛下您健在的时候，秦王和太子或许还能暂时隐忍，可一旦您千秋之后，双方势必爆发武装冲突，甚至可能导致大规模战争，到时候家国分崩、生灵涂炭，后果将不堪设想啊！

也许就是在近臣的如此游说之下，李渊感到此事非同小可，于是暂时中止了命秦王赴洛阳的计划。

以上就是毒酒事件及其余波。

许多学者认为夜宴一事疑点太多，不足采信，很可能是出于贞观史臣的虚构。综合怀疑论者的看法，主要有以下几点：

一、当时太子与秦王已成水火不容之势，双方剑拔弩张，冲突不断，怎么可能聚宴饮酒？

二、即便太子为了谋害秦王而故意设下鸿门宴，可秦王明知太子有不轨意图，为何还敢去赴宴，并傻乎乎地喝下毒酒？

三、就算秦王去了，酒也喝了，可为何"吐血数升"而不死？莫非堂堂皇太子精心准备的毒药竟然是假冒伪劣产品？

四、按《通鉴》记载，毒酒事件是在"太白经天"的六月初一之后发生的，也就是说，此事发生的时间不会早于六月初一。而让人感到不可思议的是，六月初四玄武门之变就爆发了，那么，李世民怎么可能在中毒吐血的短短三天后就能生龙活虎地发动政变，并力挽强弓射杀太子呢？这实在有些匪夷所思。

既然疑点这么多，那么毒酒事件果真是虚构的吗？

我们的答案是：未必。

上述质疑也并非无懈可击，值得推敲。由于除了两《唐书》和《资治通鉴》，没有更多的史料可资辨别此事的真伪，因此，我们只能从常识和逻辑的角度来进行相关的考察和推论。

第一，中国人最讲究面子，即便是在你死我活的政治斗争中，表面上的东西也是要维持的。背地里越是斗得不可开交，面子上越是要装得若无其事，甚至还要比平时显得更为友善。这在中国人的社会生活中屡见不鲜，不足为奇。所以，李建成和李世民在当时的情况下聚宴，就不是什么不可能的事情。

第二，既然已经赴宴，李世民就没有不喝酒的道理。即便他怀疑李建成会在酒中下毒，那也只是怀疑而已，连兄长请客的酒都不敢喝，岂不是要让人耻笑？依照李世民倔强而果敢的个性，这顿酒他非喝不可。联系此前的胡马事件，以李世民对马术的精通，他未必看不出李建成给他的是一匹野性未驯的烈马，但他还是若无其事地骑了上去。由此可见，"明知山有虎，偏向虎山行"正是李世民的一贯性格。

第三，李建成即使是想毒死李世民，估计也不敢让他死在自己举办的酒宴上，因为这无异于明目张胆地谋杀。在当时高祖仍然想把一碗水端平的形势下，李建成这么做对自己也是不利的。即使他真杀了李世民，毒死自己亲弟弟的罪名也不小。当初他阻止李元吉在齐王府行刺李世民，也是相同的道理。对于在斗争中一直占据优势的李建成来说，应该不至于出此下策。所以，比较有可能的一种情况是：李建成确实下了毒，但不是什么假冒伪劣产品，而是一种药性缓慢发作的毒药，也就是能够对李世民造成重大内伤但不会令其当场毙命的毒药。对李建成而言，最好的结果就是让李世民在中毒的几天或者一段更长的时期后身亡，这样一来不但能达到目的，而且能最大限度地洗清嫌疑，至少也能淡化杀人的罪名。而李世民最终之所以安然无恙，或许就是这种缓发型的毒药在药性和剂量上比较难以控制，因而未足以令他毙命。

此外，还有另一种可能，那就是李世民对这场鸿门宴早已心存警惕，所以只喝了极少量的酒。并且，也有可能事先准备了解药，中毒之后在第一时间服用，从而极大地减轻了中毒症状，保住了性命。

第四，这个事件的发生时间真的是在武德九年六月初一吗？

其实这一点历来就遭到普遍怀疑。因为《资治通鉴》把此事放在了"太白经天"之后，所以人们习惯上认为此事是发生在六月初一晚上，但是除了《通鉴》之外，两《唐书》都没有记载具体日期。所以我们认为，此事有可能是发生在玄武门之变的半年之前，也就是武德八年的年底。理由有三：

首先，按照两《唐书》，此事都是直接记载在"杨文干事件"后面的，并且《旧唐书》正是在毒酒事件叙述完后，才出现"九年，突厥犯边"等语，而《新唐书》的记载顺序也与此相同。这里关键就是"九年"

这个时间标志。如果《旧唐书》也认为此事是发生在武德九年六月初一，那么这个"九年"就应该冠于毒酒事件之前，而不是放在毒酒事件之后。所以，这就让我们有理由相信：此事极有可能发生在武德九年之前。

其次，按《资治通鉴》记载，从六月初一的"太白经天"到六月初四的玄武门之变，其间连续发生了张亮事件、毒酒事件，还有太子和齐王收买、陷害、斥逐、争夺秦王府文臣武将的一系列事件。而后又是乌城战报、齐王兼并秦王府将士、昆明池政变未遂等事件，继而才有秦王府一干心腹将吏力劝秦王动手的那一幕，最后才是玄武门的流血政变……在短短三四天之内居然发生了这么多重大事件，这似乎不太符合常理。

无怪乎许多读者会在目不暇接、眼花缭乱的同时惊呼——这四天也太漫长了！

在此，我们无意考证这么多事件确切的发生日期，但是这并不妨碍我们做一个推论。也就是说，《资治通鉴》完全有可能是为了叙述的方便和情节的紧凑，才把这么多事件集中放在了武德九年六月初一之后的几天内。在此仅举一例：秦王府骁将程知节被太子排挤出京师、外调为康州刺史这件事，《通鉴》就把它放在了武德九年的六月初一之后，但是查《旧唐书·程知节传》，这件事却分明是发生在武德七年。由此可见，毒酒事件也极有可能和程知节事件一样，并非发生在武德九年，但是被司马光出于叙事需要实施了乾坤大挪移，硬是挪到了玄武门之变的几天前。

最后，按照常理，太子李建成要举办宴会，总要有一点由头，更何况与秦王早已走到了势不两立的地步，要邀他赴宴更需要一些冠冕堂皇的理由。那么，这样的理由有可能是什么呢？我们发现，在武德八年的十一月十三日，朝廷曾"加授秦王世民中书令、齐王元吉侍中"（《资治通鉴》卷一九一），两个弟弟在同一天荣升要职，这难道不是最好的聚宴理由吗？这难道不值得太子替弟弟们庆贺一番吗？而假如太子真的以此为借口对秦王发出邀请，李世民好意思拒绝吗？虽然没有更多的史料支持我们这个推测，但是这种可能性并不能完全排除。

因此，根据上述理由，我们可以得出以下结论：这场几乎要了李世民性命的夜宴，有可能是发生在武德九年之前；确切的日期，或许就是武德八年的十一月十三日夜。既然如此，休养了大半年的李世民完全康复之后才发动政变，就是合情合理的了，并不值得大惊小怪。

综上所述，毒酒事件及其之后李渊欲派秦王赴洛阳的事情，就未必是出自贞观史臣的虚构。我们认为，这个事件在总体上应该是真实的，但是不排除其中的某些关键细节存在增饰的可能。在此仅举两例：首先，秦王的"吐血数升"之说就不可能属实。"吐血"或许是真，但"数升"显然过多，定属虚妄。

除了吐血的细节不真实外，另一个细节增饰的例子就是李渊对李世民所说的"建天子旌旗"的话。在太子和秦王水火不容的情况下，李渊让秦王暂且避居洛阳，以免事态进一步恶化，这是完全可信的，也符合李渊维持平衡的原则，但是让秦王"建天子旌旗"则显然属于夸诞之词。因为李渊即便不是圣主明君，也断不是昏庸之辈。作为一个年长的开国之君和成熟的政治家，李渊不会不明白"天无二日，国无二主"的道理，也不会不明白这么做就意味着分裂和战争。

因此，这场毒酒事件总体上应该是真实的，但其中类似于"吐血数升"和"建天子旌旗"这种细节极有可能就是出自贞观史臣的虚构。之所以做这样的一些夸诞增饰，其目的无非是表明李世民受迫害的严重程度，从而证明其迫不得已自卫反击的正当性，并且为他日后发动政变、夺取皇位提供更多的合法性。

无论这场诡异的夜宴确切发生在何时，也无论毒酒事件的真实程度有多高，总之，在武德九年八月初四之前，一个有目共睹、众所周知的事实是——太子和秦王的斗争已经走到了你死我亡的地步。那些置身于政治旋涡中的文臣武将，包括大唐天子李渊，肯定都会为此感到极大的恐慌。

一个相同的疑虑必定会在他们的心中盘旋——

接下来还会发生什么？

被孤立的痛苦

夜宴之后，太子和齐王对秦王发起了一波前所未有的强力攻击。

首先，他们动用了朝中和后宫的所有政治力量，不断对李渊施加影响，有力地加剧了李渊对李世民更深的猜忌和反感。在所有的离间之词中，有一个当朝重臣的话似乎一下子就说到了李渊的心坎里。

这个人就是封德彝。

在太子与秦王的政治博弈中，封德彝是一个非常特殊的人物。

因为每一方都把他当成自己人。

李世民一直认为他是忠心耿耿的秦王党，李建成也认为他是不折不扣的太子党，而高祖也始终将其视为心腹重臣。直到时过境迁后的贞观初年，也就是这个"所为秘隐，时人莫知"的封德彝死后数年，其生前的真实面目才被唐太宗知悉——原来他一直"潜持两端，阴附建成"。

在毒酒事件之后，这个八面玲珑的封德彝一方面劝秦王对太子下手，一方面又劝太子除掉秦王，同时又跟高祖说了这么一句话："秦王恃有大勋，不服居太子之下。若不立之，愿早为之所！"（《旧唐书·隐太子建成传》）

这句话的字面意思很简单：秦王居功自傲，不愿屈居太子之下，这一点陛下您也知道，既然您不可能废黜太子而改立秦王，那就要早做打算。

封德彝很聪明，他没有明说应该作何打算，但是其潜台词无非是——早日铲除秦王，以绝后患。

此刻的李渊不能不受到极大的震动。同时他也不得不承认，封德彝的劝告是有道理的。照目前的形势发展下去，迟早有一天，一切都将变得无法收拾。

可问题是——老皇帝下不了这个手。

对于一个年逾六旬、儿孙满堂的老人而言，还有什么比一家人和和睦睦更值得珍惜呢？还有什么比父子之情、天伦之乐更容易让人产生幸福感呢？

没有了。

权力固然重要，江山社稷固然重要，可要让一个老人为了这些东西而牺牲亲情甚至亲手除掉自己的儿子，那实在是太残忍了。

所以，尽管封德彝的话切中肯綮，尽管高祖手中的这碗水颤动得越来越厉害了，但是他只能满怀无奈地把它端下去。

除此之外，李渊什么也做不了。

所幸老皇帝身边也不完全是反对秦王的声音。比如另一个心腹重臣陈叔达就站在秦王这边。他对高祖说："秦王有大功于天下，不可黜也。且性刚烈，若加挫抑，恐不胜忧愤，或有不测之疾，陛下悔之何及！"（《资治通鉴》卷一九一）

陈叔达的话让李渊多少缓解了一些内心的痛苦，也让他多了一个继续把水端下去的理由。所以不久后的一天，当齐王李元吉明目张胆地劝老皇帝杀掉秦王时，李渊就毫不客气地把他顶了回去："他有定天下之功，而今又没有什么明显的罪状，你有什么理由杀他？"

齐王咬牙切齿地说："当初攻克东都洛阳时，他盘桓逗留，不肯马上班师，还散发大量金帛树立私恩，又违抗敕令，不是反叛是什么？但应速杀，何患无辞！"

李渊闭上了眼睛，一个字也不想再说。

齐王只听到一个长久的沉默。

老皇帝虽然老了，有时候难免轻信而多疑，可还没老到李元吉希望的那个程度。

太子阵营的步步紧逼让秦王府的人惶惶不可终日。

他们感到一根无形的绞索已经套上他们的脖颈，而周遭的空气也已变得日渐稀薄。

房玄龄再也忍不下去了，他对秦王的大舅子长孙无忌说："如今结怨已成，一旦祸乱爆发，岂止是府廷血流满地，简直是社稷的灾难啊！不如劝秦王效法周公（诛杀管、蔡），以拯救家国。生死存亡之际，不容延误，必须尽早发动。"

长孙无忌说："我早有此意，只是不敢出口，你今日所说，正合我心，我马上去跟秦王说。"

当长孙无忌将他们心中的想法向秦王和盘托出后，李世民沉吟了很久。

长孙无忌看见，他原本沉郁冷峻的脸色变得越发凝重。尽管这个年仅二十八岁的年轻妹夫眉宇间依旧英气逼人，但是长孙无忌还是注意到了，多年的戎马倥偬已经过早地在秦王脸上刻下了岁月的风霜，而紧随其后的这场旷日持久、临深履薄的政治博弈，更是让他原本清澈的目光变得日益浑浊而灰暗。

许久，长孙无忌听见秦王用一种低沉而略带嘶哑的嗓音说："传房玄龄。"

房玄龄来到后，迎面就说："大王功盖天地，应该继承帝业。今日之忧危，正是上天赐给的机会，请大王不要再迟疑了！"片刻后，杜如晦也匆匆步入了议事厅。他们异口同声地劝说秦王当机立断，诛杀太子和齐王。

李世民的目光长久地停留在他们脸上，眸中似乎凝聚起一道光芒，可转瞬之间便又黯然消隐了。

房玄龄等人无奈地对视了一眼。

秦王怎么了？他到底在想什么？

在太子和齐王发动的这一波攻击中，除了进一步离间李渊和李世民的关系外，还有一个重要的步骤是——不择手段地剪除李世民的羽翼。

李建成首先把目标锁定在李世民麾下一位大名鼎鼎的骁将身上。

他就是尉迟敬德。

李建成派人给他送去了一封亲笔信和一车金银器皿。他在信中说："献上这点菲薄的礼物，希望得到长者眷顾，并增进我们的私人友谊。"

尉迟敬德当即提笔回信："敬德乃一介草民，遭隋末之离乱，长久沦为草寇，罪不容赦！秦王赐我以再生之恩，而今又列位秦府，唯当以一死相报！我无功于殿下，不敢贸然接受重赏，倘若私交殿下，乃是二心。为了利益抛弃忠诚，殿下要这种人又有何用？"

同时，太子也给另一个秦王府将领段志玄送去了重贿，同样遭到段志玄严词拒绝。

尉迟敬德随后把太子的诱降信拿给秦王看。李世民大为感动，说："你的心志如同山岳一般坚定，纵然把黄金堆积到星辰，我知道你也不会变节。如果他再有什么馈赠，你只管收下，何须避什么嫌疑！你可以乘机刺探他们的情报，岂非良策？如果不这么做，你恐怕会有危险。"

李世民的判断没错。

看完回信的太子顿时勃然大怒。

给脸不要脸，敬酒不吃吃罚酒！

老虎不发威，你还以为我是病猫！

当天黄昏，尉迟敬德的府第门前就出现了一位不速之客。

准确地说，这是一个刺客。

齐王派来的刺客。

尉迟敬德对此心知肚明。他一脸冷笑，吩咐手下把府上的每一道门全部打开，然后自己高卧床榻，若无其事地等着刺客进来。

刺客傻眼了。

行走江湖这么多年，从没见过这样的刺杀对象。

眼前门户洞开，可他不能这么冠冕堂皇地走进去。

刺客照例飞檐走壁地进入尉迟敬德府内，忽然感到周围好像有无数道目光正在盯着自己。

尉迟敬德躺在内室的床上闭目养神，并且优哉游哉地晃着二郎腿。外面的刺客却产生了从未有过的恐惧和迟疑。他好几次沮丧地退了出去，又好几次不甘心地摸了回来。

然而最终，刺客还是不敢下手。

当这个手下灰溜溜地空手而归时，齐王顿时一跳三丈高——老子就不信收拾不了你尉迟敬德！

齐王立刻进宫，向高祖控告尉迟敬德谋反。李渊当然知道这是无端加罪，但是剪除秦王羽翼事实上也符合他的想法，所以当即把尉迟敬德拿下诏狱。

就在齐王准备在狱中对尉迟敬德下手的时候，秦王火速入宫向高祖陈情，极力证明尉迟敬德的清白。

所谓谋反毕竟是子虚乌有之事，既然秦王力保，李渊当然也无话可说，只好下令释放了尉迟敬德。

老虎虽然发了威，但是伤不到秦王的人一根毫毛，仍有被视为病猫的嫌疑。

太子和齐王只好调整策略，转而采用斥逐手段，怂恿高祖把秦王府的左一马军总管程知节外调为康州（今甘肃成县）刺史。程知节置朝廷调令于不顾，冒死去见李世民，说："大王的羽翼全被剪除，身躯还能活多久？知节宁死不去康州，希望大王早定大计。"

同时，太子又把漫天撒网的进攻方式改为精确打击，他对齐王说："秦王府的智囊，足以让人畏惧的事实上只有房玄龄和杜如晦二人。"结果，房玄龄和杜如晦也很快被逐出了秦王府。

至此，李世民身边的心腹尽数被逐，只剩下一个长孙无忌。

形势万分险恶。

长孙无忌立刻把舅父高士廉（时任雍州治中，即京畿行政长官）、右侯卫车骑将军侯君集，还有死里逃生的尉迟敬德全都召到秦王府，日夜苦劝秦王先下手为强，诛杀太子和齐王。

可让众人大失所望的是，在这个生死存亡的危急关头，平素英勇果决的李世民却变得优柔寡断。无论众人如何劝说，秦王就是不置可否。

其实，李世民比任何人都清楚事态的严重性，同时也比任何人都更为迫切地想要采取行动。可他首先顾虑的是——自己在京师的军事实力远在太子和齐王之下，一旦真的要拼个鱼死网破，就必须在行动之前尽量争取更多政治上和军事上的同盟。

为此，李世民锁定了两个人。

他们就是李靖和李世勣。此刻二人都手握重兵，屯驻在北方边境防御突厥。李世民希望他们能够暗中提供军事支援，起码希望他们在政治立场上与其保持一致。

面对李世民的试探和拉拢，李靖和李世勣究竟作何选择？

对此，各种史料记载不一。按《旧唐书·隐太子建成传》，李靖和李世勣还没等秦王开口，就主动对其大表忠心，频频劝他说："大王以功高被疑，靖等请申犬马之力。"而《资治通鉴》的记载则与之大相径庭："（世民）问于灵州大都督李靖，靖辞；问于行军总管李世勣，世勣辞。"也就是说，两位骁将不约而同地拒绝了李世民，选择了中立。

那么，上述记载到底哪一种更为可信？

我们的答案是：后者。

理由是显而易见的。假如李靖和李世勣真的加入了秦王集团，并且主动请缨，愿意效"犬马之力"，何以在整个玄武门事变中，任何史料都看不见这两位名将的丝毫踪影？

众所周知，在这场险象环生的流血政变中，秦王集团的所有人都拼尽了全力——尉迟敬德、秦叔宝、程知节、侯君集、张公谨等将领全都冲上第一线就不用说了，就连长孙无忌这样的文臣都要跟着秦王披挂上阵，甚至连李世民的妻子长孙氏也要亲临现场，鼓舞士气。（《旧唐书·文德皇后长孙氏传》："及难作，太宗在玄武门，方引将士入宫授甲，后亲慰勉之，左右莫不感激。"）而长孙兄妹的舅父高士廉则在情况危急时不得不释放狱囚，授以兵器，率之驰援秦王。

这一切都足以说明——秦王集团是全体上场，孤注一掷了。根本没有多余的力量充当预备队。假如李靖和李世勣参与了这场政变，不管直接还是间接，秦王府的兵力都不会如此捉襟见肘，而史料中也不会不留下他们的蛛丝马迹（其他参与政变的一二十号人，在两《唐书》的各个纪传中就算没留下具体事迹，也都留下了姓名）。

因此，所谓的二李"愿效犬马"云云，很可能是贞观史臣编撰《太宗实录》时的虚构。之所以会有这种不实记载，无非是为了表明李世民得到了广泛的拥戴，从而为这场流血政变提供更多的正当性。

面对李靖和李世勣的拒绝，李世民作何反应呢？

《通鉴》称他"由是重二人"，也就是打心眼里尊重他们的选择，并从此越发敬重他们的为人。根据李世民在事后对待他们的态度来看，这种说法应该是可信的。从总体上说，贞观年间，李世民对二李还是一如既往地保持着信任，并且一再予以重用。

虽然李世民并未因此怀恨，但是被人拒绝的滋味总是不好受的。何况在这种敌强我弱的情况下，缺少这两位骁将的支持，肯定会让李世民感到一种极大的无奈和失望。

然而，不管内心多么失望，也不管敌我力量的对比如何悬殊，太子都已经率先出手了，你死我活的局面已经形成，无论如何，这场迫在眉睫的恶仗都不能不打。

问题只在于，这一仗该怎么打？

最大的问题倒不仅仅在于实力的悬殊，也不在于时机的把握和战术的选择，而是在于这场战争的性质。也就是说，李世民此刻面对的是一场前所未有的特殊战争。

这一次的对手不是别人——是自己的兄长和弟弟，还有父亲。

向自己的骨肉至亲挥起屠刀，这需要的绝不仅仅是智慧、勇气和力量。

可到底还需要什么？

李世民不知道。

他不无痛苦地发现，以自己二十八年的人生阅历和十年的从政经验，似乎仍然不足以圆满地回答这个问题，也不足以让他逃避一场前所未有的道德困境。

原来自以为成竹在胸的一切，到头来还是如此地困惑和迷茫。

原来手足亲情，并不像自己一直以为的那样容易割舍、那样无足轻重。

原来这个世界上最难以征服的不是外在那些强大的敌人和坚固的城池，而是自己灵魂深处最不堪碰触的那个地方。

这一切，是李世民身边的任何一个人都无法感同身受的。

面对他们焦急的脸庞和殷切的目光，李世民只能报以沉默，一种近乎麻木的沉默。

除此之外，李世民还能给他们什么呢？

起码在这场令人不安的道德拷问终结之前，李世民给不出任何答复。太子和齐王已经磨刀霍霍，李世民的灵魂却还在挣扎和思考。

就在此时，北方边境烽烟再起，东突厥将军阿史那郁设率数万铁骑围攻乌城（今陕西定边县南），战报迅速传至长安。

太子和齐王笑了。

一个彻底整垮李世民的计划迅速在他们的脑中成形。

祸到临头，秦王亮剑

李建成立刻奏请高祖，让齐王李元吉取代秦王李世民出征。

高祖欣然同意，命李元吉率领右武卫大将军李艺、天纪将军张瑾等人驰援乌城。李元吉进而征调秦王府的尉迟敬德、程知节、段志玄、秦叔宝等一干骁将，同时抽调秦王帐下的精锐部队，将他们全部编入了北征军。

事情明摆着，太子和齐王要借此机会彻底瓦解李世民的军事力量，把他变成砧板上的鱼肉，并一举置于死地。

图穷匕见的李建成决定对秦王发出最后一击。他对齐王说："眼下你已兼并了秦王的精兵猛将，手握数万部众。我准备和秦王在昆明池（位于唐长安城西南）设宴为你饯行，然后在饯行宴上命壮士将他击杀，告诉父皇说是暴病而亡，父皇不相信也得相信。我自当命人游说，让他把朝政大权移交给我。即位之后，我自当立你为皇太弟。尉迟敬德等人既然已落入你的手中，最好在出征途中随便找一个借口将他们全部砍杀，看谁敢不服！"

如果李建成的这个计划成功，那么历史上就没有什么"玄武门之变"了，而是——"昆明池之变"。

关键时刻，有个小人物改变了历史。

此人是李世民安插在东宫的一个卧底。

他叫王晊，时任东宫的率更丞。太子和齐王的计谋刚刚议定，王晊就赶到了秦王府，将这个绝密情报告知了李世民。

李世民随即将此事告诉了长孙无忌，顿时激起了众人的强烈反应。在最短的时间内，秦王府的幕僚们全都齐集到了他的左右，人人摩拳擦掌，个个义愤填膺。

听到消息的这一刻，李世民无比惊奇地发现——自己最强烈的感觉竟然不是愤怒和震惊，而是一种解脱，一种如释重负。

这是一种良心的解脱。

这是一种道义上的如释重负。

既然太子和齐王，可以毫不犹豫地对亲兄弟挥起屠刀，那自己还有什么放不下的呢？

现在李世民终于知道，要举起寒光闪闪的屠刀，除了智慧、勇气和力量之外，还需要一种东西。

那就是残忍。

是的，残忍！

如果道德秩序和礼教伦常注定会让一个人变得谨小慎微、无所作为，那就抛弃道德的束缚，挣脱礼教的捆绑。

如果仁爱与亲情注定会让一个人变得优柔寡断、软弱不堪，那就斩断仁爱的牵缠，割舍亲情的锁链。

　　李世民相信，为了完成上天赋予他的神圣使命，自己就必须从一撇一捺的"人伦的小我"中升华出来，去追求那个超越时空、辉映古今的"历史的大我"。

　　至此，这场令人不安的灵魂拷问终于尘埃落定。

　　当秦王李世民从这场道德困境和灵魂的煎熬中解脱出来之后，他对心腹和幕僚们说的第一句话是："骨肉相残，古今大恶！我诚然知道祸在旦夕，但是仍然希望由他们率先动手，然后我们再以正义之名讨伐，这样不是更好吗？"

　　也许，这就是李世民这场灵魂拷问的真相。

　　也许对于自己内心的困惑，李世民并不是没有答案，而是一直在期待太子和齐王能给他一个答案。

　　而今答案终于出来了——让你们率先举起罪恶的屠刀，然后我的复仇之刃就能镀上一层正义的光环。让你们把我逼到绝路，然后我的身上就会披上一件"悲剧英雄"的战袍。让你们在世人面前充分暴露同根相煎的嘴脸，我的所有反击行动就会变得顺理成章，甚至是大义凛然。

　　所以，亮剑吧，让这场旷日持久的政治PK最终见一个分晓。

　　当李世民意味深长地说出那句"欲俟其发，然后以义讨之"的话后，我们完全有理由相信，最晚到李世民获悉太子"昆明池政变"的阴谋时，他已经在道义上完成了对自己的拷问和说服，或者说已经在自己的生命中完成了一次前所未有的灵魂蜕变。

　　他可以杀弟，可以弑兄，可以逼宫，可以篡逆；他愿意牺牲仁爱，牺牲亲情，牺牲人性中许多柔软而美好的东西……为了夺取储君之位和至高无上的皇权，李世民已经做好了一切准备。

　　可是，如果我们以为李世民接下来会斩钉截铁地喊一声——"杀！"然后就开启了玄武门之变，那我们就太低估他了。

李世民固然已经下定了破釜沉舟、背水一战的决心，可他必须确认的一点是——身边的这些人是否也下定了同样的决心？

为了确认这一点，李世民就必须有意识地拉长这个思考和抉择的过程，好让所有的股肱心腹都来表决心、抒壮志。说白了，就是让大伙都来立一份无怨无悔的投名状。

在大伙提着脑袋赌明天之前，一定要让他们发自肺腑地认为——

这场恶仗绝不仅仅是为了我李世民而打，更多的是为你们自己的身家性命、荣华富贵而打。

除了让心腹们都来立这样的投名状之外，李世民或许还有一层考虑，那就是——让发生在自己身上的那场不为人知的灵魂拷问在现实中重演一遍，以便为即将发动的流血政变获取更多的道义资源，提供更多的正当性与合法性依据，进而在世人和后人的心目中赢得更多的理解和同情。

也许正是出于上述原因，所以尽管李世民已经下定了决心，可表面上仍旧装出一副优柔寡断、痛苦彷徨的样子。于是，接下来《资治通鉴》所记载的"众府僚力谏秦王"的这一幕，就不可避免地表现出了很强的作秀成分——秦王的手下个个心急如焚、拼命苦劝，恨不得把心掏给秦王看，可李世民却犹犹豫豫、推三阻四，完全没有平日的勇武果敢之风。

尉迟敬德第一个跳起来说："人之常情，谁不畏死！如今大家愿意为大王效死，此乃上天所授。大祸随时可能降临，大王怎么能安然不以为忧？您纵然轻视自己的生命，又怎能不顾社稷宗庙之安危？大王若不用敬德之言，我将逃离王府，流浪江湖，不能留在大王身边束手待毙！"

李世民沉默不语。

长孙无忌也忍不住道："不接受敬德的建议，大事必败，敬德等人必定远走高飞，无忌亦当相随而去，不能再侍奉大王了！"

话都挑明了，众人的目光齐刷刷地看着李世民。

李世民沉吟半晌，终于开口了，可他的话一下子让众人的心凉了半截。

他说："我的意见还是让他们先动手，诸公可以再考虑考虑。"

来自东宫的威胁越大，众人的紧迫感和危机感就越强；秦王越是不置可否，众人急于采取行动的自觉程度就越高。

李世民要的就是这个效果。

尉迟敬德急了，把尊卑抛到一边，大声说："大王今天处理事情，一直犹豫，这是没有智慧！面对危难，无法迅速解决，这是缺乏勇敢！大王素所蓄养的勇士八百余人，如今都已进入宫城，全副武装，如箭在弦，只等您一声令下！大王说该怎么办？"

李世民把脸转向其他幕僚，询问他们的意见。众人一致认为，就算现在不诛太子，凶狠暴戾的齐王也终究不愿屈居太子之下。他们还向秦王透露了一件事，不久前，齐王府护军薛实曾经对齐王说："大王名字合在一起，成一个'唐'字，可见大王终有一天要主持宗庙社稷。"齐王闻言大喜，说："但除秦王，取东宫如反掌耳！"（《资治通鉴》卷一九一）

幕僚们接着说："齐王跟太子的阴谋未成，就有夺嫡之意，如此狠毒之心，有什么事干不出来！倘若二人得志，恐怕天下不再为李唐所有了。以大王的智慧和能力，擒获二人不过像弯腰拾草一样，为何只顾及个人节操，而忘却社稷大计呢？"

该摆的事实都摆了，该讲的道理也都讲了，李世民却依旧沉默。

他到底在想什么呢？

众人互相交换了一下眼色。

其实他们也都很清楚这件事情的性质。无论情势如何紧迫，无论正义之帜如何高涨，一旦动手，就是夺嫡篡位，不仅贻当世之讥，更要取千古骂名。任何理由也改变不了它的性质。所以，与其说秦王现在缺的是智慧和勇敢，还不如说他需要的是更强有力的道德支援。

于是众人问他："大王，您认为舜是何等人？"

"圣人。"李世民不假思索地说。

"假使舜在挖掘水井时不设法出来而被埋葬，他不过化为井里的一撮泥土；假使舜在涂刷廪仓时不设法下来而被焚烧，他不过烧成屋顶的一团灰炭！如何能将恩泽普施天下，让法则行于后世呢？所以，父母用小杖打，我们就该接受；父母用大杖打，我们就该逃走。因为要保全性命以图大事。"众人义正词严地说。

李世民环顾了众人一眼，命人取出一副龟壳，准备卜卦以占吉凶。

差不多了，该说的话都说了，众人的决心也已经表露无遗了。最后一刻，李世民希望用天意来为这场灵魂的挣扎秀画上一个圆满的句号。

就在此时，府僚张公谨刚好从外面匆匆忙忙地走进来。

他显然是迟到了。可来得早不如来得巧，生性豪爽的张公谨一看见那副龟壳，猛然把它抓起来砸到地上，说："占卜的目的是决疑，如今大事已毋庸置疑，还卜什么！倘若占卜的结果不吉，难道就此罢手不成？"

张公谨的话干脆利落、掷地有声，显然比任何虚无缥缈的天意更为有力，也更足以让李世民感到欣喜和快慰。

于是大计就此议定。

美国著名政治学家伯恩斯说过这么一句话："当怀有某些动机和意志的人们与他人产生竞争和冲突，而调动体制、政治、心理及其他力量，从而激发、吸引并满足追随者的动机时，对人们实施领导即告完成。"

他还说："所谓'领导'，就是一种领袖与追随者基于共有的动机、价值和目的而达成一致的道德过程。"（伯恩斯《领袖论》）

也许，伯恩斯的话正是对中国式"投名状"所作的一种现代化的、学理性的阐释，而此刻李世民所完成的，恰恰也是这么一个价值聚合和道德整合的过程。

灼热的太阳在西边天际挣扎了许久，终于无可挽回地朝远方的地平线坠落。

暮色四合。

李世民屏退了所有幕僚，只留下长孙无忌和尉迟敬德。他命无忌前去传召已被逐出秦府、未及参加此次密谋的房玄龄和杜如晦。

关键时刻，他需要这两个满腹韬略的左右手一起制订行动计划。

长孙无忌很快就回来了，脸上却写满了沮丧。

他转述了房、杜二人的答复："奉皇上旨意，不准再听从秦王命令，今日如果私自晋见，我们必死无疑，所以不敢奉命！"

很显然，房、杜二人是在有意试探李世民，目的是看他有没有下定最后的决心。

李世民勃然大怒，对尉迟敬德说："玄龄、如晦岂叛我邪？"说完唰的一声抽出佩刀，递给尉迟敬德，说："公往观之，若无来心，可断其首以来！"（《资治通鉴》卷一九一）

刚刚片刻之前，李世民还在彷徨复彷徨，现在反应居然如此强烈，由此也足以看出——倘若李世民不是早已说服了自己，单凭府僚们的怂恿和煽动是不足以让他下定这么大的决心的。

长孙无忌和尉迟敬德再次去找房玄龄和杜如晦，说："大王决心已定，你们应该前往王府共同策划，但我们四个人不能一起走，要分开行动。"

长孙无忌特意让房玄龄和杜如晦换上道袍，借以掩人耳目，然后和尉迟敬德分别绕道，匆匆赶回秦王府。

当晚，秦王府议事厅中的几盏烛光彻夜不灭，一直燃到了次日。

武德九年六月初三清晨，那颗行踪诡异的太白金星，再度于光天化日之下从长安的上空掠过。太史令（天文台台长）傅奕用一种无比惊异的目光久久地凝望苍穹，几乎不敢相信自己的眼睛。片刻后，神色凝重的傅奕迈着急促的步伐匆匆进入太极宫，向李渊呈上了密奏："太白见秦分，秦王当有天下！"（《资治通鉴》卷一九一）

那一刻，高祖李渊也不相信自己的耳朵。难道秦王真有天命，注定要坐这个天下？倘若如此，又要将太子置于何地？

不，这不可能！只要自己还活着，就绝不能允许这种荒唐的事情发生！

极度不安的李渊随即命人传秦王入宫。

武德殿内，李渊脸色阴沉地坐在御榻上，秦王毕恭毕敬地跪伏在地。李渊把傅奕的奏疏猛然扔到秦王面前，瓮声瓮气地说："自己看吧。"

李世民悄悄瞥了一眼。他不用看也知道那上面写了什么。

"儿臣也有一道密奏！"秦王朗声道。

李渊满腹狐疑地盯着李世民看了很长时间，然后缓缓打开秦王的密奏。才看了一眼，他的脸唰的一下全绿了。

淫乱后宫？

秦王居然控告太子和齐王淫乱后宫？

李渊顿感血往上冲，脑袋几欲炸裂。他无论如何也没想到秦王会来这么一手。

这绿油油的帽子到底是太子和齐王给老子戴的，还是你秦王血口喷人、造谣中伤、恶意诽谤？

李渊的胸口在剧烈起伏，嘴里不断喘着粗气。还没等他回过神来，秦王又接着说："臣于兄弟无丝毫负，今欲杀臣，似为世充、建德报仇！臣今枉死，永违君亲，魂归地下，实耻见诸贼！"（《资治通鉴》卷一九一）

说一千道一万，归根结底还是阋墙之争啊！

李渊在心里发出一声长叹。

你们兄弟三个难道真的谁也容不下谁，非要斗个你死我活才肯罢休吗？

李渊痛苦而无奈地意识到，是时候为这场旷日持久的纷争做一个了断了。就在明天吧……明天，自己将召集朝中的宰执重臣，命他们三兄弟入宫当面对质，把事情彻底弄个水落石出。

其实，李渊心里很清楚，不管怎么对质，秦王这场官司基本上是输定了。

道理很简单——谁主张谁举证。秦王既然提出了指控，就必须拿出确实、充分的证据来支持其指控的罪名。可问题是，这种说不清道不明的宫闱丑闻又怎么可能有确凿的证据呢？即便秦王你买通一两个太监或宫女出面指证，可谁又能保证他们说的是实话？退一步说，就算太子和齐王真的干了这种大逆不道的事，可除非被你捉奸在床，否则不管你拿出什么证据，都可以被视为捕风捉影、造谣中伤。

所以，明天的对质说到底也就是走走过场而已。这一回，你秦王绝对难逃诬告的罪名。就算不治你一个死罪，最低限度也要把你的政治生命彻底终结。秦王啊秦王，是你自己把自己逼上绝路，别怪父皇不念父子之情，别怪朕对你下重手！

"明早鞫问，汝宜早参。"李渊扔下一句话，然后头也不回地拂袖而去。

一切等到明天就清楚了。李渊愤愤地想。

等到明天，一切都可以结束了……

子夜。

长安城万籁俱寂。

一轮皎洁的明月孤悬夜空。

高大的玄武门就像一头巨兽静静地笼罩在如水的月光下。

没有人知道，它正在假寐，几个时辰后，它就将在一场可怕的风暴中醒来。

帝国的隐痛：玄武之殇（上）

武德九年。六月初四。凌晨。

星光渐逝，残月将隐。繁华的长安从宁谧香软的夏夜之梦中幽幽醒转。晨光熹微中，已经有一些美丽的蛱蝶扑扇着斑斓的羽翼在坊间的花丛中往来穿飞，无数晶莹的露珠凝结在花间、柳梢、叶脉、草尖，仿佛十万颗闪亮的珍珠一同点缀着纤尘不染的长安。街肆的酒楼和茶坊也开始陆陆续续卸下紧闭了一夜的门板，京郊的农人推着一车车新鲜的瓜果菜蔬从薄雾中辘辘走来。谁家少妇蓦然推开某一扇雕花长窗，席席暖风照旧温柔地拂过她飘飞的鬓发和慵懒的脸庞。此刻，无论是长安的男人还是女人，通常会兴奋地张开双臂，毫不犹豫地将这个熟悉的早晨揽入怀中，尽情地拥抱这温馨而醉人的太平时光……

在这样一个宁静祥和的大唐早晨，有谁会闻见一股腥膻的气息已经在太极宫的上空隐隐飘荡？

在这样一个宁静祥和的大唐早晨，富贵、雍容、妩媚的长安又如何容得下阴谋、杀戮和死亡？

然而，嘚嘚的马蹄还是响起来了。

刀剑与盔甲的铿锵还是响起来了。

这样的声音清晰、坚硬、冰冷、不容置疑。它们来自彻夜不眠的秦王府，来自一颗历经善恶之火煎熬、淬炼并最终浇铸成形的年轻而沧桑的钢铁之心。

嘚嘚马蹄踏破夏夜残留的氤氲，惊起了一树飞鸟。

铠甲和刀剑的寒光映入它们惊慌的瞳孔，空中的鸟儿拍打着凌乱的翅膀四处逃散。

从秦王府疾驰而出的这队飞骑裹挟着一股浓重的杀气直扑玄武门。

玄武门，太极宫的北正门，皇城禁军的屯驻地，帝国政治中枢的命门。

谁控制了玄武门，谁就控制了太极宫。

谁控制了太极宫，谁就控制了长安。

谁控制了长安，谁就控制了天下。

最先进入我们视野的仍旧是那个英气逼人、神色冷峻的秦王，和他并辔齐驱的就是即将在两个月后母仪天下的秦王妃长孙氏，紧跟在他们身后的是秦王府的十个文武将吏。他们是长孙无忌、尉迟敬德、侯君集、张公谨、刘师立、公孙武达、独孤彦云、杜君绰、郑仁泰、李孟尝。[1]在他们后

---

1 关于伏兵玄武门的具体人员，《资治通鉴》无载，《旧唐书》的《太宗本纪》和其他各传记载不一，今从《长孙无忌传》所载。

面，是秦王"素所蓄养"的数百名精锐武士。

是日，在玄武门当值的禁军将领常何早早就在宫门接应，秦王等人到达后，立即进入有利地形埋伏。这个常何是李世民很早就布置在玄武门的一颗棋子。据《常何碑》载："太宗文皇帝出讨东都，以公为左右骁骑……勇迈三军，声超七萃……令从隐太子讨平河北，又与曹公李（世）勣穷追（徐）圆朗。贼平，留镇于洧州。六年，奉敕应接赵郡王于蒋州……七年，奉太宗令追入京。赐金刀子一枚，黄金卅挺，令于北门（玄武门）领健儿长上……九年六月初四，令总北门之寄。"

由此可见，常何既追随过李世民，也曾跟随太子李建成一同出征，但是在武德七年便已被李世民暗中纳入了自己的阵营，并且被放在了玄武门这个要害部位上。同时被李世民收买的玄武门禁军将领还有敬君弘、吕世衡等人。

而李建成却对此一无所知。

他绝没有想到，在这场迟早会来的巅峰对决中，秦王李世民竟然棋先一着控制了玄武门——控制了这个帝国的政治和军事中枢。

李建成失算了。

就在李世民伏兵玄武门的同时，后宫的张婕好十万火急地赶到东宫，把昨夜探知的秦王密奏一五一十地告诉了太子。太子立刻通知了齐王。齐王警觉地说："应该立刻集结军队随时待命，同时托疾不朝，静观其变。"

如果李建成听从李元吉的建议，那么李世民的玄武门之变就彻底落空了，而太子和齐王也将就此躲过这场灭顶之灾。

然而，李建成太自信了。他以为曾经骁勇强悍的秦王如今已是一只被剪除了翅膀和利爪的苍鹰，再也无力搏击长空了。所以，太子对齐王露出了一个不以为然的笑容，说："卫戍部队都已集结待命，我们大可以放心入朝，关注事态的进展。"

太子的自信和轻敌就此铸成大错。

在这个夏日的早晨，他们就这么策马走出东宫，从而走向死亡的深渊，走向一个无可逃脱的历史宿命。

太子一行缓缓行至临湖殿的时候，内苑的景致看上去依旧美丽安详，可是李建成的心头却忽然生出了一丝不祥的预感。周遭的一切太安静了，静得就像一座空山幽谷，静得让人头皮发麻、脊背生寒。李建成说不上这种怪异的宁静背后是否暗藏杀机，可强烈的不祥之感还是像水上的涟漪一样迅速在他的胸中弥散开来。

李建成不由自主地勒住了缰绳。

"恐怕有变！"他低低地对齐王说了一声。刹那间，齐王看见太子的眼中充满了一种无以名状的恐惧。

他们下意识地一起掉转马头。

可是，一切都已经来不及了……

李世民策马立于玄武门巨大的阴影中。他在这里静静守候生命中最重要一刻的来临。时光似乎从来没有像今天这样——既流动得如此缓慢而艰难，又消逝得如此仓促而迅捷。

到最后李世民甚至不知道自己究竟在这里等待了多久。

是一瞬，还是一生？

他只知道，当那两个熟悉的身影和一队侍卫缓缓映入他眼帘的时候，所有的正常知觉才在一瞬间恢复过来。他的手心立刻沁满了细密的汗珠，心脏就像一面隆隆的战鼓在他胸中剧烈擂动，仿佛随时会击破他的胸膛。

太子和齐王越走越近了。

李世民看见一束阳光正在他们神情倨傲的脸上闪烁和跳跃。

他们其实都还年轻——大哥才三十八岁，正值盛年，或许正在信心满满地期待着登基御极的那一天；四弟就更年轻了，才二十四，华美的人生才刚刚开场。然而，就是如此年轻的一母同胞的生命，却马上要在自己手中变成两具僵硬的尸体，变成两缕惨恻的亡魂。

意识到这一点的时候，李世民内心的某个地方又不可遏止地掠过一阵战栗……

就在李世民神思恍惚的片刻，太子和齐王突然掉头而去。

刹那间，冥冥中仿佛有一种不可抗拒的力量推动着李世民狠狠甩下马鞭。身下的骏马立刻像离弦之箭从玄武门的阴影中激射而出，飞驰在武德九年六月的阳光下。那一刻我们仿佛可以望见，一个英武而决绝的李世民就这样从阴暗抑郁的武德一下跃入了华丽灿烂的贞观，把另一个无奈而伤感的李世民永远遗落在玄武门锯齿状的阴影之下，遗落在不堪回首的武德往事之中。

很多年以后，当日渐苍老的李世民预感到自己即将结束在人世的这一趟辉煌演出时，他总会情不自禁地屡屡回望武德九年那个夏天的早晨。在泛黄的视线和依稀的泪光中，暮年的唐太宗看见青年李世民依旧孤独地伫立在玄武门下，伫立在那个没有人愿意碰触的历史暗角。任世间花开花谢、沧桑变化，任天上云卷云舒、日月轮转，那个年轻的李世民却永远定格在那里——他的目光依然是那么焦灼而迷惘，他的神情依然是那么痛切而感伤。

"吾死之年，廿六而已！"

据说晚年的李世民曾经在某种场合发出过这样的苍凉一叹。玄武门的那段悲情往事，也许终归是李世民一生中永难忘怀的一场灵魂之殇。在这声宿命般的叹息中，有谁能窥见这个千古一帝灵魂中深藏的暗伤和隐痛？又有谁能参透这场玄武之殇中有关人性与政治的种种奥秘与玄机？

帝国的隐痛：玄武之殇（中）

李建成最初听见的是一声呼唤。

这声音从背后追上来，轻轻落进他的耳膜，听起来是如此从容而熟稔，以至于他一时间竟然没有反应过来——这是一声死神的召唤。

还是年轻的齐王反应敏捷。尽管他的脸色瞬间变得惨白，眼中布满惊惶，可他还是转过身去，飞快地搭弓上箭。

然而，令人匪夷所思的是，这个一向自诩勇武的大唐四皇子一连三次都没能把手上的那张弓拉满，结果三箭射出都在距秦王一丈开外的地方颓然落地。李元吉惊讶地看着自己不停颤抖的双手，不相信自己在死亡袭来的时候居然会变得如此软弱无力。与此同时，李建成正疯狂地挥动马鞭，带着他的一小队侍从头也不回地朝东宫狂奔而去，试图逃离近在咫尺的死神魔爪。

可是李建成拍马疾驰的速度显然不会比李世民索命一箭的速度快到哪里去。

空中划过一声尖锐的呼啸。

李建成下意识地回头去看。

那一刻，他圆睁的瞳孔恍如惊鸟。

凌厉的一箭不偏不倚地从他的后背没入，然后穿胸而出。李建成看见殷红的鲜血汩汩而出，在自己的胸口洇散开来，像极了一朵灼灼绽放的红色牡丹。

这是大唐帝国第一任皇太子李建成在人世间看见的最后一幅凄美的图景。

当无边的黑暗把他彻底吞没的时候，李建成依旧困惑地睁着双眼。

为何一切如此仓促就发生了？却又如此仓促就结束了？

是的，结束了。

很久以来自己日思夜想的一件事终于干完了。当李世民射出那一箭时，他知道自己的大哥、自己政治上最大的对手李建成从此就在这个世界上消失了。原来这件事并不像自己想象的那么艰难。这一箭跟自己曾经射出的千百支箭一样——它射出去了，然后有个人应声坠马，一命呜呼，事情就这么简单。

可是，事情真的就这么简单吗？

如果真这么简单，为什么当想象中最值得庆幸的一幕发生后，自己心中竟然没有一丝胜利的激动和喜悦，而是一种若有所失的空旷和茫然？为什么当夺嫡之路上这块最大的拦路石被一举清除时，自己胸中那一团强劲的力量却忽然崩溃消散？

李世民就这样不知不觉地陷入了一种恍然如梦的状态之中。周遭的事物看上去是那么虚幻而缥缈，仿佛已经静止不动。身下的坐骑什么时候冲进了斜刺的一片小树林，李世民似乎也全无察觉。直到被一根横亘的树枝绊下马背，整个人重重摔在地上，李世民才隐隐感觉——也许就在大哥李建成坠地的一刹那，自己身上有什么东西就已经跟着他一同坠落了，永远地坠落了。

那是什么？

没有人知道。

我们只知道，那将是李世民用尽一生也无法重新拾回的东西。

李元吉曾经自以为见惯了流血和死亡，所以早就祛除了对死神的恐惧。可直到大哥李建成睁着血红的双眼躺在地上一动不动的时候，李元吉才知道自己错了——原来死亡跟阳光一样无法直视。

就在李元吉愣神的间隙，秦王府骁将尉迟敬德已经率领七十余骑冲了过来，箭矢纷纷射向李元吉。他左闪右避，慌乱间被流矢射中，失足坠马。但是李元吉很快又爬了起来，带着箭伤狼狈不堪地窜进身边的小树林，结果一眼就看见了躺在地上神情恍惚的秦王。李元吉怒从心头起，劈手夺过李世民的弓，用弓弦紧紧勒住了他的咽喉。

就在李世民命悬一线之际，尉迟敬德及时赶到，发出厉声叱喝。李元吉无奈地丢掉手中的弓，撒开双腿拼命朝武德殿方向跑去。尉迟敬德纵马追逐，同时不慌不忙地射出一箭。弦声响处，李元吉发出一声沉闷的呻吟，面朝尘土颓然仆倒。他的手脚强烈地抽搐了几下，随后便一动不动了。

当初与尉迟敬德比试马槊功夫而再三败北时，李元吉曾经深以为耻。假如他和太子兼并秦王府将领的计划成功，那他李元吉肯定会一雪前耻，亲手杀死尉迟敬德。可他无论如何也不会想到，自己最终竟然会死在尉迟敬德的手上。

秦王集团在玄武门前突然实施的"斩首行动"非常成功。东宫将领冯翊、冯立得知太子被杀的消息后，顿时仰天长叹："我等岂能在他生时受其恩，而在他死后逃其难呢？"遂与东宫将领薛万彻、齐王府将领谢叔方率领东宫和齐王府精兵两千人，迅速杀向玄武门。

大兵骤至，情势危急，臂力过人的张公谨未及叫上左右，独自一人关闭了沉重的宫门。

负责防守玄武门的禁军将领敬君弘准备挺身出战，左右劝阻："事情未见分晓，暂且静观其变，等大兵会集再出战也为时不晚！"

应该说，左右将士的担心是有道理的。秦王虽然一举除掉了太子和齐王，可接下来形势会如何演变谁也无法预料，所以作壁上观才是最安全的办法。然而，对秦王忠心耿耿的敬君弘并未采纳这个消极观望的建议，他毫不犹豫地与中郎将吕世衡一起率部迎战。可由于双方兵力悬殊，一番血战之后，敬、吕二将终因寡不敌众而相继阵亡。

冯立、薛万彻等人继续指挥军队猛攻玄武门，战斗极为激烈。薛万彻见部下多有伤亡而宫门久攻不下，马上和士兵们一起鼓噪着要转攻秦王府。玄武门上的将士大为惶恐。秦王府的精锐都已倾巢出动了，现在守卫王府的那些老弱残兵根本没有防御能力，怎么办？

正在众人焦急之际，尉迟敬德突然纵马疾驰到东宫和齐王卫队的阵前。

他的手上高高举着两颗鲜血淋漓的头颅。

冯立、薛万彻等人顿时绝望——他们很清楚士兵们看见太子和齐王的首级后会作何反应。

果不其然，尉迟敬德的举动一下子令东宫和齐王的部队士气尽丧，士兵们开始四散逃逸。薛万彻只好带着数十名亲信骑兵逃出长安城，亡命终南山。冯立对部众说："我斩杀了敬君弘，多少可以回报太子了！"随即解散了军队，独自一人落荒而逃。

按《通鉴》记载，当太子和齐王血染玄武门、其部众与秦王军激战正酣的时候，高祖李渊正与裴寂、陈叔达、萧瑀等人在海池（皇宫内的人工湖）上惬意地泛舟。

天蓝水碧，蝶舞莺啼。

大唐天子李渊仍然在享受一个与往常一样美丽而宁静的早晨。

李渊万万没有料到，他颤颤巍巍端了多年的那碗水已经在这天早晨彻底倾覆了。

舟船缓缓靠岸，高祖李渊和诸位大臣准备去上早朝。那个浑身上下沾满鲜血的尉迟敬德就在这时候走近了海池。他披戴盔甲，手执长矛，身后跟着一队全副武装的士兵。他们脸上带着同一种肃杀的表情，迈着大步径直朝皇帝走来，就像一根尖锐的锥子无情地刺入这个静美的早晨，也狠狠刺伤了高祖李渊。

巨大的震惊与错愕让李渊的脸色瞬间苍白如纸，身边的大臣们也同样面面相觑，不知所措。

李渊的脑中一片空白。

直觉告诉他——一定有非常严重可怕的事情发生了。

直到尉迟敬德走到面前跪地叩首，李渊才回过神来。他用尽全身的力气厉声质问："今日谁人作乱？你来这里干什么？"

尽管李渊努力要表现出一个天子应有的威严，可他分明听见了自己声音中的战栗。他不知道这种战栗究竟是出于震惊和愤怒，还是出于对一种不祥之兆的恐惧。

"回禀皇上，太子和齐王叛变，秦王已率领军队将二人诛杀！唯恐惊动陛下，特意命臣前来护驾。"

果然是意料中的惊天噩耗。

就像一声晴天霹雳在耳边轰然炸响，李渊感到了一阵剧烈的晕眩。他的身体摇摇欲倒，左右连忙上前搀扶。

最可怕的事情还是发生了，长久以来的担忧和疑惧终于变成了血淋淋的现实。自己最终还是没能阻止这场骨肉相残的悲剧在李唐皇族的身上发生，还是不可避免地重蹈了姨父杨坚的覆辙……不，是导致了一场比杨隋皇室更为惨烈的宫廷祸乱和政治灾难。

这一切究竟是谁造成的？为什么会走到今天这一步？

是自己没有扮演好一个皇帝的角色，还是没有尽到一个父亲的责任？是因为太子和齐王不择手段把秦王逼得无路可走，还是秦王处心积虑要夺嫡篡位？

其实，现在追问这一切已经毫无意义了。就算能得到一个确凿无疑的答案，不也只是徒然加深自己的哀伤和悔恨吗？

李渊感到头痛欲裂。

他不得不面对这样一个惨痛的现实——曾经苦心经营的政治平衡，曾经努力维系的家族亲情，此刻已经像一个被风暴劈打得四分五裂的鸟巢，在狂风骤雨中飘零了一地。李渊预感到自己的余生注定要变成一根残破的羽毛，没有了任何分量，也掌控不了方向，只能在秦王划定的轨迹中独自飘荡，最后黯然走向生命的终点。

实际上这样的命运从眼前这一刻就已经开始了。李渊在心里苦笑，尉迟敬德说得好听，护驾！天底下有这么护驾的吗？说白了不就是逼宫吗？

看着尉迟敬德身上的斑斑血迹，李渊的目光忽然有些迷离。他不知道在那些已经变得乌黑，甚至有些肮脏的血迹中，哪一簇是太子的，哪一簇又是齐王的？

有那么一瞬间，建成和元吉的笑容无比清晰地浮现在眼前，李渊觉得自己伸出手去，仿佛仍然可以触摸他们年轻的脸庞，感受他们温热的呼吸……

可是，这样的幻象稍纵即逝。

李渊艰难地把目光从尉迟敬德的身上移开，把脸转向那些宰执重臣，用一种近乎虚脱的声音说："没料到今日终于发生这种事，诸贤卿认为该怎么办？"

一向倾向于太子的裴寂比皇帝更加惶惑而茫然，张着嘴巴不知道该说什么。而一向同情秦王的陈叔达和萧瑀则斩钉截铁地说："建成和元吉当初就没有参加起义，对于帝国的建立也没有多大功劳，并且嫉妒秦王功高望重，所以才会共同策划对秦王不利的阴谋。秦王今日既已将他们剪除，而且功盖宇宙，天下归心，陛下如果封他为太子，把朝政大权移交给他，便不会再有什么事端了！"

此时此刻，老皇帝还有别的选择吗？

"你们说得对。"李渊喃喃地说，"这正是我的夙愿。"

此时，玄武门的兵戈尚未停息，禁军、秦王卫队与东宫、齐王卫队依然在鏖战不止。尉迟敬德向高祖提出要求，请他颁布一道敕令——命各军一律服从秦王指挥。

李渊很清楚，这是秦王诛杀太子和齐王后必然要走的一步棋。第一步是兵权，第二步是储君之权，而第三步，无疑就是皇权。

这是一个夺嫡篡位者必然要上演的政变三部曲。

然而，明知如此，李渊也只能照办。

片刻后，检校（代理）侍中兼天策府司马宇文士及从东上阁门飞驰出宫，一路高声宣布皇帝敕令，那些仍在纠缠恶斗的士兵才陆陆续续放下了武器。为了进一步稳定局势，李渊又命黄门侍郎裴矩前往东宫晓谕众将士，惶惶不安的东宫人心才逐渐安定下来。

太子和齐王既已"伏诛"，秦王既已接管了京畿兵权，全面控制了皇宫，这场血流满地的政治灾难就该结束了吧？

此时此刻，东宫和齐王府的上上下下也许都在暗中祈祷——但愿秦王就此收起他的屠刀，不要再赶尽杀绝。

可不幸的是，秦王的刀并未入鞘。

很快它就将划出一道优美的弧线，准确地落在太子和齐王的十个儿子头上。

谁都无法阻挡。

帝国的隐痛：玄武之殇（下）

一轮丽日高悬在大唐帝国的中天。

鲜血满地、死尸狼藉的玄武门就像一个巨大的伤口怆然裸露在正午的阳光下。

李世民踏着未及擦干的血迹一路向宫中走去。

偌大的太极宫内，到处可见惊魂甫定的太监和宫女忙忙碌碌地往来穿梭。他们不时向秦王投来暧昧而惊恐的一瞥，然后赶紧低下头匆忙走过。

空旷的武德殿上，高祖李渊正低垂着头，神情木然地坐在御榻上，静静等待着李世民的到来。

不知道过了多久，李渊下意识地抬起头，发现一身铠甲的秦王已经赫然站在自己的面前。在这场突如其来的流血政变之后，当这对尴尬的父子猛然间四目相对，他们的眼中顿时充满了太多难以言表的东西。

李世民急忙跪地叩首。老皇帝招招手，让李世民跪到跟前，然后伸出颤抖的手抚了抚他的脖颈，说："这些日子，差点被人言所误，犯了'投杼之惑'（有人误传曾参杀人，其母相信）啊！"

李世民失声痛哭，把脸埋在父亲胸前。紧接着，秦王做出了一个让无数后人百思不得其解的举动——"跪而吮上乳"。

其实，李世民的这个吮乳动作并不可笑，可笑的是我们对此的种种反应。

因为我们少见多怪了。

其实，在当时那种父子兄弟刀兵相见并且已经酿成惨祸的情况下，这是李世民所能做的最聪明的举动。进而言之，这是李世民在第一时间唤醒父子亲情的最直接方式，也是他在最大限度上取得父亲谅解，弥补父子间巨大裂痕的最有效方式。

何以见得呢？

李宗侗、夏德仪先生在《资治通鉴今注》中说："跪而舐上之乳房，以示为孺子时无间之态。"这句话的意思是：李世民做出这个"吮乳"举动，目的是为了唤起父亲的记忆，重现当年身为"孺子"时与父亲的亲密无间之态。

可是，孺子吮乳的对象难道不应该是母亲才对吗？李世民怎么会向父亲李渊吮乳呢？除非李渊曾扮演母亲的角色，早年曾有过哺乳婴儿的举动，否则李世民这个动作仍然得不到合理的解释。

然而，要说李渊真有过哺乳婴儿的举动，这似乎更为耸人听闻，也更让人难以置信。

可让我们感到震惊的是，答案恰恰是这个。

准确地说，应该是——李渊早年曾有过"哺乳婴儿"这样一种象征性的"仪式"。

按照有关学者对古代民俗学的研究发现，男子（父亲）作哺乳婴儿之状，确实是唐代周边少数民族普遍存在的一种"产翁"和"乳子"习俗。

比如唐代的房千里就曾在《异物志》中记载当时南方獠人的这种习俗："獠妇生子即出，夫惫卧，如乳妇，不谨则病，其妻乃无苦。"

唐尉迟枢《南楚新闻》中也有相关记载，表明越人也有这种"产翁"习俗："越俗，其妻或诞子，经三日便澡身于溪河，返，具糜以饷婿。婿拥裘抱雏，坐于寝榻，称为'产翁'。其颠倒有如此！"

另据清人李宗昉《黔记》所载，苗人亦有此习俗："妇人产子，必夫守房，不逾门户，弥月乃出。产妇则出入耕作，措饮食以供夫乳儿。"

由此可见，古代的獠、越、苗人均有这种女人产后即正常劳作，而由男性卧床"坐月子"、象征性地给婴儿哺乳的习俗，其意义在于表明父权在子女生产和哺育中的主导作用，同时加强子女与父亲间的亲密联系。

靠"父乳"的哺育而成长的观念，还可以从南朝的民谣中得到佐证。据《梁书·始兴王萧憺传》，梁朝始兴王萧憺有德政于地方，天监七年被梁武帝征召还朝，当地百姓依依不舍，作民谣曰："始兴王，民之爹。赴人急，如水火。何时复来哺乳我？"这里所反映的老百姓将始兴王比为父，以"哺乳我"的言词表达对始兴王的依恋之情，是古代汉族地区也存在这种习俗的一个有力证据。（参见阎爱民《"世民跪而吮上乳"的解说——兼谈中国古代"乳翁"遗俗》）

当然，在李世民出生时，李渊不可能像那些獠、越、苗人那样真的去卧床"坐月子"，但是他曾经象征性地举行过"乳子"仪式，这一点应该是无可怀疑的。

所以，当李世民在这场弑兄屠弟、颠覆伦常的流血政变之后，及时做出"跪而吮上乳"的举动，就不但是合乎情理的，而且是非常必要的。这对于当时几近断裂的父子亲情而言，应该是最具有修补作用的一注"情感黏合剂"。

到此，玄武门之变基本上已经画上了句号，但是李唐皇族的血并未流够。

因为斩草还须除根。

太子和齐王虽然已经被除掉了，但是他们的十个儿子还在。对于李世民而言，这就意味着残存的政治异己势力还在，一种潜在的复仇力量还在。问题倒不是担心这十个年少和年幼的侄子长大后会揭竿而起，替他们的父亲报仇，而是谁也不敢保证，将来不会有心怀叵测之人利用他们的仇恨，打着他们的旗号来兴风作浪。所以，既然这场弑兄、杀弟、逼父的流血政变已经走到了这一步，那么李世民只能按照它本身的惯性，把它进一步推向那个无可避免的逻辑终点——屠侄。

只能如此，别无选择。

要说残忍，这或许是一种残忍。可是，这就是权力斗争的游戏规则。在这样的规则之内，每个人都是一颗身不由己的棋子。你或许可以选择充当什么角色，但你绝对无法改变角色固有的规定性。在历史和时代条件圈定的樊笼中，你只能最大限度地适应并利用规则，却绝对无力改变规则。换句话说，你可以在规则中游刃有余，但是你不可能溢出规则之外。进而言之，如果武德九年发生的是昆明池之变而非玄武门之变，如果这场巅峰对决最终胜出的是李建成而非李世民，那么李建成在杀掉秦王之后，会不会向秦王的儿子们挥起屠刀呢？

答案是肯定的。

覆巢之下，焉有完卵？

所以，一旦历史选择了玄武门之变，一旦命运之神钟情于李世民，那么太子和齐王的十个儿子就注定在劫难逃。

六月初四这一天午后，当秦王府的两队飞骑奉命冲进东宫和齐王府的时候，李唐皇族的这些金枝玉叶立刻发出了恐惧而绝望的哭号。那十个年轻或年幼的亲王，还未及从丧父的巨大哀痛中摆脱出来，死神便已伸出冰冷的白爪轻而易举地攫住了他们。

史书没有记载他们的年龄。也许这对后世的读者是一件好事，因为人们的内心可以避免受到某种触痛。

但是史书记下了他们的名字。

在泛黄的史册里，他们也就是那么一小串毫无特征的符号，两三行容易让人忽略的文字而已。

李建成的五个儿子是：安陆王李承道、河东王李承德、武安王李承训、汝南王李承明、钜鹿王李承义。李元吉的五个儿子是：梁郡王李承业、渔阳王李承鸾、普安王李承奖、江夏王李承裕、义阳王李承度。

这就是他们留在历史上的全部信息。

虽然他们的年龄不详，可我们知道，李建成死时三十八岁，李元吉死时二十四岁，所以，他们的儿子能有多大也就可想而知。最大的估计也不过弱冠之年，最小的很可能仅仅在蹒跚学步。

除了拥有一个共同的祭日之外，我们不知道他们在各自短暂的一生中都曾经做过什么；不知道他们有着怎样的性情和嗜好，又有着怎样的欢乐和忧伤；不知道他们心里曾有过什么难忘的记忆，也不知道他们对未来怀有怎样美丽的梦想……这一切，我们通通无法知道。

我们唯一可以想象的是——当闪着寒光的鬼头刀不由分说地朝他们细嫩的脖颈猛然铡下的时候，他们依然清澈的眼神中一定写满了无尽的恐怖和迷惘。刀锋闪过，十道鲜艳的血光飞溅而起，然后那十颗睁圆了瞳孔的头颅就落地了，一如一些含苞欲放的花朵，出人意料地从春天的枝头黯然凋谢，萎落成泥。

在这样的悲情时刻，他们的祖父李渊在哪呢？

这一天午后，当东宫和齐王府的上空不约而同地爆发出一片惨烈的哀号时，这位老皇帝听见了吗？当这群昨天还环绕在膝前的孙子衣冠不整、满面泪痕地被拉到刑场上的时候，老皇帝看见了吗？

我们可以想象，即便李渊把自己藏在深宫最深的某个角落，即便他用力捂上自己的耳朵，再紧紧闭上自己的眼睛，十个孙子血光飞溅、人头落地的那一幕还是会执着地浮现在他眼前，而声声凄厉的惨叫同样会毫不留情地钻进他的耳中，落在他早已不堪负荷的垂老的心上。

白发人送黑发人，人间至痛，莫过于斯。

何况这个白发人昨天还是这个帝国独一无二的主宰者，手上拥有生杀予夺的无上权威。何况这些黑发人昨天还是帝国的天潢贵胄，身上流淌着天下最高贵的皇族血液。

可是一夜之间，这一切已恍如隔世。这个最高主宰者已经连自己的命运都无法主宰，而这些天潢贵胄不但已经人头落地，而且全部被开除了皇籍。

这样的失落和反差就尤其让人难以面对，尤其让人无力承担……

此刻，李渊坐在太极宫中那仍然属于他的一方御榻上，目光凄楚而迷离，面容苍老而疲倦。对于正在发生的这一切，他根本无能为力。连身子下面这方御榻还能坐几天都不知道，他还能怎么办？

他最遗憾的事情，也许是没有见上这两个儿子和十个孙子的最后一面。

也许，在这些儿孙的心里，这也是他们仓促离开人世时最大的遗憾吧？

如果你们纠结不散的冤魂注定要在太极宫里徘徊和飘荡，那就再来和朕见上最后一面。

不管你们是带着满身的鲜血，还是带着一副可怕的幽冥之状，都请你们入梦来吧……

与其让朕辗转反侧、夜夜难眠，还不如来到朕的身边，一吐你们最深的怨恨和不甘，倾诉你们无尽的伤痛和凄惶。

最后，希望你们的灵魂能从此安息。

朕已经老了，不需要太久，就会过去和你们相伴。等朕百年之后，希望上苍垂悯，能够让我们的灵魂永远团聚在一个快乐安宁的地方，团聚在一个没有纷争、没有阴谋、没有杀戮、没有死亡的地方。

人死后有没有天堂？

没有人知道。

此刻的长安人唯一知道的是——东宫和齐王府已经被连根拔起了，这场杀戮似乎还没有终结的迹象。

杀完太子和齐王的儿子们，秦王的部将还想杀光他们左右亲信百余人，籍没他们的财产。尉迟敬德竭力反对，他说："一切罪恶，只在两个元凶！既然已经诛杀，就不能再扩大打击面，这样无法使人心安定。"

李世民采纳了他的意见，于是屠杀行动才宣告中止。

同日，李渊下诏大赦天下，并称："凶逆之罪，止于建成、元吉，其余党羽，概不追究。朝政事务一概交由秦王裁决！"

六月初五，冯立和谢叔方主动投案，薛万彻仍然在逃。李世民不断宣传他的宽大政策，薛万彻才回到长安。李世民说："这些人忠于他们的主人，是义士！"于是将他们无罪开释。

六月初七，李渊正式册封李世民为皇太子，并下诏重申："自今日起，无论军事、政治及其他一切大小政务，皆交由太子裁决之后再行奏报。"

李世民成功了。

他不但以无与伦比的智慧、胆识和魄力一举扭转乾坤，剪除了政敌，取得了政变的成功，而且以高明的政治手腕和安抚人心的宽大政策，消除了暴力夺权后可能产生的政局动荡，从而顺利坐上了他梦寐以求的储君之位。

就在这电光石火之间，大唐帝国的历史遽然掀开了新的一页。

这崭新的一页是如此恢宏而绚烂，以至于玄武门前那些殷红的血迹很快就将被新时代喷薄而出的万丈光芒所遮掩。然而，武德九年六月初四却注定要成为李世民生命中永远无法痊愈的伤口，也注定要成为李唐王朝记忆中永远无法消解的隐痛。如果说李世民后来缔造的整个贞观伟业是一座辉映千古的丰碑，那么它的基座无疑是一个荒草萋萋的坟冢。

上面写着三个字——玄武门。

里面埋葬的不仅是李建成和李元吉，也不仅仅是他们那十个年幼的儿子，同时也埋葬着另一个李世民的灵魂。

也许我们必须把目光拉到贞观年间，才可能看清武德九年的这个流血事件是怎样深深地纠缠了李世民的一生。

"夫背礼违义，天地所不容；弃父逃君，人神所共怒！……往是吾子，今为国仇……生为贼臣，死为逆鬼……吾所以上惭皇天，下愧后土，叹惋之甚！"（《旧唐书·庶人祐传》）

贞观十七年那个阴雨蒙蒙的春天，当第五子齐王李祐在齐州起兵谋反的消息传来，唐太宗李世民愤然提笔写下了这道谴责李祐的手诏。书毕，李世民泫然泣下，悲不自胜。

除了对齐王李祐的悖逆之举感到痛心疾首之外，李世民的脑海中，是否也会闪过武德九年的那一幕呢？当他颤抖的笔墨写到"背礼违义""弃父逃君""天地不容""人神共怒"这样的字句时，内心是否也会泛起一股深藏已久的惭悚和愧疚呢？而"上惭皇天，下愧后土"这样的感叹，除了是替李祐感到羞惭之外，会不会也包含着某种程度上的自我谴责？而那潸然而下的泪水，又岂止是为齐王李祐一人而流的呢？

无独有偶。齐王李祐刚刚伏诛，这一年四月便又爆发了太子李承乾的谋反案。太子事败后，又牵扯出了四子魏王李泰的夺嫡阴谋。悲愤莫名的李世民在公开颁布的诏书中称："朕闻生育品物，莫大乎天地；爱敬罔极，莫重乎君亲……（魏王泰）以承乾虽居长嫡，久缠痼恙，潜有代宗之望，靡思孝义之则。朕志存公道，义在无偏……两从废黜。非惟作则四海，亦乃贻范百代。"（《旧唐书·濮王泰传》）随后又对侍臣说："我若立泰，则是太子之位可经营而得。自今太子失道、藩王窥伺者，皆两弃之。传诸子孙，永为后法！"（《资治通鉴》卷一九七）此后，太子李承乾被废为庶人，流放黔州；魏王李泰被贬为顺阳王，徙至均州。

当这种同根相煎、骨肉相残的惨剧差一点在李世民的面前重演时，历史惊人的相似性肯定会让他受到极大的震撼。从某种意义上说，因为担心被李泰所图而"特与朝臣谋自安之道"的李承乾就是昔日的李建成，而"潜有夺嫡之意"的魏王李泰则无异于当年的秦王李世民。

因此，此时的唐太宗才会痛定思痛地对后世的李唐皇族发出这样的警告——不要以为"太子之位可经营而得"。其潜台词是：人人心中都必须存一个"爱敬君亲"的"孝义之则"，任何人也不要企图把武德九年六月初四发生的事情当成一个效法的榜样。而且李世民还一再强调，从今往后不管是"太子失道"，还是藩王觊觎储君之位，一概要被贬黜，并希望以李承乾和李泰为前车之鉴，从而"贻范百代"，"传诸子孙，永为后法"。

然而，唐太宗李世民郑重要求后代子孙所遵循的规范和法则，其实正是当年被他自己彻底颠覆的东西。

虽说时移世易，角色的不同导致了行为和价值观的差异，但是李世民在处理李承乾和李泰一案时，心中肯定横亘着武德九年遗留下的道德阴影。对儿子们的谴责越是严厉而痛切，对"爱敬君亲"的"孝义之则"越是推崇和强调，就越发表明李世民一生中从来没有真正摆脱玄武门事件的巨大影响。

诚如学者所言："玄武门那场唐太宗一生中最艰危的苦斗，对他本人来说，绝不是可以夸耀后世的愉快记忆……李世民和他父亲这一段不愉快的往事……怎能在李世民受伤的心上摘脱干净？"（胡戟、胡乐《试析玄武门事变的背景内幕》）

也许，当我们从这个角度来看待贞观的时候，就会发现在李世民缔造这份赫赫功业的过程中，很可能一直有某种难与人言的潜在力量在参与和推动。

这样的力量是什么呢？

也许，我们可以将其称为一种内在的自我救赎。

当年夺嫡继位的手段越不光明，李世民为世人缔造一个朗朗乾坤的决心就越大；玄武门事变对李世民造成的隐痛越深，他开创贞观的动力也就越强；弑兄、杀弟、逼父、屠侄的负罪感越是沉重，他从造福社稷苍生的事功中寻求道德解脱的渴望就越加强烈。

玄武门事变真相

玄武门之变是李世民一生中最为重大的转折点，它将李世民一举推上了大唐帝国的权力巅峰，同时也将他推上了一个彪炳千秋的历史制高点。然而，不可否认的是，这个骨肉相残的悲剧事件无疑也使他背上了一个沉重的道德包袱。

这样的一种负罪感在某种程度上被李世民化成了自我救赎的力量，成为缔造盛世贞观的潜在动力之一，但是与此同时，这种强烈的道德不安也驱使着李世民把权力之手伸向了他本来不应染指的地方。

在几千年的中国历史上，这个地方历来是"风能进，雨能进，国王不能进"的，然而这一次，唐太宗李世民却非进不可。

李世民很想看一看——当年那场骨肉相残的悲剧事件，包括自己当年的所作所为，在史官的笔下究竟是一副什么模样。

为此，当玄武门之变已经过去了十几年后，李世民终于抑制不住内心的强烈冲动，向当时负责编纂起居注的褚遂良发出了试探。

贞观十三年，褚遂良为谏议大夫，兼知起居注。太宗问曰："卿比知起居，书何等事？大抵于人君得观见否？朕欲见此注记者，将却观所为得失以自警戒耳。"

遂良曰："今之起居，古之左、右史，以记人君言行，善恶毕书，庶几人主不为非法，不闻帝王躬自观史。"

太宗曰："朕有不善，卿必记耶？"

遂良曰："臣闻守道不如守官，臣职当载笔，何不书之？"

黄门侍郎刘洎进曰："人君有过失，如日月之蚀，人皆见之。设令遂良不记，天下之人皆记之矣。"（《贞观政要》卷七）

李世民打算调阅起居注的理由是"观所为得失，以自警戒"，听上去很是冠冕堂皇，也与他在贞观时代的种种嘉言懿行颇为吻合，可是褚遂良知道天子的动机绝非如此单纯。退一步说，就算天子的出发点真的是要"以自警戒"，褚遂良也不愿轻易放弃史官的原则。所以他毫不客气地拒绝了天子的要求，说："从没听说有哪个帝王亲自观史的。"

李世民碰了钉子，可他还是不甘心地追问了一句："我有不善的地方，你也记吗？"这句话实际上已经很露骨了，如果换成哪个没有原则的史官，这时候估计就见风使舵，乖乖把起居注交出去了，可褚遂良却仍旧硬邦邦地说："臣的职责就是这个，为何不记？"而黄门侍郎刘洎则更不客气，他说："人君要是犯了错误，就算遂良不记，天下人也会记！"

这句话的分量够重，以至于李世民一时也不好再说什么。

这次试探虽然失败了，但是李世民并没有放弃。短短一年之后，他就再次向大臣提出要观"当代国史"。这一次，他不再找褚遂良了，而是直接找了当时的宰相、尚书左仆射房玄龄。

贞观十四年，太宗谓房玄龄曰："朕每观前代史书，彰善瘅恶，足为将来规诫。不知自古当代国史，何因不令帝王亲见之？"

对曰："国史既善恶必书，庶几人主不为非法。止应畏有忤旨，故不得见也。"

太宗曰："朕意殊不同古人。今欲自看国史者，盖有善事，固不须论；若有不善，亦欲以为鉴诫，使得自修改耳。卿可撰录进来。"

玄龄等遂删略国史为编年体，撰高祖、太宗实录各二十卷，表上之。

太宗见六月初四事，语多微文，乃谓玄龄曰："昔周公诛管、蔡而周室安，季友鸩叔牙而鲁国宁。朕之所为，义同此类，盖所以安社稷、利万民耳。史官执笔，何烦有隐？宜即改削浮词，直书其事。"（《贞观政要》卷七）

李世民这次还是那套说辞，可在听到房玄龄依旧给出那个让他很不愉快的答复后，他就不再用试探和商量的口吻了，而是直接向房玄龄下了命令："卿可撰录进来。"在这种情况下，房玄龄如果执意不给就等于是抗旨了。迫于无奈，房玄龄只好就范。结果不出人们所料，李世民想看的正是"六月初四事"。

看完有关玄武门之变的原始版本后，李世民显得很不满意，命房玄龄加以修改，并且对修改工作提出了上面那段"指导性意见"。这段话非常著名，被后世史家在众多著作中广为征引，同时也被普遍视为李世民篡改史书的确凿证据。

在玄武门事件中，李世民真正要掩盖的东西很可能并不是兄弟和侄子们的死亡真相，而是一种他难以在道义上重新包装，也难以在道德上自我说服的行为。换言之，这种行为是他无论如何也不敢"发露"的，宁可背负着它沉重前行，也绝不愿将其公之于世。

那么，有关武德九年六月初四的那场流血政变，李世民到底向我们隐瞒了什么呢？

在武德九年六月初四清晨，当李世民在玄武门前一举除掉太子和齐王之后，当守门禁军与东宫齐王卫队激战正酣的时候，太极宫中到底发生了什么？是否真如史书所载，高祖和近臣们正悠然自得地"泛舟海池"，沉浸在一片诗情画意之中，对宫门前正在发生的惨烈厮杀一无所知，直到尉迟敬德满身血迹，"擐甲持矛"地前来"宿卫"，高祖和一帮近臣才如梦初醒？

如同我们所知道的那样，这天早晨是李渊召集三兄弟入宫对质的时间，为此一帮宰执重臣也都早早就位了，在此情况下，李渊怎么可能有闲情逸致到海池去泛舟？其次，就算李渊和近臣发现三兄弟全都迟到了，许久等不到他们，百无聊赖之下才跑去泛舟，可是，就在宫廷的北正门，几支军队正杀得鸡飞狗跳、人喊马嘶，而高祖李渊和那帮帝国大佬怎么可能对此毫无察觉？

如果此刻的李渊还是一个精神正常的人，还是一个大权在握的皇帝，他会继续悠然自得地泛舟，等着尉迟敬德前来逼宫吗？

显然不会。这个时候，一个正常的皇帝只可能做三件事：第一，第一时间离开海池，进入太极宫中某个最隐蔽且最易于防守的地方，命近卫禁军刀出鞘、箭上弦，进入一级战备状态；第二，火速下诏，由身边的宰执重臣到玄武门宣旨，命令所有人放下武器，听候裁决；第三，立刻调集皇城中所有未参与政变的禁军，逮捕兵变各方的首脑和主要将领，随后调查事变真相，严惩政变者。

一旦皇帝采取上述举措，李世民的这场政变还有几分胜算？就算李世民不会马上溃败，但是他必然要与皇帝开战。而我们知道，在玄武门事变前夕，李渊对皇权的控制仍然是有力的，并未出现大权旁落的情况，所以，秦王斗胆与皇帝开战的结果，恐怕无异于自杀。

由此可见，如果我们所见的正史记载是真实的，也就是尉迟敬德是直到前方战斗接近尾声时才入宫去找高祖的，那么李世民就等于是在打一个天大的赌。

赌什么呢？

赌好几支军队在玄武门前乒乒乓乓地打仗，而整座太极宫中的所有人在那一刻全都丧失了正常的视觉、听觉和行动能力。

这可能吗？

当然不可能。

既然不可能，那么李世民要如何保证在玄武门前开战的同时，太极宫中的所有侍卫、嫔妃、宦官、宫女都不会去向皇帝报信呢？

答案只有一个——控制他们。

如何控制呢？

不言而喻——派兵入宫，用武力控制他们的人身自由。这才是真正可行且真正有效的"定身术"。

到这里，一个被李世民和贞观史臣刻意隐瞒的重大真相就浮出水面了——玄武门之变事实上有两个战场：一个在玄武门前，一个在太极宫中。

前者是我们熟知的，是公开的第一战场；而后者是我们完全陌生的，是被遮蔽的第二战场。

那么，这个战场的范围有多大？是整个太极宫吗？最需要控制的目标是谁？是所有侍卫、嫔妃、宦官、宫女吗？

李世民绝不会笨到把有限的兵力放到整个太极宫中去漫天撒网，而且就算你控制了九十九个，只要有一个漏网，跑去跟皇帝报信，整个行动照样是前功尽弃。所以，正确的做法应该是——派兵进入皇帝所在的地方，直接控制皇帝。

由此可见，李世民要想确保整个政变行动万无一失，就必须在袭杀太子和齐王之后，第一时间入宫控制高祖。就像我们前面分析的那样，作为一个精神正常、大权在握的皇帝，高祖李渊如果不是在第一时间被李世民控制，那他绝对会采取应变措施，也绝对有能力进行镇压，而玄武门之变最终也可能功败垂成。由此我们基本上可以断定，史书中记载的高祖"泛舟海池"的一幕肯定是出自贞观史臣的虚构，而事实很可能是——李世民在玄武门前袭杀太子和齐王后，立刻派兵入宫，把高祖和一帮近臣囚禁了起来，而囚禁的地点有可能就是海池。

这就是李世民在太极宫中开辟"第二战场"并"囚慈父于后宫"的真相。

那么李世民囚父的目的是什么？

答案很简单，当然是逼迫父亲交出政权。

假如李渊坚决反抗，誓死也不交权，那李世民该怎么办？

答案只能是一个字——杀。

至此，我们已经逼近了李世民竭力向我们隐瞒的那个真相的核心。

也就是说，在李世民的计划中，他入宫控制高祖的行动必然会分成三步：第一步是"囚父"，即消灭有可能顽抗的禁军侍卫，将高祖和近臣们彻底控制起来；第二步就是"逼父"，即让某个将领出面，逼迫高祖下诏，把军政大权移交秦王；最后一步，也是李世民最不希望走到的一步，那就是——假如高祖誓死不从，李世民就不得不在万般无奈的情况下被迫"弑父"。

这样的"三步走"是任何一场逼宫行动都不可逃避的内在逻辑。因为对于高祖李渊这样一个大权在握的皇帝来说，假如他始终不肯屈服于李世民的意志，坚决不肯以他的名义发布诏书，将军政大权移交给李世民，那么李世民唯一的选择只能是杀了他。

或许有人会说，采用软禁手段，然后矫诏夺权也未尝不是一个办法。但是如此一来，李世民无疑要承担一个很大的政治风险——只要高祖不死，那么即便秦王要矫诏夺权，那些仍然忠于皇帝的文臣武将也有可能会识破秦王的阴谋，因而拒不奉诏，发兵与李世民对抗。到时候不光京师会爆发大规模的流血冲突，整个帝国也完全有可能陷入内战。所以，在李世民率兵入宫的时候，他心里肯定已经做好了"弑父"的思想准备，因为这是代价最小、成本最低、最能避免上述政治后遗症的唯一办法。

当然，谁都希望事情在第二步结束，谁都希望最后的结局是高祖妥协，与秦王达成政治和解，双方相安无事。可是，谁敢保证事情不会发展到第三步呢？在尚未知悉高祖的反应之前，李世民又怎敢保证自己不会走到第三步呢？

可见，在武德九年六月初四，李世民所面临的一个最可怕的道德困境和最艰难的人生抉择，恰恰不是应不应该在玄武门前袭杀兄弟，而是如果形势逼不得已，他应不应该痛下杀手，弑父弑君？

对于一个以"爱敬君亲"为最高行为规范的社会而言，对于一个恪守"忠孝之道"为人生准则的古代臣子而言，还有什么行为比弑父、弑君更罪大恶极、不可饶恕的呢？还有什么比这种行为产生的道德和舆论压力更让人难以承受的呢？

虽然后来事实的发展让李世民有幸避免了这样的罪恶，但是对于李世民本人来讲，这样的罪恶只要在他的心中预演过一次，就很可能在他的记忆中留下永远无法抹除的阴影。

也许正因为如此，所以时隔多年之后，李世民尽管可以大胆地把弑兄、杀弟、屠侄的真相昭示于天下，但唯独不敢公开他在太极宫中开辟"第二战场"并"囚慈父于后宫"的真相。

对李世民和贞观史臣而言，当年那场逼宫行动确实难以在道义上重新包装，也难以在道德上自我说服，因而只能尽力掩盖。但是考虑到事件的完整性，有关高祖的情况在史书的编纂中又不能只字不提，所以贞观史臣最后只好挖空心思地编造了高祖和近臣"泛舟海池"的荒诞一幕，之后又大而化之地抛出了"尉迟敬德入宫宿卫，请降手敕"的粗糙情节，试图以此掩人耳目，把整个玄武门之变最重要的一部分内幕和真相含糊其词地敷衍过去。

第四章

年号：贞观

派系斗争，李渊主动退位

武德九年六月初七，亦即政变的三天后，李世民被李渊册立为皇太子。虽然李世民还没有登基继位，可朝野上下都很清楚，从这一天起，李渊已经成了一个有名无实的空头皇帝，而新太子李世民才是大唐帝国真正的掌舵者。

随着李世民成功入主东宫，原秦王府的一批核心成员也摇身一变，于六月十二日一同被任命为东宫官吏：宇文士及为太子詹事，长孙无忌、杜如晦为左庶子，高士廉、房玄龄为右庶子，尉迟敬德为左卫率，程知节为右卫率，虞世南为中舍人，褚亮为太子舍人，姚思廉为太子洗马。同日，李世民将齐王府的所有财产全部赏赐给了尉迟敬德。一夜之间，尉迟敬德就成了长安城里最富有的人之一。

与此同时，李世民不断宣传他的宽大政策，顺利招抚了前东宫和齐王府将领薛万彻、冯立、谢叔方。随后他又迅速起用了原太子集团中的骨干人物魏徵、王珪和韦挺，任魏徵为东宫詹事主簿，任王珪和韦挺为谏议大夫。

面对李世民刻意表现出的这种宽大为怀、既往不咎的政治和解姿态，原来的政敌们悬着的一颗心终于放了下来。

然而，长安的政局虽然是稳定了，但是由政变引发的派系斗争还是不可避免地在各个地方相继爆发，其中以益州和幽州发生的两起血案最为引人注目。

当时的益州（今四川成都市）还是行台编制，尚书令是李世民兼任的，左仆射是窦轨。窦轨是李渊原配夫人窦氏的族侄，算是比较显赫的外戚，在统一战争中又立了一些战功，而且李世民的尚书令一职只是挂名，所以窦轨就被委以"便宜从事"之权，成了益州实质上的一把手。当时益州行台的兵部尚书韦云起与弟弟庆俭、堂弟庆嗣及整个宗族都与前太子李建成私交甚笃，可韦云起却和他的顶头上司窦轨素来不睦，所以当玄武门事变与李建成之死的消息传到益州时，窦轨就动了杀心。

尽管朝廷下达了"大赦"诏书，可窦轨还是无视朝廷的赦令，决定趁此机会除掉韦云起。他在府上埋伏了卫兵，然后以朝廷下诏追拿建成党羽为由，将韦云起召来。韦云起一到，问朝廷的诏书在哪里，窦轨把诏书藏在袖中，厉声说："公，建成党也，今不奉诏，同反明矣！"（《旧唐书·韦云起传》）还没等韦云起开口申辩，窦轨一声令下，左右卫兵随即冲出，当场将韦云起砍杀。另一个也跟窦轨有仇的行台尚书郭行方闻讯，抱着脑袋没命地逃往长安。窦轨发兵追捕，没有追上。郭行方总算躲过一劫。

紧继益州的韦云起事件之后，幽州又爆发了一起性质更为严重的案件。

这就是庐江王李瑗谋反案。

庐江王李瑗是李渊的族侄，时任幽州大都督。由于李渊一贯不放心外姓将领，只敢把兵权交给宗室亲王，因而尽管明知道李瑗为人懦弱，"非边将才"，可还是把他放在了幽州这个重要的位置上。

当然，李渊同时还给李瑗配备了一个副手。

他就是猛将王君廓。

就跟早先把猛人李靖配给赵郡王李孝恭、把老将史万宝配给淮阳王李道玄一样，这是李渊驭下的惯用招式。可是，这一招是把双刃剑。用得好，亲王和副将双赢，如功成名就的李孝恭和李靖；用得不好，不懂军事的亲王就会被沙场老手玩得很惨，比如那个年纪轻轻的淮阳王李道玄，可以说是间接死在了老将史万宝的手上。

而眼下的李瑗呢？

他的运气更差，不但始终被王君廓玩得团团转，无端背了个大逆不道的谋反罪名，而且最后还死在了王君廓的刀下，用自己的皇族鲜血染红了副将头顶的乌纱。

李瑗固然很不幸，可他之所以走到这一步，不仅仅是因为他缺乏军事才能，还因为他站错了政治队列——他是前太子李建成的死党。

李建成跟李世民死磕的那阵子，早就暗中把李瑗结为外援，就像李世民以洛阳的温大雅和张亮为外援一样。

然而，站错了队其实也不要紧，只要在李建成死后及时把屁股挪到李世民这边就没事了。因为李世民在政变之后也确实给他们这些建成死党提供了一个"弃暗投明"的机会，只要像薛万彻、魏徵他们那样"迷途知返"，李世民肯定都是既往不咎的。可问题在于，这个李瑗偏偏连这点最起码的政治头脑也没有。

就在李世民派出通事舍人崔敦礼前往幽州召他回朝的时候，李瑗作出了一个错误的判断——他以为李世民是要拿他回去问罪的，当即吓得面无人色，惶惶不可终日。

而这一切都被王君廓看在了眼里。

一个踩着李瑗往上爬的计划迅速在他脑中成形。

其实李瑗一直是待王君廓不薄的，他知道自己缺乏军事才干，所以一直非常倚重王君廓，将其视为心腹，并且许诺要和他结为儿女亲家。

然而，李瑗做梦也不会想到，就是这个心腹兼准亲家，却在最关键的时刻给他布了一个只要掉进一次就会身败名裂、家破人亡的死局。

正当李瑗面对朝廷使臣彷徨无措的时候，王君廓用一种股肱心腹特有的口吻跟李瑗说了一番体己话。他说:"京都有变,事未可知。大王一旦入朝,必定凶多吉少。如今您拥兵数万,岂能受制于区区一个使臣,甘愿自投罗网?"

王君廓说完,两行激动的热泪立刻夺眶而出,一副士为知己者死的悲壮表情。李瑗万分感动,与王君廓相对而泣。许久,李瑗昂起头颅,斩钉截铁地说:"我今以命托公,举事决矣!"(《资治通鉴》卷一九一)

李瑗的悲剧就此铸成。

王君廓的嘴角掠过一丝无人察觉的狞笑。

当天李瑗就派兵逮捕了朝廷使臣崔敦礼,逼迫他交代京师的情况,可崔敦礼宁死不屈。李瑗只好把他囚禁,随即向下辖的各州县发布了征兵令和集结令,同时命燕州(今河北怀来县)刺史王诜火速前来蓟城(幽州州府所在地,今北京),共商举兵大计。李瑗麾下的兵曹参军王利涉知道王君廓这个人靠不住,于是力劝李瑗说:"王君廓此人反复无常,切不可委以机柄,应该趁早除掉,让王诜取而代之。"

李瑗一听,顿时满腹狐疑,不知道到底该不该把身家性命托付给王君廓。

王诜到达蓟城后,李瑗仍然犹豫不决。而王君廓早就在李瑗身边安插了眼线,所以很快得知了王利涉与李瑗的谈话内容。他当即决定采取行动,立刻前去拜会王诜。此时王诜正在沐浴,一听二当家的大驾光临,连身上的水都来不及擦,赶紧套上衣服,握着湿漉漉的头发出来拜见。王君廓一见王诜出来,还没等他开口说话,猛然拔刀出鞘,一刀就砍下了王诜的脑袋。

随后,王君廓提着王诜的首级,进入军营对众将士说:"李瑗和王诜一同密谋造反,囚禁朝廷敕使,擅自征调军队。如今王诜已被我诛杀,只剩下一个李瑗,成不了什么事。你们是宁可跟着他一块被灭族,还是追随我一起建功立业、自取富贵?"

毫无疑问,这帮原本就和王君廓一条心的将士绝对不可能站在李瑗一边。他们异口同声地喊道："愿从公讨贼！"王君廓立即率领麾下将士一千余人冲出军营，翻越西城而入，首先冲进监狱释放了敕使崔敦礼，然后杀向都督府。

等到李瑗得知兵变的消息，一切都已经来不及了。他慌慌张张地带着左右数百名亲兵披甲而出，恰好在府门口与王君廓的军队遭遇。王君廓向李瑗的亲兵们喊话："李瑗阴谋叛逆，你们何苦跟着他往火坑里跳！"李瑗的左右面面相觑，随即抛下武器，哗然四散。

转瞬间，偌大的都督府门前只剩下一个孤零零的幽州大都督、庐江王李瑗。陪伴他的只有满腔的后悔、愤怒和恐惧以及那扔了一地的刀枪和长矛。

李瑗怒不可遏地指着王君廓破口大骂："卑鄙小人出卖我，你很快就会遭报应！"

面对横眉怒目、气急败坏的庐江王李瑗，王君廓一直在冷笑，一言不发。但李瑗却仿佛听见他在说——不是我王君廓太过阴险和卑鄙，而是你庐江王李瑗太过无能和无知。

兵变当天，李瑗被王君廓生擒，随即缢杀，首级迅速传送长安。

六月二十六日，朝廷的一纸诏书飞抵幽州：以王君廓为左领军将军兼幽州都督，并把李瑗的家人眷属全部赏赐给王君廓，充当奴仆和婢女。

王君廓笑了。

一切如他所愿。

然而，此时的王君廓绝不会料到，李瑗临死前的那句话最终竟然会一语成谶。

一年多后他就遭了报应，而且下场几乎与李瑗如出一辙。

王君廓成了幽州的一把手后，自以为山高皇帝远，于是狂放骄纵，贪赃枉法。朝廷很快就有所耳闻，随即征召他还朝。王君廓顿时惊惶不安，李瑗曾经有过的恐惧如今也丝毫不差地降临到了他的头上，可他不敢违抗朝廷敕命，只好硬着头皮上路。临行前，他的长史李玄道（房玄龄的族甥）托他把一封书信转交给房玄龄，王君廓立刻起了疑心。行至渭南（今陕西渭南市）时，王君廓忍不住偷偷拆看。由于不认识草书，他误以为李玄道在信中告发了他的罪行，于是杀了驿站官吏，向北逃亡，准备投奔东突厥，可逃至半道便被流浪汉所杀。时在贞观元年九月，距离他陷害李瑗，时间仅仅过去了一年零三个月。

在玄武门之变后，人们或许无法确切知道，唐朝的各级地方官吏到底利用派系斗争的时机制造了多少损人利己的阴谋和公报私仇的惨剧，但是仅从益州和幽州的流血事件中，人们还是能强烈感觉到这场政变所造成的冲击波，同时应该也能闻到，在武德九年六月初四后，大唐帝国的每个角落似乎都飘荡着一缕人人自危的恐怖气息。史称："太子建成、齐王元吉之党散亡在民间，虽更赦令，犹不自安，徼幸者争告捕以邀赏。"（《资治通鉴》卷一九一）

虽然李世民屡屡颁布大赦令，但是仍然遏制不了人们争相告密以邀赏的汹涌势头。谏议大夫王珪对此忧心如焚，一再请求太子李世民设法制止。七月初十，李世民不得不再次颁下一道措辞严厉的命令。此令重申：与玄武门事件和李瑗谋反案有所牵连者一律赦免，除非有人在此之后依旧图谋不轨，否则一概禁止相互告发，违令者将处以"反坐"之罪，也就是谁再告发别人参与谋反，自己将被视同谋反罪论处。

发布命令的次日，李世民随即派遣魏徵前往山东（崤山以东）地区进行宣慰，并委以便宜从事之权，实际上就是希望魏徵能以前东宫旧臣的身份，安抚散亡各地的建成余党，制止告密和滥捕滥杀之风。

魏徵到达磁州（今河北磁县）时，当地州县政府正用囚车押着两个人，准备送往京师问罪。他们是前太子千牛李志安和齐王府护军李思行。魏徵当即将囚车拦下，对当地官吏说："我受命之日，前东宫和齐王府的左右已经全部赦免了，如果再把他们捕送京师，必将人人自疑。就算派遣使者到处宣慰，又有谁肯相信？我今天不可以为了避嫌而不为国家着想，况且我既已受到'国士'的礼遇，又岂能不以'国士'的行为相报？"于是下令将李志安和李思行当场释放。

李世民在长安接到报告后，甚感欣慰。

他意识到，魏徵绝对是一个可以寄予信任和厚望的人。

在六月初四以后的这些日子里，随着新太子李世民的闪亮登场，有一个人正在悄然淡出人们的视野。

这个人曾经是帝国的最高主宰者，而眼下，所有大唐帝国的臣民却在用最快的速度将他遗忘，甚至是将他抛弃。

这个人就是李渊。

没有人知道他在这些日子里都干了些什么以及他的心境如何，但是有一点可以肯定——他正在尝试着接受属于他的命运。

我们甚至可以说，他正在主动地接受被天下人遗忘和抛弃的命运。无论这份命运如何不堪承受，主动接受总比被动接受要明智得多，同时也要好受得多。

所以，早在李瑗谋反案之前，也就是六月十六日，李渊就已经给了心腹裴寂一道手诏，内容是："朕当加尊号为太上皇。"

李渊通过这个方式向太子李世民主动表露了退位的意思。

这个意思当然是李世民最希望看到的。

六月二十九日，李唐朝廷正式撤销了天策府。这是一个重要的政治信号，它意味着太子李世民的登基大典已经进入了倒计时。

李世民笼络人心

一朝天子一朝臣。

政治权力的交替必然伴随着帝国政坛的全面洗牌。

随着李世民登基日期的临近，李世民的左右心腹迅速进入了大唐帝国的权力核心，而麾下将领也全都进入了军队高层。

七月初三，以秦叔宝为左卫大将军，程知节为右武卫大将军，尉迟敬德为右武候大将军。

七月初六，以高士廉为侍中，房玄龄为中书令，萧瑀为左仆射，长孙无忌为吏部尚书，杜如晦为兵部尚书。

七月初七，以宇文士及为中书令，封德彝为右仆射，又以前天策府兵曹参军杜淹为御史大夫，中书舍人颜师古、刘林甫为中书侍郎，左卫副率侯君集为左卫将军，左虞候段志玄为骁卫将军，副护军薛万彻为右领军将军，右内副率张公谨为右武候将军，右监门率长孙安业为右监门将军，右内副率李客师为领左右军将军。

在这一长串的升官名单中，有一个人尤其值得我们关注。他就是名单中的最后一个：李客师。之所以要特别提起这个人，是因为他是李靖的弟弟。

就像我们所知道的，李靖并未参与玄武门之变，可如今他的弟弟居然出现在李世民论功行赏的升官名单中，这究竟意味着什么呢？这是否可以证明他们兄弟俩都参与了玄武门之变？

很多人对此持肯定观点。他们根据这份名单，判定李客师是李世民的手下，而且是政变的"打手"之一，并进而推断李靖也参与了玄武门之变。

其实这样的推论是很不可靠的。首先，单凭那一纸封官令，并不能得出李客师是秦王打手并且参与了玄武门之变的结论，当然更不能得出李靖也参与其中的结论。道理很简单，前东宫将领薛万彻也在同一天被提拔了，可他恰恰是在政变当天与李世民死拼的人，我们能据此认为他也是李世民的打手吗？

再者，据《旧唐书·职官志》，李客师被提拔之前所担任的"右内副率"一职并非天策府的编制，而是东宫编制。也就是说，李客师要么是李建成的部下，要么是李世民当上太子后才任职东宫的，而并非原本就是天策府的人。

最后，在两《唐书》的李靖传后面，都附有李客师传，其中根本没有提及玄武门之变的事。如果他确实在玄武门立了功，为何在他的个人传记中只字未提？据我们所知，追随李世民参加政变的大大小小一二十号人，在两《唐书》和《资治通鉴》中都有提及，就算没有具体事迹，也会在相关的纪传中提到名字，为何只有李客师被漏掉了？

由此可见，并没有过硬的证据表明李客师在政变中充当了李世民的打手。所以，认为李靖也参与了玄武门之变的说法就更是无稽之谈。

既然李靖兄弟都未参与玄武门之变，那么李客师又怎么会和其他功臣一起出现在升官名单中呢？

我们认为，这应该是李世民笼络李靖的一种手段。从大的方面来说，这也是李世民宽大政策的进一步延续和深化。因为现在的李世民已经不再是秦王了，而是一个马上要当皇帝的人，所以他面对的就不仅仅只是旧的支持者，而应该包括全天下的人。换句话说，不管是原来的支持者，还是原来的反对派和中立者，李世民都必须对他们采取一视同仁的姿态，这就叫"泽被天下"。

因此，李世民在这样一个时刻所抛出的这份升官名单，就不能被简单等同于玄武门之变的功臣名单。

当然，其中出现的绝大部分人肯定都是一贯的支持者，但是除了支持者外，这份名单还必须出现另外两种人，那就是——原来的反对派和中立者。只有这样，才能真正表明新天子泽被天下的诚意，也才能真正收揽天下人心。

正是在这样的意义上，我们发现，前东宫将领薛万彻正是反对派的典型代表。因为他是为了替李建成报仇而不惜与李世民刀兵相见、以命相搏的人，这样的人不是典型，还有谁更能成为典型呢？我们甚至可以说，他绝对比魏徵、王珪等人更有资格出现在这份名单中。

而李靖的弟弟李客师则可以视为中立者的代表。之所以这么说，理由有三。第一，其兄李靖在政变之前确实拒绝了李世民的拉拢，选择了中立，这其中固然有许多原因，但是最重要的一点，很可能是李靖不相信李世民在处于劣势的情况下能取得成功。然而后来的事实证明：李靖错了。不被他看好的秦王不但成功夺嫡，而且转眼就将成为至高无上的皇帝。对此，李靖无论如何都不会感到心安。如果说这个皇帝登基后会找他"秋后算账"，那也是完全有可能的。所以，李靖越是感到不安，李世民就越要表现出对他一如既往地信任，这不但是做给他看的，同时也是做给其他中立者，比如李世勣等人看的。

第二，在政变之前，明哲保身、选择中立的人肯定不少，绝对不止李靖和李世勣，而最后之所以要笼络李靖，把他弟弟放进这份名单，是因为李靖在当时已经具有很高的知名度。在统一战争期间，李靖强力辅佐李孝恭平定江南半壁，在战争中的卓越表现可谓尽人皆知，所以原本一直看他不顺眼的李渊才会竖起大拇指说："古之名将韩、白、卫、霍岂能及也！"（《旧唐书·李靖传》）得到皇帝如此高的评价，其当时盛名可见一斑。所以说，李靖在诸多中立者中肯定是具有代表性的。

第三，既然要选择李靖为中立者代表，为什么不直接升他的官，而是把他弟弟挑了出来呢？这恰恰是李世民的高明之处。因为这么做既能让李靖感受到新天子既往不咎的诚意，又能避免刺激那些铁杆支持者的感情。假如李世民直接升李靖的官，首先他的官位很可能马上会跃居某些功臣之上，这显然是不妥当的；其次，没有参与政变的人居然也能堂而皇之地升官，难免会引起那些铁杆支持者的嫉妒和不平。而挑选李客师来当这个中立者代表，就能有效避免上述麻烦。这就是为什么进入名单的人不是李靖，而是李客师。

此外，从李世民登基后对李靖所做的连续提拔来看，也足以证明他确实有意笼络李靖。第二年，即贞观元年，李世民一下子就把李靖提到了刑部尚书的高位；贞观二年，又让他以本官兼任检校中书令。

综上所述，李世民在玄武门之变后所做的一切，无论是推行宽大政策安抚反对派，还是想方设法笼络中立者，其目的都是为了加速完成从藩王到天子的角色转换。

还有一件事情也可以充分表明这一点。那是在李世民刚刚登基不久，有一次房玄龄曾私下对他说："秦府旧人没有被升官的，都埋怨说：'我们在秦王左右，鞍前马后跟随了这么多年，如今加官晋爵的时候，我们反而落在前东宫和齐王府的人后面，这是什么道理？'"

李世民说："王者至公无私，故能服天下之心。朕与卿辈每天所用之衣食，皆取诸之民。因此设官分职，都是以天下和百姓的利益为考量，当然要择贤才而用之，岂能以关系的新旧决定任职的先后？如果新人贤能，而旧人庸劣，怎能舍弃贤能之新人，而取庸劣之旧人？倘若不问'贤愚'，只问'新旧'，又如何建立一个公平的政治体制？"

武德九年八月初八，一个最重要的历史时刻终于来临。

大唐帝国首任天子李渊正式下诏——传位于太子李世民。

八月初九，李世民在东宫显德殿登基，正式坐上了他梦寐以求的皇帝宝座。同日大赦天下，免除关内及蒲、芮、虞、泰、陕、鼎六州的田赋和捐税两年，免除其余各州差役一年。

中国古代历史上最具有典范意义的一个时代，就从这一天起拉开了序幕。

在大力推行宽大政策、努力实现天下和解的同时，为了进一步赢得人心，李世民在登基前后还做了三件事情，迅速树立了一个新的政治领袖在天下人面前的光辉形象。

换言之，这是一个新天子上任的三把火。

第一把火是废除高祖李渊此前发布的宗教改革令，命天下的"僧、尼、道士、女冠并宜依旧"（《资治通鉴》卷一九一）。

武德九年四月，高祖曾采纳傅奕的谏言，下令对佛、道两教进行大规模的清理整顿，只在京师保留寺院三所、道观两所；天下各州，每州保留寺院和道观各一所，其余全部拆除；所属的僧、尼、道士、女冠一律还俗，勒归乡里。李渊之所以这么做，是因为当时的寺院经济过度膨胀，僧道队伍极其庞大，仅佛教僧侣就有二十几万之众，对社会确实构成了不小的负担，正如傅奕在奏章中所言："僧尼徒众，糜损国家；寺塔奢侈，虚费金帛。"可见李渊的这个裁汰令对于国家是有利的，但是对于当时的佛、道两教则不啻一场灾难，所有宗教人士对这项改革肯定抱有强烈的反对情绪。

六月初四，即玄武门事变的当天，李世民就迫不及待地以高祖的名义发布命令，让所有被迫还俗的佛道出家人重新回到寺院和道观，一切恢复旧制。此举无疑极大地赢得了宗教界的人心，同时也是对高祖政策的断然否定。尽管高祖的这项宗教政策是符合国家利益的，但李世民居然在第一时间就将其推翻，足以说明他是多么迫切需要社会舆论的支持。而佛、道两教作为当时社会上最大的民间团体，无疑是一支强有力的舆论力量。

第二把火是"纵禁苑鹰犬，罢四方贡献，听百官各陈治道"，也就是释放宫中豢养的各种飞禽走兽，罢停各地进贡的奇珍异宝；同时，给政府各级官吏提供一个畅所欲言、各抒己见的渠道，让他们的想法有机会直达天听，进而获得越级提拔的可能。此举固然是让百官对国家未来的大政方针献计献策，事实上也是鼓励他们批评旧政、放胆直言高祖一朝的执政得失。

第三把火是放归掖庭宫女三千余人，让她们"各归亲戚，任其适人"，亦即放她们各回家乡，要么投奔亲戚，要么择夫而嫁。

上述举措，不管是"纵鹰犬""罢贡献"，还是"百官上疏""释放宫女"，其政治指向都是非常明确的，就是与高祖一朝划清界限，揭露上一届政府在执政中存在的种种奢靡之风和弊端陋习，从而充分展示新天子的改革勇气和执政力度，并且树立起新一届政府"清正廉洁、简朴寡欲、以民为本、广开言路"的良好形象。

作为执政伊始的亮相之作，李世民这三把火可以说烧得相当漂亮，每一条新政策都使得相应的目标受众从中获益，所以迅速赢得社会各阶层的广泛拥护。史书对此的评价是："政令简肃，中外大悦。"（《资治通鉴》卷一九一）

武德九年八月末，正当李世民准备全力以赴治理天下时，北方边境再度燃起了烽火。

东突厥的颉利可汗得知李唐王朝发生政变，顿时大喜过望，立刻与突利一起出动十几万骑兵南下，从泾州（今甘肃泾川县）方向入寇，迅速逼近武功（今陕西武功县西）。李唐朝野震恐，京师宣布戒严。

二十四日，突厥的前锋部队开始进攻长安以北的高陵（今陕西高陵区）。李世民立即命尉迟敬德开赴前线御敌。

二十六日，尉迟敬德在泾阳（今陕西泾阳县）与突厥会战，大破突厥前锋，擒获其将领阿史德乌没啜，并斩杀一千余人。

然而，尉迟敬德的胜利并未挡住突厥人南侵的脚步。

二十八日，颉利可汗亲率大军突然进抵渭水便桥北岸，兵临长安城下。

突如其来的战争阴云瞬间笼罩着刚刚经历巨变的李唐王朝……

赏赐功臣，以强宗室

一道难题摆在了登基还不到二十天的李世民面前。

是战，还是和？

作为曾经的最高军事统帅，李世民恨不得马上与突厥人开战；可作为一个刚刚即位的天子，李世民知道自己决不能草率行事。

因为国内政局未稳，一旦与突厥人全面开战，不但会对百姓造成负担，不利于新政权的建设，而且万一国内的反对派趁机起事，到时候内忧外患一齐袭来，后果将不堪设想。

所以，李世民只能暂时隐忍，与突厥人议和。只有这样，才能为李唐王朝换取一个和平发展、积蓄力量的机会。

颉利大军进抵渭水后，立即派遣心腹执失思力进入长安刺探虚实。执失思力一见到李世民，马上用一种趾高气扬、胜券在握的口吻说："颉利、突利二可汗率领百万大军，如今已经到你们的家门口了！"言下之意是让李世民放弃抵抗，服从突厥人的意志。

可是，执失思力错了。

李世民并不是那么好讹诈的。虽然他已经做好了与突厥人谈判的准备，但这并不意味着要向敌人示弱。相反，心里越是倾向于和谈，表面上就越是要摆出强硬姿态，拉出一副与对方决一死战的架势，才能赢得更多的谈判筹码。

所以，李世民决定给这个不知天高地厚的执失思力一个下马威。只见他脸色一沉，冷冷地说："我与你们的可汗曾经当面缔结盟约，前后馈赠给你们的金帛不计其数。可你们可汗却背弃盟约，引兵深入，竟然还毫不惭愧！你虽是戎狄，亦有人心，怎能恩德全忘，大言不惭地自夸强盛？我今天就先砍下你的人头！"

执失思力大惊失色，慌忙请求恕罪。左、右仆射萧瑀、封德彝担心与突厥人闹僵，局面不好收拾，连忙替他求情，劝李世民按照礼节送他回去。李世民勃然作色："我今天送他回去，蛮虏一定认为我怕他们，就会更加放肆！"说完立刻命人逮捕执失思力，把他囚禁在门下省。

随后，李世民设下了一个疑兵计，然后亲率高士廉、房玄龄等六人出玄武门，策马来到渭水南岸，与颉利隔河喊话，责备他违背盟约。就在颉利满腹狐疑之际，李世民等人的身后突然旌旗招展、铠甲耀目，漫山遍野几乎全是唐军。

颉利发现执失思力没有回来，原本就已经感到不妙了，现在看见李世民又有恃无恐地挺身而出，背后的唐军更是军容浩大，脸上不禁露出惧色。

李世民命军队稍稍退后严阵以待，然后独自一人留下来与颉利谈判。萧瑀觉得皇帝太过轻敌，立刻拦住马头劝阻。李世民说："我已计划妥当，你有所不知。突厥所以敢倾国而来，直逼京畿，是以为我们国内有变，而朕新登帝位，势必不能抵抗。我如果示弱，闭门拒守，蛮虏必定纵兵大掠，局势就难以控制。所以朕单骑独出，以示轻蔑之意；又炫耀军威，显示决战之心，这一切肯定都出乎蛮虏的意料，让他们难以应对。蛮虏孤军深入，必有惧心，在此情况下，无论是战是和，我们都有把握。制伏突厥，在此一举，卿等尽管旁观！"

其后，事态的发展果然不出李世民所料，颉利主动请和。

八月三十日，李世民出长安西郊，与颉利盟于便桥之上，并馈以金帛。颉利可汗得到贿赂，如愿以偿地引兵北还。

一场迫在眉睫的大战就这样被李世民化于无形。

这就是历史上著名的渭水之盟。

很显然，李世民在这个事件中一如既往地表现出了过人的胆识和智慧。然而，毋庸讳言，渭水之盟的代价也是巨大的。毕竟这是城下之盟，唐朝牺牲了府库中的大量金帛，才换取了这个和平的结果。对此，李世民在后来的日子里一直耿耿于怀。

尽管对于后人来说，李世民在渭水之盟中的表现仍然是可圈可点的，但是对李世民本人而言，与其说这次结盟是一个值得炫耀的光荣事迹，还不如说这是他在心中长时间引以为憾的耻辱记忆。

换言之，在战场上无往不胜的堂堂李世民，还是无可奈何地被要挟了一把。

所以，就在颉利可汗得到贿赂、满载而归的同时，李世民正在用一种君子报仇十年不晚的口吻对萧瑀说："所以不战者，吾即位日浅，国家未安，百姓未富，且当静以抚之。一与虏战，所损甚多……故卷甲韬戈，啖以金帛。彼既得所欲，理当自退，志意骄惰，不复设备，然后养威伺衅，一举可灭也。将欲取之，必固与之，此之谓矣！"（《资治通鉴》卷一九一）

在引兵北还的路上，颉利肯定颇有几分得意。他自以为这次趁火打劫非常成功，他自以为在李世民自顾不暇的时候咬他一口是再正常不过的事情。可是颉利并不知道，这将是他最后一次入侵唐朝，也将是他最后一次从李唐皇帝的手中得到贿赂了。

很快，他就将为此付出无比惨重的代价。

通过短短三年的养精蓄锐之后，李世民就向颉利可汗挥出了复仇的铁拳，结果一拳就将东突厥砸得粉碎。而颉利可汗则作为一个屈辱的亡国之君，在长安度过了几年生不如死的软禁生涯，最后抑郁而终。

可见，李世民所说的"将欲取之，必固与之"绝不是阿Q式的精神胜利，也绝不是毫无把握的吹牛，而是忍辱负重、卧薪尝胆的典型表现。

为了政权的巩固和百姓的安宁，李世民竭力避免战争。但是，这并不意味着李世民没有为战争作准备。尽管已经贵为天子，可李世民身上的尚武精神仍然没有丝毫减退。

就在突厥人撤兵的几天后，李世民立刻召集禁军将士训话。他说："戎狄侵盗，自古有之，这并不值得忧虑。值得忧患的是每当边境稍微安宁，君王就沉湎于逸乐之中而忘记战争，所以敌寇一旦入侵就莫之能御。而今，朕不打算征调你们去开凿池塘、修筑宫苑，只要你们专心练习弓矢。平常无事，朕就当你们的教练；突厥入寇，就当你们的将军。如此，希望天下百姓能得享太平！"

随后李世民就把显德殿庭当成靶场，每天召集数百名禁军将士训练射箭。他亲自主持考试，中靶次数多者，就赏赐弓箭、刀枪、布帛，同时给予他们的将领上等考绩。

此举顿时让满朝文武瞠目结舌。

按照唐律，"以兵刃至御在所者绞"，也就是说，只要拿着武器进入天子所在的地方，一律要处以绞刑。如今皇帝居然天天带着一帮士兵在大殿前射箭，这算什么事？不但有失体统，而且皇帝的人身安全也毫无保障。群臣吓坏了，纷纷劝谏说："让一些卑微的士卒在宫殿中拉弓射箭，而陛下却置身于他们中间，万一有狂徒居心不良，暗中下手，实在是令人防不胜防。陛下这么做，是没有以社稷为重啊！"

有一个名叫封同人的地方刺史听说此事，专门从任职的韩州（今山西襄垣县）千里迢迢地赶回京师，就是为了面见李世民，劝谏此事。

然而，对于所有人苦口婆心的劝谏，李世民一概不以为然。

他说了一句话。这句话从此与千古一帝李世民一起名垂青史，成为后世的人们耳熟能详的名言——"王者视四海如一家，封域之内，皆朕赤子，朕——推心置其腹中，奈何宿卫之士亦加猜忌乎！"

没办法，这就是李世民。

他的胸襟、气度和自信心就是如此异于常人，有时候甚至显得不可理喻。

但是后来的事实证明——李世民是对的。

这些禁军士卒并没有辜负李世民。此后不但什么意外都没有发生，而且"由是人思自励，数年之间，悉为精锐"（《资治通鉴》卷一九二）。

登基一个月后，李世民拿出了一份封赏名单。

这是玄武门之变的一等功臣名单。

上面共有五个人，全部获封一等公的爵位，他们是：长孙无忌，封齐国公；房玄龄，封邢国公；尉迟敬德，封吴国公；杜如晦，封蔡国公；侯君集，封潞国公。

前面这四个人进入名单并不奇怪，让人感到万分诧异的是最后一个：侯君集。

这个秦王府的普通武将，凭什么跻身一等公的行列呢？论出道以来的资历和战功，他绝不在秦叔宝、程知节等人之上；论史书有载的政变中的表现，他甚至都不如"独力闭宫门"的张公瑾，可侯君集为何能一夜之间平步青云呢？这是否意味着，他在玄武门之变中曾立下某种特殊的功勋呢？

现存史料丝毫没有这方面的信息，在《旧唐书·侯君集传》中，只有这么一句话："建成、元吉之诛也，君集之策居多。"《新唐书》更简略，只有七个字："预诛隐太子尤力。"

众所周知，长孙无忌、房玄龄、杜如晦三人是李世民最得力的心腹智囊，整个玄武门之变的详细计划很可能就是出自他们的谋划；而尉迟敬德无疑是秦王府第一骁将，在政变中更是发挥了别人不可替代的作用，如射杀元吉、救了李世民一命，又如危急时刻高举太子和齐王头颅摧毁其部众斗志，再如最后一刻入宫逼迫高祖[1]等。既然这四个人在政变中都是厥功至伟，那么侯君集如果不是在行动中承担了什么重大任务，又怎么可能和他们平起平坐呢？

在此，我们认为——侯君集很可能正是李世民开辟第二战场、"囚慈父于后宫"的主力干将。换言之，玄武门之变中最重要的环节之一——逼宫行动，很可能是由李世民统一指挥，而交由侯君集出面完成的。据我们估计，在行动成功之前，李世民绝不会与李渊见面[2]，所以他需要一个能干而可靠的代理人，出面帮他完成整个行动，而这个代理人很可能就是侯君集。

若非如此，我们就无法解释他事后突然跃居一等功臣的原因。

虽然史书对此只字不提，但是如果我们把目光移到玄武门事变的十几年后，却还是可以从史料记载中找到某些隐晦的线索，从而进一步证实我们的上述推断。

那是贞观十七年（公元643年），侯君集因参与太子李承乾的谋反案，事泄被捕，其罪当诛，而唐太宗李世民却替他向群臣求情，希望大臣们能法外开恩，饶侯君集一命。李世民说："往者家国未安，君集实展其力，不忍置之于法。我将乞其性命，公卿其许我乎？"

所谓"往者家国未安，君集实展其力"这句话既可以做广义的理解，也可以做狭义的理解。从广义上来说，这是对侯君集参与玄武门之变的肯定；从狭义上来说，尤其是"家国未安"四个字，似乎暗含了这样的信息——侯君集当年的行动很可能不仅关乎"国事"，更关乎"家事"。

什么样的事情既是国事也是家事呢？

我们认为，这很可能就是李世民勒兵入宫，"囚父、逼父"之事。

1　虽然高祖"泛舟海池"一幕有所虚构，但是尉迟敬德在第一战场的形势稳定后继而参与逼宫行动当是事实。

2　一来是避免陷入父子刀兵相见、当面摊牌或者翻脸的尴尬，二来是便于在万不得已的情况下采取非常举措。

也许正因为侯君集当年圆满完成了逼宫任务，贡献重大，意义特殊，所以李世民才会对此念念不忘，极力要保住他的性命。而当群臣竭力反对，声称"君集之罪，天地所不容"，必欲诛之时，李世民显得十分无奈和悲伤，对侯君集说："与公长诀矣，而今而后，但见公遗像耳！"并且"歔欷下泣"（《旧唐书·侯君集传》）。

如此种种，都足以表明侯君集当年"所展之力"，实在非同寻常。

公布了玄武门之变的五功臣名单后，李世民还拟定了一张长长的开国元勋名单，同时论功行赏，分封食邑，并命陈叔达于殿下唱名公示，表示如有异议、认为"勋赏未当"者，可直接向皇帝提出意见。

名单公布后，文臣们没有意见，可一帮武将却炸开了锅。

很多将军都认为自己的功劳比别人高，可如今封赏却比别人低，因此大为不满。其中尤以淮安王李神通的意见最大，他愤愤不平地对李世民说："臣举兵关西，首应义旗，如今房玄龄、杜如晦等人只是专弄刀笔之人，功劳却在臣之上，臣心里不服。"

对于李神通和武将们的牢骚，李世民其实早有心理准备。

他很清楚，这些提着脑袋出来打天下的武夫，对房玄龄、杜如晦这种文人本来就打心眼里看不起，如今官位、勋阶、封赏居然都在他们之下，自然是满腹怨言。所以李世民故意要在殿前公示，并鼓励大家提意见，其实就是想借此机会做通他们的思想工作。最重要的是要让他们明白一点——如今的时势已经迥然不同于往日。过去打天下，当然凡事都是武将优先；可现在要治天下，就必须以文臣为主。这是不以任何人的意志为转移的。

如今，老资格的宗室亲王李神通第一个跳出来，这样最好。只要把他说服，其他人就不敢不服。

所以，李世民毫不客气地告诉李神通："义旗初起，叔父虽率先起兵响应，可其中很大一部分原因还是为了自营前途和躲避灾祸。其后，窦建德吞噬山东，叔父全军覆没；刘黑闼死灰复燃，叔父望风败北。而房玄龄等人运筹帷幄，坐安社稷，要论功行赏，当然应该在叔父之上。叔父虽是国之至亲，朕也不是一个吝啬的人，但不能因为私情就与勋臣同赏！"

李神通无话可说。

其他将领看见李世民连自己叔父的面子都不给了，再闹下去只能是自讨苦吃，只好自己找台阶下，互相说："陛下是出于至公之心，就连对淮安王也无所偏私，我们这帮人又怎敢不安其分！"

随后人人噤声，一句牢骚也没了。

其实，李世民对自己的亲族绝不仅仅是"无所偏私"而已，很快他就要让满朝文武都知道——他还要对宗室亲王们"大加贬抑"。

有一天在朝会上，李世民忽然一脸正色地问群臣："遍封宗室子弟，对天下是否有利？"

此言一出，很多人面面相觑，不知道天子葫芦里卖的什么药。

只有一个人看懂了李世民的心思。

他就是封德彝。

这是一个极其善于察言观色、见风使舵的官场老手，他一下就明白李世民想干什么了，于是站出来回答说："过去的朝代，只有皇子、皇兄、皇弟才可以封王，其余人等，除非建立大功，否则无人可以封王。而上皇敦睦九族、大封宗室，自从两汉以来，从来没有这么多的亲王！爵位既然尊显，国家当然要供应大量劳役，这恐怕不是向天下人显示为政至公的做法。"

此言正中李世民下怀。他马上说："然！朕为天子，所以养百姓也，岂可劳百姓以养己之宗族乎！"（《资治通鉴》卷一九二）随后立即下诏，除了几个立有战功者之外，把所有宗室郡王全部降为县公。

在李渊当政的武德时期，由于国家草创、海内未宁，李渊只能把权力紧紧握在李唐皇族手中，不但将所有的族兄、族弟和族侄全部封王，而且连襁褓中的婴儿也不例外，试图以此达到"强宗室以镇天下"的目的，说白了就是家族企业的经营思维。

可是，到了李世民登基之后，天下已经安定，皇权的稳固并不需要建立在"强宗室"的基础上，因此李世民才会反其道而行之，打破家族成员对"企业福利"的垄断，不惜"损宗室以利天下"。李世民这么做，首先当然是要否定武德旧政，开创"为政在民"的新政风，其次是通过牺牲皇室成员的利益，刻意迎合广大百姓的利益。对于天下人而言，这当然是他们乐见的善政。

武德九年十月，李世民下诏追封李建成为息王，谥号为"隐"；李元吉为海陵王，谥号为"刺"[1]。

举行葬礼的那天，李世民登宜秋门痛哭了一场。

也许，我们并不能把这样的表现完全视为作秀。

毕竟死者是自己的一母同胞，当李世民的政治目的一旦达成，过去的种种矛盾冲突与是非恩怨自然会逐渐淡去，一度被搁置的亲情就有可能被重新唤醒，而一度被压抑的无奈和悲伤也完全有可能悄然爬上李世民的心头。

然而，无论李世民在宜秋门上的仰天一哭是真情所至还是政治表演，李建成和李元吉都注定要作为悲剧人物与即将过去的旧时代一同埋葬。

当天，魏徵和王珪联名上表，请求李世民送葬到墓地。李世民欣表同意，命前东宫和齐王府的官员随同前往。

站在武德时代最后一个大风呼啸的冬天里，李世民看见李建成和李元吉的棺椁被缓缓放入幽暗的墓穴之中。当最后一抔黄土将他们轻轻覆盖，李世民面无表情地转身离开。

萧瑟苍凉的武德冬天很快就被他遗落在身后。

在他的前方，一个华美灿烂的春天正朝他迎面走来。

1　按谥法所说：隐拂不成曰隐，不思忘爱曰刺，暴戾无亲曰刺。

偃武修文

公元627年农历正月初一，大唐帝国改元贞观。

这一年，唐太宗李世民二十九岁。

虽然年未而立，但是一个独步古今的治世典范，却已经在这一刻从他的手中开启。

正月初三，李世民在宫中大宴群臣，命乐工即席演奏大气磅礴、震人心魄的《秦王破阵乐》。此曲是武德三年李世民平定刘武周时，由军中将士集体创作。他们为旧曲填入新词，词曰："受律辞元首，相将讨叛臣。咸歌《破阵乐》，共赏太平人。"从此这首歌曲就成了唐朝的军歌。

在宴会上，李世民听着雄壮激越的《秦王破阵乐》，情不自禁地感叹道："朕昔日受命征伐，民间遂有此曲，虽然比不上文德之雍容，但功业由此而成，朕不敢忘本！"

旁边的右仆射封德彝一听，赶紧顺着天子的口气奉承说："陛下以神圣武功平定海内，岂是区区文德所能比拟。"

可是封德彝这次的马屁却拍到了马腿上。李世民不以为然地说："戡乱以武，守成以文；文武之用，各随其时。卿谓文不及武，斯言过矣！"

（《资治通鉴》卷一九二）

封德彝顿时惭悚不能对，连忙顿首谢罪。

李世民很清楚，建立一个帝国需要凭借战争和武功，可要缔造一个盛世却必须依靠文治与教化。

换言之，如果说武德时代的关键词是征战与杀伐，那么贞观时代的关键词就是——文教和礼乐。

正是因为有着这种清醒的认知，所以早在武德四年，李世民就开辟了名闻天下的文学馆，汇聚了当时最优秀的文化精英"十八学士"。登基刚一个月，李世民就再次在弘文殿的旁边建立了一所弘文馆，收集了经、史、子、集共二十余万卷的书籍，陈列于馆中，命虞世南、褚亮、姚思廉、欧阳询、蔡允恭、萧德言等硕学鸿儒，各以本官兼弘文馆学士，每隔一天到馆中值宿。而李世民则在繁忙的政务之余，见缝插针地将他们召入内殿，与他们探讨历代兴亡，商榷朝廷政事，经常谈到午夜才罢。

很显然，李世民要用他的实际行动告诉天下人——兵戈横行、战火肆虐的日子已经远去，一个偃武修文的时代已经来临。

然而，就是在这样的时代氛围中，却还是有人甘冒天下之大不韪，再次逆流而动。

他就是燕王李艺（罗艺）。

贞观元年正月十七日，时任天节将军的李艺突然在泾州（今甘肃泾川县）揭起反旗。

众所周知，李艺是李建成的死党。武德六年初，李建成平定刘黑闼后，推荐李艺入朝担任了左翊卫大将军，李艺从此对李建成死心塌地，在朝中公然以太子党自居，而且自恃军功，所以就没把秦王府的人放在眼里。据记载，秦王左右的人有一次到他军营中办事，不知何故，双方起了冲突，李艺就把秦王的手下狠狠揍了一顿。李渊觉得李艺做得有点过分，为了公平起见，只好把他关进了监狱。可李渊一直很器重李艺，所以没过多久就把他释放了，不但让他官复原职，而且还以本官领天节军镇守泾州。

李艺殴打秦王手下的原因，史书没有记载。我们估计有两种可能性：或者是李艺为了表明自己对李建成的死忠，故意找秦王手下的麻烦；或者是秦王府的人看不惯李艺的太子党嘴脸，言行举止有所冒犯，所以激怒了他。但是不管出于哪种原因，李艺与秦王的关系在武德后期极度恶化，已经是有目共睹的事实。

因此，当太子被杀、秦王即位后，李艺自然会感到惶恐不安。他意识到，就算李世民不收拾他，自己在新朝的政治前途基本上也完蛋了。

果然，李世民一上台就给李艺封了个"开府仪同三司"的虚衔。李艺觉得这是一个危险的信号，下一步很可能就要褫夺他的兵权了，于是更加恐惧。正在此时，一个名叫李五戒的女巫又煽动李艺的妻子孟氏说："王妃骨相贵不可言，必当母仪天下！"孟氏窃喜，又让李五戒偷偷观察李艺。李五戒说："王妃之贵，缘于大王，而今大王贵气已现，十日间当升大位！"孟氏狂喜，于是不断怂恿李艺兴兵反叛、争夺天下。

在当时那种天下一统、四海归心的形势下，举兵造反无异于找死。

但是李艺最终还是下定了决心。

因为造反是找死，可不造反就是等死，所以李艺豁出去了。

起兵造反起码还有一线生机，实在不行还可以逃奔突厥，再怎么样也比待在这里被李世民温水煮青蛙慢慢弄死的好。

主意已定，李艺就诈称奉皇帝密诏，要勒兵入朝，遂发兵进抵豳州。豳州治中赵慈皓不辨真假，只好硬着头皮出城迎接，李艺随即入据豳州。

李世民得知兵变消息，立刻下诏，命吏部尚书长孙无忌等人出任行军总管，率兵讨伐。赵慈皓听说朝廷已经发兵征讨李艺，知道自己犯了大错，白白送给李艺一座城池。为了将功补过，赵慈皓连忙暗中与豳州将领杨岌谋划，准备对付李艺。不料事情泄露，赵慈皓随即被李艺囚禁。杨岌在城外察觉有变，立刻发兵攻打李艺。

此时此刻，李艺的手下将士已经知道所谓的奉密诏入朝纯粹是个骗局，所以没人愿意替他卖命。双方刚刚接战，李艺的部众便哗然溃散。李艺万般无奈，连妻儿老小都来不及带走，率左右数百骑仓皇北走，亡奔突厥。

可是，就连这最后的几百个亲兵，也没人肯跟着李艺去当突厥人的鹰犬。所以一行人刚刚跑到乌氏驿（今甘肃泾川县北），左右就趁李艺不备，砍下了他的脑袋，随即传首长安。李世民立刻革去李艺的皇姓，将其首级挂在闹市示众，同时逮捕其妻孟氏、女巫李五戒，一同在闹市斩首。不久，罗艺的弟弟、时任利州（今四川广元市）都督的罗寿，也坐罪被诛。

罗艺的造反就像是一场闹剧。

朝廷的讨伐大军还没走出长安，他的首级就被左右砍下送到了京师，可见他的造反实在是不得人心。此外，罗艺自隋朝末年起便是威震一方的猛将，身经百战，强悍骁勇，而今败亡却如此之速，也足见当时的军队将士在历经多年战乱之后，是多么厌倦战争，渴望和平，这也从客观上证明了李世民偃武修文这一政治路线的正确性。

贞观元年五月，李世民收到了一份特殊的贺礼。

这就是北方残余的两大割据势力之一——苑君璋的归降。

在隋末唐初的乱世枭雄中，这个苑君璋绝对可以称得上是个典型的骑墙派。他本是刘武周的部下，当初刘武周要发兵进攻李唐时，苑君璋就曾经劝他说："唐主举一州之兵，定三辅之地，郡县纷纷归附，海内望风而降，此乃天命，非人力可为。况且并州以南，地形险阻，若孤军深入，恐后无所继，不如一方面联合突厥，一方面结援唐朝，而后自保一方、南面称孤，方为上策！"

如果刘武周采纳苑君璋的建议，那即便没有大的作为，起码也可以偏安一隅，让自己的割据政权活得更久一点。可野心勃勃的刘武周却没有采纳，而是命苑君璋镇守朔州，然后倾巢南下，最后果然血本无归。兵败之时，刘武周后悔不迭、扼腕泣下，对苑君璋说："恨不用君之言，乃至于此！"

刘武周死后，苑君璋接管了他的剩余地盘和势力。东突厥封苑君璋为大行台，派遣了一支军队协防，名义上是督兵助镇，实际上是在监视他。当时高祖李渊多次遣使劝苑君璋归降，可苑君璋一心想要在突厥人和唐朝之间玩平衡术，所以始终没有答应。但是其部将高满政却有心归唐，于是劝他说："夷狄无礼，本非人类，岂可北面事之，不如尽杀突厥以归唐朝。"（《旧唐书·苑君璋传》）苑君璋不从，高满政只好发动兵变，企图迫使他就范。苑君璋猝不及防，只好逃亡突厥。

高满政以城降唐后，被任命为朔州总管，封荣国公。苑君璋为了报仇，于武德六年引突厥兵南下，攻破马邑（朔州治所，今山西朔州市），杀了高满政，随后退保恒安（今山西大同市）。但是此后的几年中，随着李唐王朝国势日隆，苑君璋部众人心离散，不断有人叛逃唐朝。苑君璋势蹙，不得不向高祖李渊请降，并在降表中提出"请捍北边以赎罪"（《资治通鉴》卷一九二）。苑君璋这个要求看上去好像很有诚意，其实无非还是想玩他那套政治平衡术。

然而，苑君璋的如意算盘最后还是落空了。

虽然李渊马上就同意了他的请求，派遣使臣元普与其签订协约，并赐给他免死金券，但是颉利可汗听说后却大为不满，立刻遣使向他施加压力。

苑君璋的骑墙术遭遇了尴尬。处于两大强邻之中，苑君璋不但未能左右逢源，反而颇有左右为难、骑墙难下之势。他的儿子苑孝政心向李唐，于是对他说："刘武周殷鉴不远。如今既已降唐，就不应再归突厥，否则是自取灭亡。况且粮储已尽，人心离散，如更迟疑，祸在旦夕！"可他的一个幕僚郭子威却心向突厥，极力游说他："恒安之地，王者旧都，地险城坚。而今突厥方强，足可倚为后援，据此坚城，足观天下之变！何苦降于李唐、束手于人呢？"

苑君璋最后还是听信了郭子威之言，翻然撕破那一纸墨迹未干的协约，逮捕了唐朝使臣元普，将其押送突厥，并再次投靠了突厥人，随后频频与突厥联兵，入寇太原以北的唐朝边境。

这一次苑君璋是打算彻底依附东突厥，死心塌地把屁股挪到墙的那一边去了，可他做梦也没有想到，人算不如天算——一度如日中天的东突厥转眼间就日薄西山了。

因为东突厥在政治上、军事上和经济上接连遭遇了一连串严重问题。到了贞观元年前后，这棵昔日的大树不但不能再荫庇他，而且本身都已摇摇欲坠。苑君璋痛定思痛，最后不得不再次把屁股挪回墙的这一头——率众归降唐朝。

至此，这棵摇摆不定的墙头草终于有了归宿。而自从隋朝末年以来便一直为患边境的这股割据势力，也总算在盛世前夕回到了中原王朝大一统的怀抱。

这对于即位不久的李世民而言，当然是一份特殊的贺礼。所以李世民并没有亏待苑君璋，随即任命他为隰州（今山西隰县）都督，封芮国公，并赐食邑五百户。

那么，东突厥到底发生了什么，才会让苑君璋这个一贯首鼠两端的人最终下决心归降李唐呢？

答案是四个字：天灾人祸。

首先是人祸。东突厥自从始毕可汗以来，国势之所以日益强盛，其中一个最主要的原因是政令简便易行，符合突厥人质朴的天性，至颉利可汗执政初期，仍然保留着这个优良传统，所以国力依旧强大。但是到了后期，颉利专门宠信一个叫赵德言的汉人，此人得宠之后作威作福，将突厥的种种制度、政策和法令悉数变更，导致政令烦苛，国人不胜其扰，大为不满。加上颉利可汗又与敕勒诸部族交恶，频频与其中的薛延陀、回纥等部交战，因此内政大乱，国力日衰。

正所谓屋漏偏逢连夜雨，正当东突厥局势日益严峻之时，又连续几年遭遇罕见的雪灾，致使牲畜普遍死亡，民间爆发了大规模饥荒，百姓纷纷冻馁而死。颉利眼见国库日渐空虚，王庭的各项开支捉襟见肘，不得不对突厥各部落征收重税。这样一来愈发导致恶性循环，突厥民众不堪负荷，"由是内外离怨，诸部多叛"（《资治通鉴》卷一九二）。

到了贞观元年秋天，东突厥已经日暮途穷，彻底暴露出亡国之兆，于是唐朝的大臣们纷纷劝说李世民趁势出兵，攻击突厥。

很显然，这是一个千载难逢的机会。

尽管已经确立了偃武修文的政治路线，准备专心致力于内政建设，但是在如此诱人的机会面前，李世民还是心动了。

他召集了萧瑀、长孙无忌等宰执重臣，说："颉利君臣昏虐，危亡就在眼前。如果我们发兵攻击，则背弃了刚刚与其订立的盟约；可要是不打，又会坐失良机，你们认为该怎么办？"

我们都知道，李世民巴不得雪洗渭水之盟的耻辱，所以担心违背盟约云云，不过是场面上的漂亮话而已。他真正的难处并不在于是否会违背盟约，而在于是否会违背他刚刚确立的大政方针。

要知道，战争的机器一旦开动，绝不是说停就能停的。虽然此时的突厥虚弱不堪，但是能否在短时间内结束战争，谁也没有把握。所以尽管李世民内心跃跃欲试，可还是强忍着报仇的冲动，希望广泛听取大臣们的意见。

对于这个问题，大臣们分成了两派，萧瑀等人赞成出兵，而长孙无忌则提出了反对意见，他说："蛮虏并未侵犯边境，所以臣以为不便开战。理由有三：第一，违背盟约；第二，劳民伤财；第三，非王者之师！"

李世民最终采纳了长孙无忌的意见，停止了对突战争的动议。

其实，真正让李世民放弃战争的理由只有一条，那就是——劳民伤财。

为了确保国内的和平，早日达成太平盛世的理想，李世民最后还是放弃了平灭突厥这一唾手可得的武功。

他知道，眼下最值得自己追求的东西不是威震四夷的赫赫武功，而是李唐天下的煌煌大治。

贞观元年初秋，李世民好不容易说服自己放弃了对突战争，可紧接着在九月份，他却不得不发布了另一道战争命令，进攻目标是岭南的酋长冯盎。

此人其实很早就已归顺唐朝，却长年与其他部落相互攻击，而且不到长安朝贡，所以与他毗邻的唐朝各州纷纷上表，奏称冯盎反叛，请求朝廷下令征讨，前后奏章不下数十件。

像这样的战争，李世民就认为非打不可了，因为冯盎的性质是叛乱，与突厥截然不同。所以李世民几乎不假思索地做出了决定，命江南、岭南数十州的军队，共同出兵讨伐冯盎。

然而，有一个人对李世民的战争决策却大不以为然。

他并不认为这场仗非打不可。

这个人就是魏徵。

就在战争即将打响的前夕，魏徵极力劝谏李世民："如今天下初定，而岭南瘴气流行、路途遥远，无法驻扎重兵，况且指控冯盎叛乱的证据并不充分，臣以为不应兴师动众。"

李世民说："检举冯盎的奏章不绝于途，怎能说证据不充分？"

魏徵说："冯盎若反，必分兵据险，攻掠州县。如今对他的指控已有数年，而他的军队始终没有越出辖区，显然并不是反叛。只因江南各州众口一词，都说他反，陛下又从不曾遣使安抚，冯盎畏惧一死，当然就不敢入朝。如果派遣使臣前往，示以至诚，冯盎喜于免祸，必可不战而令其归服。"

李世民一想，魏徵之言确实有道理，自己终究还是百密一疏了，于是即刻收回战争命令。

这年十月，李世民遣使前去安抚，冯盎果然马上让他儿子率使团到长安觐见朝贡。李世民大为感慨，在朝会上对群臣说："魏徵让我派出一个使节，岭南遂得以安定，其效果胜过十万雄兵，不可不赏！"随即赏赐魏徵绸缎五百匹。

李世民即位之后，大唐王朝一连多次化解了战争危机，从而牢牢确立了偃武修文的执政路线。在此，除了要归功于李世民本身的隐忍、明智和审慎之外，长孙无忌、魏徵等人的贡献也是显而易见的。

正是由于以唐太宗李世民为首的贞观君臣能够上下一致、协力同心，大唐帝国才赢得一个休养生息、长足发展的机会，从而为贞观之治奠定一个坚实的基础。作为中国历史上屈指可数的最杰出的政治家之一，李世民的品格、能力、智慧与韬略，也从此开始在帝国的权力巅峰上尽情展现，并且大放异彩。

弃霸道择王道

李世民即位之初，虽然海内早已平定，大唐王朝也已经走过九个春秋，但是李世民从高祖手中接过来的却仍然是一座百废待兴的江山——"率土之众，百不存一；干戈未静，桑农咸废；凋弊之后，饥寒重切。"（《全唐文》卷二）

也就是说，经历隋末唐初的多年战乱之后，人口数量急剧萎缩，社会经济遭到严重破坏，普通百姓虽已逃脱战争和死神的魔爪，却依旧生活在饥寒与贫困的阴影之中。

大乱之后，如何求治？

如果把几千年的中华帝国文明史看成一幅升降起落的曲线图，那么此刻的大唐王朝无疑正处在一个长达四百年的下降通道的谷底——自公元220年大汉帝国覆亡之后，这片古老的大地便在三国鼎立、五胡乱华、南北纷争的黑暗岁月里呻吟和板荡，直到公元589年隋文帝杨坚灭陈，中华帝国才重新回到大一统的轨道，太平盛世的理想才重新在人们的心头点燃。然而，好大喜功、穷兵黩武的隋炀帝杨广却粗暴地葬送了这个千载难逢的历史机遇。他在位仅十余年，盛世理想便恍若一场幻梦，在短暂的精彩之后破灭无余，中华大地再次跌入血火交织的乱世深渊。

而此时此刻，在隋王朝的废墟上迅速崛起的大唐帝国，究竟能否汲取隋亡的历史教训，建立一个廉洁高效的政府，居安思危，励精图治，在大一统的基础上重建一条坚实的上升通道，再造媲美于大汉王朝那样一个繁荣强大的帝国？抑或仍旧实行强力统治，骄奢纵欲，穷兵黩武，重蹈隋王朝的历史覆辙，令美好的盛世理想再度昙花一现？

这是摆在贞观君臣面前的一道历史课题。

站在这样一个历史转捩点上，以李世民为首的新一届李唐政府，应该选择一种怎样的方式来治理天下，就成了亟待解决的首要问题。

为此，早在武德九年末，即李世民登基数月后，大唐君臣就围绕着未来的施政方式展开了一场至关重要的讨论。

准确地说，这是一场辩论。

话题由李世民提出。他说："我朝承大乱之后，恐怕人民不容易接受教化，欲求天下大治，恐怕也不容易见成效。"

魏徵率先亮出了他的观点："不然。长期安定之人容易骄逸，骄逸才难以教化；而久经离乱之民愁苦，愁苦则易于治理。譬如饥饿的人什么食物都觉得可口，什么水都觉得好喝一样。"

李世民说："贤明的人为政百年，才能祛除残忍好杀之风。大乱之后，欲求大治，怎么可能像你说的那么容易，在短时间内达到？"

魏徵胸有成竹地答道："百年而治者是庸常之主，非圣哲之君。若明君施政，上下同心，四方响应，相信大治并不太难，三年成功尤嫌太晚！"

李世民频频颔首，深以为然。

可是，魏徵的观点立刻遭到大多数宰执重臣的反驳。

为首的人就是右仆射封德彝。

他用一种近乎嘲笑的口吻说："自夏、商、周三代以降，人心日渐浇薄诡诈，所以秦朝专以严刑峻法治国，汉朝也不得不兼杂王道与霸道，此乃欲教化而不能，又岂是能教化而不欲？魏徵一介书生，不识时务，若信其虚论，恐败乱国家！"

面对封德彝尖酸刻薄的指摘，魏徵毫不示弱，坦然应对："五帝三王治国时，人民也是久经离乱，可照样能够教化。躬行帝道则成就帝业，躬行王道则成就王业，一切都取决于人君的努力。考诸史籍，昔日黄帝与蚩尤大小七十余战，天下可谓混乱至极，可战胜蚩尤后，天下遂致太平；其后颛顼诛除九黎，商汤驱逐夏桀，武王讨伐商纣，不都是在天下大乱之后进而缔造了太平盛世吗？若说古人淳厚质朴，后世浇薄诡诈，那么迄于今日，人民应悉数变为鬼魅，人君又如何教化治理？"

封德彝顿时语塞，其他反对者也都哑口无言。但他们坚持认为：魏徵所言是不切实际的书生之见，断不可行。

很显然，魏徵所坚持的观点就是儒家政治思想的核心：王道仁政。

这是一种以仁义道德治理天下的统治方式，坚信道德与政治密不可分。孔子说："为政以德，譬如北辰居其所而众星共之。""道之以政，齐之以刑，民免而无耻；道之以德，齐之以礼，有耻且格。"（《论语·为政篇》）而"政"的语源是"正"，确实含有显而易见的道德寓意。所以王道思想强调政治领袖必须正心诚意、克己修身，进而推行仁政，以道德礼义化育万民、治理天下；同时轻刑罚、薄徭赋、发展生产、选贤用能，最终让天下的百姓丰衣足食——"老者衣帛食肉，黎民不饥不寒。"（《孟子·梁惠王上》）

而封德彝等人的立场则是与王道对立的霸道。

所谓霸道，是指君主凭借权术、暴力和严刑峻法进行统治的方式。在周王朝衰落的春秋战国时期，各诸侯国完全不服从周王室的统治，竞相以武力与权谋进行杀伐和兼并，于是产生了齐桓公、秦穆公、晋文公、宋襄公、楚庄王等所谓春秋五霸，从而构成了霸道的政治理论基础。孟子说："以力假仁者霸，以德行仁者王。"他认为，王道与霸道的根本区别就在于：前者是以道德和礼义感化人民，而后者则是以强权和武力镇压人民。但是"以力服人者，非心服也，力不瞻也"，只有"以德服人者"，才能让人"心悦而诚服"（《孟子·公孙丑上》）。由此可见，类似春秋五霸那样的事功在儒家学者眼中根本是微不足道的，而霸道之术当然也为绝大多数后世儒者所不齿。

发生在武德末年的这场事关国家施政方式的高层辩论，只有魏徵一个人坚持王道，而以封德彝为首的朝廷重臣则普遍倾向于霸道。

然而，最终结果却是魏徵胜出了。

因为他得到了李世民的鼎力支持。

唐太宗李世民力排众议，最终选择了儒家的王道仁政作为李唐王朝的意识形态和统治方式。不久后，李世民就在朝会上对文武百官公开宣布："朕所好者，唯尧、舜、周、孔之道，以为如鸟有翼，如鱼在水，失之则死，不可暂无耳！"

从此，李世民开始不遗余力地推行王道仁政，而入手处就是宽减刑罚。

武德九年十一月，李世民与群臣讨论当时社会上的犯罪现象，有人依旧未脱"乱世用重典"的旧习，强调"重法以禁之"，李世民当即一脸不悦地说："百姓之所以犯罪，根本原因有二：一是赋繁役重，二是官吏贪求，所以饥寒交迫，才顾不上礼义廉耻。以朕看来，对治之法有三：一是去奢省费，二是轻徭薄赋，三是选用廉吏。如此一来，百姓衣食无忧，自然不会犯罪，又何须用重法！"

贞观元年正月，李世民召集吏部尚书长孙无忌、弘文馆诸学士以及朝廷的立法和司法官员，共同讨论修订律法，把五十多种绞刑条款全部废除，一律改为"断右脚脚趾"。修订之后，李世民还是觉得此刑过于残酷，于是对朝臣说："废除肉刑，由来已久。[1]朕以为不可再伤害百姓肢体，所以此法仍须改易。"有人随即提出，将"断右趾"改为流放三千里、服苦役三年，李世民立刻下诏批准。

作为儒家王道思想的基础，政治领袖必须率先垂范，努力做到正心诚意、克己制欲。这是儒家政治思想的第一义，正所谓"一人正而天下正"。

在这方面，李世民并非一开始就能做到，而是经历了一个巨大的思想转变。执政初期，李世民的统治方式跟历代君主一样，并不排斥"以权谋御下"的帝王术。有一件"反腐败"的案子足以说明这一点。

在当时的长安官场，官员贪污受贿的行为十分普遍。李世民对此深恶痛绝，决定惩治腐败，于是暗中派遣左右心腹向朝臣"行贿"，试图以此

---

1 中国废除肉刑始于汉文帝刘恒，但后世多有恢复，至隋文帝杨坚才再次废除。

引诱官员上钩，然后杀一儆百。[1]此计一施，马上有个官员掉进了陷阱。虽然"受贿"的数额很小，仅仅是一匹绢，可李世民还是勃然大怒，准备杀了这个官员。民部尚书裴矩力谏，说："为吏受赂，罪诚当死，但陛下使人遗之而受，乃陷人于法也，恐非所谓'道之以德，齐之以礼'。"（《资治通鉴》卷一九二）李世民闻言，顿时醒悟，随即收回了成命。

这件事情之后，李世民就断然抛弃了类似的做法。

贞观元年五月，有朝臣上疏，请求天子去除佞臣。李世民问："你说的佞臣是谁？"那人回答："臣身份低微，不能确切知道是哪些人。但是有一个办法，很容易就可以试出来。请陛下在与群臣交谈的时候佯装发怒，借此试探，如果是执理不屈的，那就是直臣；要是畏威顺旨的，那就是佞臣。"

李世民摆摆手说："君是国之源，臣是国之流，若源泉浑浊而求其流清澈，不可得也。人君自行诡诈之术，如何责成臣下以忠直事君？朕方以至诚治天下，见前世帝王惯以权谲小术对待臣下，常暗自引以为耻。所以，贤卿之策虽善，但朕不能采纳。"

此事足以证明，经过"王霸之辩"后，李世民确实下定了"以至诚治天下"的决心，所以才会将惯用的帝王术视为一种可耻的行为。

当然，不可否认的是，在此后二十多年的执政生涯中，李世民也并未全然摒弃帝王术。在权力控制的过程中，他也难免会运用一些"胡萝卜加大棒"的御下手段，只不过这种手段绝对要比敲诈行动高明得多，也有效得多。

除了正心诚意外，在"克己制欲"方面，李世民的表现也堪称历代帝王的楷模。

众所周知，在古代中国，作为一个君临天下、富有四海的皇帝，最容易犯的毛病，或许就是纵欲；而最难修炼的品格，无疑就是寡欲。

1　按照黄仁宇先生的说法，当今美国政府也有类似做法，称为"敲诈行动"（sting operations）。

对于大多数皇帝而言，坐在权力金字塔的顶端，其最大的好处就是可以放纵并且满足自己的各种欲望。

在他们看来，这似乎是天经地义的。而李世民之所以能从众多的古代皇帝中脱颖而出，成为后世广为传颂的千古一帝，其根本原因之一，就是他在克制欲望这一点上做得比其他帝王好得多。

贞观元年十二月，李世民本来打算修筑一座宫殿，连所需的各种建材都已准备妥当，可思前想后，李世民最终还是放弃了这个打算。

对此，李世民曾有过一段精辟的论述。他说："君依于国，国依于民，刻民以奉君，犹割肉以充腹，腹饱而身毙，君富而国亡。故人君之患，不自外来，常由身出。夫欲盛则费广，费广则赋重，赋重则民愁，民愁则国危，国危则君丧矣。朕常以此思之，故不敢纵欲也！"（《资治通鉴》卷一九二）

关于李世民力行节俭所产生的社会效果，《资治通鉴》总结说："由是二十年间，风俗素朴，衣无锦绣，公私富给。"虽然司马光的评价并不完全符合事实——在贞观时代的二十三年间，李世民并未将节俭寡欲的政风一以贯之地坚持到底。但是起码在贞观初期，李世民在这方面的表现还是值得史家推崇的。

在"去奢"的同时，李世民还有一个"省费"的大动作，就是大力精简从中央到地方的各级行政机构。

古代中国常有"十羊九牧"之说，意思是衙门机构臃肿，人浮于事，十个百姓就要供养九个官吏。隋文帝时，曾经把东汉末年以来的州、郡、县三级制改为州、县二级制，在一定程度上缓解了"十羊九牧"的状况。但是从隋大业年间起，"豪杰并起，拥众据地，自相雄长"，李唐崛起之后，群雄相率来归，李渊"为之割置州县以宠禄之，由是州县之数，倍于开皇、大业之间"。

李世民在执政之初就已注意到了这个问题，"上以民少吏多，思革其弊"（《资治通鉴》卷一九二）。于是从贞观元年二月起，李世民就推行了两项重大改革：一是合并州县，二是裁汰冗官。

首先是将武德年间增设的州县予以裁撤合并，其次是根据山川地形的不同，把全国划分为十道：关内道、河南道、河东道、河北道、山南道、陇右道、淮南道、江南道、剑南道、岭南道。这个道不是行政区，而是相当于监察区。此后，李世民多次派遣简点使、观察使、按察使等赴各道巡察，"观风俗之得失，察政刑之苛弊"（《唐会要》）。

在裁撤合并地方行政机构的同时，李世民又对房玄龄说："官在得人，不在员多。"于是责成房玄龄精简中央政府机构的官员。有隋一朝，长安的各级官员共有二千五百八十一名。经过这次重大的人事改革，唐朝中央的文武官员精简至六百四十三人，大大节约了行政开支，提高了行政效率。

随着李世民对王道仁政的大力推行，儒家思想最具代表性的政治实践得以展开，大唐帝国社会稳定，经济发展，国力蒸蒸日上，开始进入一个空前繁荣的历史时期。

史称："自是数年之后，海内升平，路不拾遗，外户不闭，商旅野宿焉！"（《资治通鉴》卷一九二）

然而，这种四海升平的繁荣景象却是来之不易的。

李世民即位之初，面对的是一个"霜旱为灾，米谷踊贵，突厥侵扰，州县骚然"的局面。贞观元年，关中饥荒，物价飞涨，一斗米的价格涨到了与一匹绢相当；贞观二年，全国又遍地蝗灾；贞观三年，有些地方旱情严重，而有些地方却又洪涝成灾……就是在这样一个艰难的局面下，李世民却能矢志不渝地坚持王道路线，"锐精为政，崇尚节俭，大布恩德"，并且"从谏如流，雅好儒术，孜孜求士，务在择官，改革旧弊，兴复制度"，所以到了贞观四年（公元630年），整个帝国的形势便焕然一新——"天下大稔，流散者咸归乡里，米斗不过三四钱，终岁断死刑才二十九人"（《贞观政要》卷一）。而多年来一直侵扰中原的东突厥也在这一年春被唐朝征服。

对此，李世民深受鼓舞。他大为感慨地对群臣说："贞观之初，很多人都坚持认为，当今必不可行帝道、王道，唯独魏徵劝朕推行王道。同时很多人上疏说：'人主当独运威权，不可委之臣下。'又说：'宜震耀威武，征讨四夷。'可魏徵还是劝朕说：'偃武修文，中国既安，四夷自服。'朕全部采纳了魏徵的建言，才短短几年，果然收到了'华夏安宁，远戎宾服'的巨大成效。突厥长久以来一直是中国的劲敌，而今颉利可汗束手就擒，突厥酋长甚至成了朕的带刀侍卫，各部落皆服中国衣冠，所有这一切，都是魏徵的功劳！"

李世民的这一席话，不仅高度肯定了魏徵对国家所作的卓越贡献，同时也充分表明——武德九年那场"王霸之辩"确实对整个大唐帝国产生了无与伦比的深远影响。

换言之，正是由于这场事关国家大政的重要辩论，让李世民找到了一条正确的施政路线，从而引领大唐帝国走出黑暗而漫长的历史隧道，并且最终开启中国古代历史上最具有典范意义的一个黄金时代——贞观。

太上皇李渊的忠臣

随着时间的推移，李世民手中的权力日益巩固，大唐王朝也日益呈现出一派政通人和、欣欣向荣的太平景象。

这样的时刻，李世民终于可以腾出手来，做很早就想做的事情了。

贞观三年（公元629年）正月，李世民用一种阴冷的目光锁定了朝中的一个大臣。

这个人曾经是武德年间满朝文武中最得意、最风光的一个人物。进入贞观后，他仍然身居高位，名重一时。

他，就是时任司空的裴寂。

众所周知，裴寂是晋阳首义功臣、李唐开国元勋，深得李渊宠信。登基之初，李渊就曾对裴寂说："使我至此，公之力也！"随后拜其为尚书右仆射，赏赐华服珍玩无数，并且每天赐以御膳，临朝之时，必引裴寂同坐，极尽恩宠之能事。《旧唐书·裴寂传》称："当朝贵戚，亲礼莫与为比！"

武德二年（公元619年），刘武周进犯并州、横扫河东，裴寂自告奋勇率兵出征，结果丢盔弃甲，铩羽而归。李渊只不过轻描淡写地责备了几句，表面上把他交给有关部门处理，实际上没过几天就把他放了，而且"顾待弥重"，恩宠不减往日。此后不久，另一个开国元勋刘文静企图与裴寂争宠，却被李渊和裴寂以谋反之名联手铲除。可见在武德一朝，裴寂第一宠臣的地位根本无人可以撼动。

武德六年（公元623年），李渊又擢升裴寂为左仆射，并赐宴于含章殿。裴寂故作谦恭地辞让了一下，表示既然天下已经平定，自己就应该告老还乡了。李渊一听就急了，眼泪哗哗地下来，十分动情地说："未也，要当相与老尔。公为宗臣，我为太上皇，逍遥晚岁，不亦善乎！"随即加封裴寂为司空，赐食邑五百户，而且派遣一名官员天天到裴府蹲点，生怕他偷偷挂冠而去。从这件事情足以看出，李渊对裴寂的宠信早已超出君臣的范畴，可以说有深厚的私谊。

李世民即位后，一开始对裴寂也显得恩宠有加，优礼备至。贞观元年（公元627年），他加封裴寂食邑一千，与前共计一千五百户。贞观二年（公元628年），李世民到南郊祭祀，返程时忽然命裴寂和长孙无忌与他共乘御辇，以示尊崇。裴寂受宠若惊，不敢奉命。李世民笑着说："以公有佐命之勋，无忌亦宣力于朕，同载参乘，非公而谁？"（《旧唐书·裴寂传》）

恭敬不如从命。最后裴寂只好硬着头皮与天子同乘而归。

也许正是从"同乘"的这一刻起，裴寂就已经预感到危险的降临了。因为李世民的那句话听上去好像是一种莫大的恩宠，实则充满了弦外之音。

因为，李世民所说的"佐命之勋"，无疑是在向裴寂强调——你佐的是我父亲的命，不是我的。所以，与其说李世民是在夸奖裴寂，还不如说他是在警告裴寂——不论你有多大的"佐命之勋"，你终究是太上皇的人，而不是我李世民的人。

裴寂不无恐惧地发现：在新天子李世民的朝廷上，自己当初的"佐命之勋"不但不再是一种值得骄傲的政治资本，反而使他成了新天子眼中的一根芒刺，随时有可能被连根拔掉。换言之，自己的荣宠到头了。

裴寂的恐惧很快变成了现实。

贞观三年正月，李世民突然颁下一纸诏书，罢免了裴寂的司空之职，削掉了他的一半食邑，并且将他驱逐出京，遣返原籍。

当然，李世民要清除裴寂这种功高望重的元勋老臣，总是要找一个理由的。

或者说要找一个借口。

这次的借口缘于一个名叫法雅的和尚。

武德年间，法雅得宠于高祖，因而能够自由出入宫禁。可到了贞观初年，法雅的这项特权被取消了，于是他心怀怨恨，散布了一些蛊惑人心、影响社会稳定的"妖言"，随即被朝廷有关部门逮捕。兵部尚书杜如晦亲自审理此案。本来裴寂和这个案子根本是八竿子打不着，可杜如晦亲自审问的结果偏偏就扯上了裴寂。

据法雅供认，裴寂曾经听他说起过那些"妖言"，可裴寂却没有及时上报。也就是说，裴寂犯了知情不报之罪。

有关部门查到了裴寂头上，裴寂当然矢口否认。但法雅却死死咬住他不放，令他百口莫辩。最后杜如晦从容结案，裴寂罪责难逃。

其实明眼人都看得出来，这是一桩十足不合常理的案子。

首先，一个无关紧要的和尚说了几句不痛不痒的牢骚怪话，居然把兵部尚书杜如晦都惊动了，这不免有些杀鸡用牛刀之嫌；其次，杜如晦除了兵部尚书的身份外，还是皇帝李世民的心腹重臣，这就更容易让人产生微妙的联想；最后，单凭和尚法雅的一面之词就认定裴寂有罪，似乎也显得过于草率。毕竟裴寂的职位是三公之一的司空，虽说没有掌握实权，但也是堂堂的开国元勋，如此草率将其定罪，其背后的真正原因也就不言自明了。

说白了，这就叫欲加之罪，何患无辞。

而裴寂比任何人都清楚，真正找他麻烦的人不是什么和尚法雅，也不是什么兵部尚书杜如晦，而是天底下最有权力的人——皇帝李世民。

尽管明知道李世民不能容他，可裴寂还是抱着一丝侥幸心理，央求皇帝让他留在京城养老。

然而，他的要求遭到了李世民的一口回绝。

不但一口回绝，而且李世民还借此机会痛痛快快地数落了一番。

数落的对象不仅是裴寂，还包括李渊。

李世民说："计公勋庸，安得至此？直以恩泽为群臣第一。武德之际，货赂公行，纪纲紊乱，皆公之由也。但以故旧不忍尽法，得归守坟墓，幸已多矣！"（《资治通鉴》卷一九三）这段话的意思是说："要论先生的功勋，岂能擢升到如此高位？你不过是蒙受太上皇的恩泽，侥幸在群臣中位居第一而已。武德年间，贿赂公行，朝纲紊乱，问题都出在你的身上。只因念在你是故旧，不忍心依法处置，你能活着回到家乡，已经是万幸了！"

李世民都把话说到这份上了，裴寂还能怎么办？

他当然只能灰溜溜地卷铺盖走人。

不过，裴寂离开长安的时候，其实内心还是有一丝庆幸的。

因为李世民说得没错，能让他活着回老家，确实是已经法外开恩、手下留情了。换句话说，就算李世民找个更严重的罪名砍他的头，甚至是抄他满门，裴寂也不敢说半个不字。

在凄凉的返乡路上，裴寂不由自主地想起了当年的刘文静——同样是首义功臣、开国元勋，一朝不能见容于皇帝李渊，便落了个身败名裂、家破人亡的下场。倘若今天的李世民以其人之道还治其人之身，那裴寂很可能会死得比刘文静更难看。

所以，没有步刘文静之后尘，得以全身而退，保一个善终，裴寂实在是要谢天谢地了。

李世民将裴寂逐出朝廷不久，就为刘文静平反昭雪，不但下诏追复了他的官爵，让其子刘树义承袭了鲁国公的爵位，还把一位公主许配给了刘树义。

毫无疑问，这是对刘文静在天之灵的一种告慰和补偿。

裴寂黯然回到了家乡蒲州（今山西永济市）。本以为离开了长安的是非之地，总算可以安度晚年了，可他断然没有想到，更倒霉的事情随即接踵而至。

无独有偶。上一次疯和尚法雅随口说了几句"妖言"就让他倒了大霉，而这回一个叫信行的狂人又大放厥词，差点要了裴寂的老命。

这个信行是个招摇撞骗的江湖术士，有一次在街上遇见了裴寂的家童，忽然心血来潮地附在他的耳边说："你知道吗？裴公是有天命的人啊！"

家童把这话告诉了裴府的管家恭命。后来恭命又向裴寂做了禀报。裴寂一听之下，当即吓得目瞪口呆，浑身暴汗。

说他"有天命"，这不等于是说他想造反吗？这可是满门抄斩、十恶不赦的大罪啊！

按照常理，听到这种大逆不道之言，裴寂应该第一时间通知当地官府，将传话的人逮捕问罪，借以洗脱干系。

可是，眼下裴寂根本不敢这么做。

因为他本来就是戴罪之身，如今传播这句话的人又是自己的家童，他是无论如何也解释不清、洗不脱干系的，更何况皇帝李世民原本就愁抓不他的小辫子，要是裴寂主动报官，那无异于自寻死路。

所以，裴寂绝对不能报官。

唯一的办法只有一个——灭口。

当时信行已经死了，于是裴寂就让恭命马上杀掉那个传话的家童。

恭命嘴上唯唯，可一转身就神不知鬼不觉地把那个家童放掉了。

因为他心里另外藏着一本小九九。

恭命是裴寂十分信任的管家，专门负责收纳封邑之内的各种贡赋。经手的钱多了，恭命自然就起了贪念。他前后侵吞了一百万的巨款，并且早已挥霍一空。因此，他这次之所以放走家童，就是准备东窗事发的时候，拿手里的把柄和证人要挟裴寂。

果然，"天命事件"过去不久，恭命侵吞钱财之事就败露了。裴寂怒不可遏，立即遣人捉拿。恭命连忙一口气逃到长安，向朝廷告发了这件事。

李世民勃然大怒，当即宣布了裴寂的四大罪状："位为三公而与妖人法雅亲密，罪一也；事发之后，乃负气愤怒，称国家有天下，是我（裴寂）所谋，罪二也；妖人言其有天分，匿而不奏，罪三也；阴行杀戮以灭口，罪四也。"（《旧唐书·裴寂传》）

李世民本来完全可以置裴寂于死地，可很多朝臣替他求情，说裴寂罪不至死，应该发配，李世民最后便把他流放到了静州（今广西梧州市）。

短短几个月之内，裴寂两次遭贬。他万念俱灰地走在山长水远的贬谪之路上，感觉这就是自己人生的末路。

他知道自己终将在这遥远的边瘴之地了却残生。

不久，静州境内的羌人作乱，有人立刻奏报朝廷，说造反的羌人要拥裴寂当首领。

可这一次李世民却没有听信谣传。他很有信心地说："国家对裴寂有性命之恩，他必定不会造反。"

是的，李世民的判断没错，裴寂没那么傻。即便屡遭贬谪，裴寂还是想尽力保住自己的晚节，就算不替自己着想，他也要为子孙后代的富贵和前程着想。所以，为了平息谣言，同时为了表明自己对朝廷的忠心，裴寂毅然披上戎装，率领家丁平定了羌人的叛乱。

裴寂最后的表现终于换取了李世民的谅解。

他随后就接到了一道征召他还朝的诏书。

然而，年老多病又频遭变故的裴寂已经不可能回长安了。接到诏命的几天后，时年六十的裴寂便在抑郁而苍凉的心境中一病而亡。

尽管裴寂最后得以善终，并且保住了晚节和子孙富贵，但是相对于武德时期所享有的荣宠，他的晚年可以说是相当不幸的。

其实人们不难发现，裴寂晚年不幸的根源，绝非出于什么和尚法雅与术士信行的所谓"妖言"，而是在于天子李世民。

人们或许会认为，这是因为李世民心中深藏已久的某种报复心理。道理很简单：从晋阳起兵之后，裴寂就经常与李世民意见相左，双方的关系一直不太融洽；武德二年，李世民的心腹刘文静又遭裴寂排挤，并一举被诛；到了武德后期的夺嫡之争中，裴寂又一直站在李建成一边反对李世民……所有这一切，难道不值得李世民报复吗？

可是，难以理解的是，李世民在天下人面前一贯表现得宽容大度，为什么唯独会对裴寂存有报复心理呢？他即位之初，曾以既往不咎的和解姿态赦免了数以千计的前太子党和所有政敌，从而赢得了天下人心，可为何到了时过境迁的贞观三年，却仍然不放过裴寂呢？

其实，李世民对裴寂的所作所为，绝不仅仅是出于报复心理，更主要的是出于某种潜在的政治需要。

这种政治需要并不是着眼于过去，而是着眼于现实。

那么，对于贞观三年的李世民来说，什么才是最现实、最迫切的政治需要呢？

答案只有一个——正位太极宫。

武德九年八月，李世民即位的时候，李渊还住在太极宫中，所以他只能在东宫的显德殿举行登基大典。时至贞观三年，身为皇帝的李世民不管生活起居还是治理政务都仍然还在东宫里面，这无论如何都不会让他觉得好受，况且也有名实不副之嫌。考虑到李世民夺嫡继位又是采用了非正常手段，本来就已存在某种"合法性危机"，而始终不能正位太极宫无疑在一定程度上强化了这种危机。

所以，李世民必须尽早进入太极宫，不管采用什么办法。

但是，李渊毕竟是太上皇，只要他一日不挪窝，李世民就搬不进去。

这是李世民在贞观初年所面临的一个最棘手的问题。

该怎么办？

最好的办法，当然就是让李渊主动迁出太极宫。因为任何强迫手段都会让李世民招致骂名。可是，要怎么做才能让李渊主动迁出呢？

当李世民若有所思的目光在满朝文武中来回巡视，最后落在裴寂身上的时候，一个巧妙的主意就浮现在他的脑中了。

是的，只有这么干了。李世民对自己说。

没有比这更好的办法了。

于是，贞观三年的春天就不可避免地发生了这样一些不大不小的政治事件：裴寂被逐出朝廷，并一贬再贬，最后死于流放之地；刘文静被彻底平反，子孙得享恩荫；李世民对武德旧政的否定和攻击突然从间接、隐晦转为直接和公开……所有这一切，最后无疑都指向一个共同的目标。也就是说，这些政治事件注定会对某个人造成强烈的精神冲击，在他的内心世界掀起巨大的情感波澜。

这个人是谁？

他当然就是李渊——大唐王朝的太上皇李渊。

李渊：被遗弃的太上皇

武德九年八月以后，尽管唐高祖李渊头上依旧挂着一个"太上皇"的头衔，可这顶帽子不仅不能给他带来尊贵和荣耀，反而只会让他感到沉重和压抑。

古人说："盖太上者，无上也。皇者德大于帝，欲尊其父，故号曰太上

皇也。"（《史记》卷八《高祖本纪·集解》）

可在李渊看来，史书上的这种定义和解释毋宁说充满了嘲讽的意味。从李世民登基御极的那一天起，李渊感觉自己就成了一个活生生的反面教材。李世民每颁布一条新政策，都无异于在他脸上狠狠掴了一巴掌——

玄武门事变当天，李世民就迫不及待地推翻了李渊刚刚施行的宗教政策，让所有已经还俗的佛道出家人重回寺院道观；几天后，李世民又宣布"纵禁苑鹰犬，罢四方贡献，听百官各陈治道"；紧接着，他又下令放归掖庭宫女三千余人……这一连串的政治举措意味着什么呢？

这显然是李世民在和武德旧政划清界限，同时向天下人表明——李渊执政时期存在很多问题和错误，必须及时予以揭露、批判和纠正。

这难道不是在打李渊的耳光吗？

面对李世民的左右开弓，李渊只能一忍再忍，打脱牙也要和血吞。而更让李渊始料未及的是，到了贞观三年春天，李世民的"掌掴行动"就突然升级——将裴寂放逐，给刘文静平反，并且毫不留情地公开抨击武德旧政。这一切已经不只是在抽耳光了，它们更像是一记记重拳狠狠地砸在李渊的心上。

"武德之际，货贿公行，纪纲紊乱……"（《资治通鉴》卷一九三）

"武德之时，政刑纰缪，官方弛紊……"（《旧唐书·裴寂传》）

按照常理，当前任皇帝仍然在世的时候，这种话几乎是不可能从一个现任皇帝的口中说出来的。然而，李世民还是理直气壮地把它们说出来了。

这里的每一个字都力重千钧，足以把李渊原本就抑郁寡欢的精神彻底压垮。

李渊很清楚，当年自己不但没有按照李世民的意愿废黜李建成，改立他为太子，还对他极力打压，甚至差点终结了他的政治生命，这一切一直让李世民耿耿于怀。

尽管事情已经过去了这么久，可李世民始终没有原谅他。此刻李世民之所以拿裴寂大做文章，还替刘文静平反，并且公然把武德政治涂抹得一团漆黑，贬低得一无是处，除了出于一定程度的报复心理之外，其主要目的就是给他施加压力，并且向他发出强烈的暗示——让他主动迁出太极宫。

看来，自己是没有理由继续待在这座象征着权力和尊严的太极宫中了。

李渊无奈而悲凉地想，既然迟早要被人"请"出去，那还不如识相一点，主动滚蛋，免得到时候大家难堪。

贞观三年四月，也就是裴寂死后不久，太上皇李渊终于"主动"提出，愿意从太极宫迁往弘义宫。表面上的迁居理由是这样的："高祖以弘义宫有山林胜景，雅好之……乃徙居之，改名大安宫。"（《唐会要》卷三十）

众所周知，弘义宫就是李世民当年的秦王府，无论建筑规格、占地面积还是庭苑规模都远远不及太极宫，甚至远不及东宫，说高祖"雅好之"，愿意主动搬过去住，恐怕难以令人信服。尤其是刚刚发生了那么多事情，高祖就主动要求迁居，这恐怕也并不是巧合。

不过这些都已经不重要了，重要的是——经过这一系列事件后，李世民总算达成了他梦寐以求的目标，终于可以冠冕堂皇、顺理成章地入主太极宫了。

离开太极宫的那天，李渊悄然回望这座生活了十几年的巍峨华丽的皇宫，一种巨大的苦涩和感伤瞬间攫住了他。

他在心里默默地告别这熟悉的一切，同时也与过去的辉煌记忆彻底诀别。

那一刻，李渊感觉自己就是一个被遗弃的人。

而位于宫城之外的那座弘义宫，则是一个丧失一切、寂寞潦倒的老人最后的收容所。

搬进大安宫（弘义宫）后，李渊在这里又生活了六年，直到贞观九年（公元635年）五月去世。与其说这六年间李渊是在一座有着山林胜景的宫殿里安度晚年，还不如说他是在一个与外界近乎隔绝的环境中度过了人生中最后的凄凉岁月。

就像我们前面说过的，大安宫的各方面条件与太极宫根本不可同日而语。关于这一点，我们可以从当时的监察御史马周的一道奏疏中得到佐证。贞观六年（公元632年）正月，马周上疏说："臣伏见大安宫在宫城之西，其墙宇宫阙之制，方之紫极，尚为卑小。臣伏以东宫皇太子之宅，犹处城中，大安乃至尊所居，更在城外。虽太上皇游心道素、志存清俭，陛下重违慈旨、爱惜人力，而蕃夷朝见及四方观听，有不足焉。臣愿营筑雉堞，修起门楼，务从高显，以称万方之望，则大孝昭乎天下矣。"（《旧唐书·马周传》）

马周认为，大安宫地处宫城之外，过于偏僻，而且规格至为卑小，与太上皇的至尊身份不太相称，无论是在蕃夷人还是在四方百姓看来，都显得有点丢份。所以，马周提议修缮扩建，而且务必要高大显赫，如此才能符合天下人的愿望，同时体现皇帝对太上皇的孝心。

马周其实是在暗示李世民——就目前状况而言，陛下在孝道上实在有所亏欠，唯一能弥补的办法，就是赶紧提升大安宫的规格，改建得壮观一点，以免天下人说闲话。

很显然，马周的劝谏触及了当时人人避讳的一个敏感问题。

李世民看过奏疏后，既没有责怪马周，也不采纳他的建议，只是一笑置之，丝毫没有扩建大安宫的意思。

此事就这样不了了之。

除了居住环境不太理想之外，李渊在大安宫的生活还有一个莫大的遗憾，那就是——缺乏行动自由。

从前的李渊是一个坐不住的皇帝。武德年间，尽管建国初期政务繁忙，而且统一战争仍未结束，可李渊还是经常以巡幸、狩猎、避暑等名义，马不停蹄地四处游玩，东到华山（今陕西华阴县）、西到稷州（今陕西周至县）、北至宜州（今陕西宜君县），尽情地享受着皇权赋予他的无上权力和自由。

可是，自从成为太上皇，尤其是搬进大安宫以后，李渊就连一次这样的机会也没有了。

这样的生活与过去那些自由自在的日子相比，不啻有天壤之别。

在大安宫生活的六年里，除了偶尔出席几次重大的宫廷宴会之外，李渊几乎是足不出户。

不是他不想出来，而是根本没有机会。

因为李世民没有给他机会。

这一切当然又被那个忠直敢谏的马周看在眼里。

不久，李世民打算前往九成宫（今陕西麟游县）避暑，马周听说后，马上又毫不客气地上了一道奏疏，说："臣又伏见明敕，以二月二日幸九成宫。臣窃惟太上皇春秋已高，陛下宜朝夕视膳而晨昏起居。今所幸宫去京三百余里……非可以旦暮至也。太上皇情或思感，而欲即见陛下者，将何以赴之？且车驾今行，本为避暑，然则太上皇尚留热所，而陛下自逐凉处，温清之道，臣窃未安！"（《旧唐书·马周传》）

如果说前一道奏疏的措辞还比较委婉的话，那么这一次马周的口气则要尖锐得多。他摆明了就是在批评皇帝——首先，太上皇年事已高（时年六十七岁），陛下应该每天探视他的饮食起居，而现在您居然自己跑到三百里外的行宫避暑，万一太上皇想你了怎么办？其次，您想要避暑也没错，可您把老爷子扔在热烘烘的大安宫里，自个儿跑去九成宫凉快，这就是您的不对了！所谓"温清之道"，就是冬天要让老人家得到温暖，夏天要让老人家享受清凉，可您却把这些孝道抛到脑后，臣私下替您感到不安啊！

尽管马周的谏言和批评一次比一次尖锐，可李世民的态度照旧是既不怪罪也不采纳，仍然把李渊留在大安宫里，于这一年三月径自去了九成宫。

此后的贞观七年（公元633年）五月和贞观八年（公元634年）三月，李世民又连续两次去九成宫避暑，可始终没有带李渊同行。直到贞观八年的七月，李世民才"屡请上皇避暑九成宫"。

这是否表明李世民终于想通了，准备采纳马周的建议，对高祖履行"温清之道"了呢？

不，真正的原因是——高祖李渊病了，而且病得不轻。

他患的是"风疾"，也就是中风。

所以，不论李世民如何盛情邀请，也不论李渊本人多么希望出去走走，他都已经走不动了。

对于高祖的病情，李世民当然是心知肚明。既然如此，那么李世民此举有多少诚意呢？明知道高祖已经卧床不起了，才屡屡向老人家大表殷勤，那早几年李渊身体还硬朗的时候，他干吗去了？

贞观八年十月，李世民下诏，开始兴建大明宫，表面上说是要"以为上皇清暑之所"，实际上明眼人都知道，太上皇李渊已经无福消受了。

果不其然，大明宫刚刚拔地而起，李渊的病情就日渐沉重，"未成而上皇寝疾，不果居"（《资治通鉴》卷一九四）。

贞观九年（公元635年）五月，卧病大半年的李渊终于在大安宫的垂拱殿驾崩，终年七十岁。这个曾经至高无上的大唐帝国的开国之君，这个晚年遭遇巨变落入凄凉之境的孤独抑郁的老人，终于走完了他悲喜交加的一生，告别了这个让他又爱又痛的世界。群臣上谥号太武皇帝，庙号高祖；同年十月，葬高祖于献陵。

高祖李渊去世后，李世民并未流露出应有的思念之情。

其实人们不难发现，早在武德后期的夺嫡之争中，随着李渊手中那碗水逐渐朝太子一方倾斜，李世民对父皇李渊的敬意和温情就已变得日渐稀薄，双方关系濒临破裂的边缘。当李世民不得不采用阴谋和暴力的手段从李渊手中夺取最高权力后，原本岌岌可危的父子关系就更是雪上加霜——即便不说荡然无存，起码也是形同虚设。

在权力斗争面前，亲情是苍白而脆弱的，所谓"父慈子孝"的人伦大义最终也会变得微不足道。

这就是政治对亲情的扼杀。

玄武门事变后，双方之所以还能维持一种表面的和睦，其实只是为了维护大局的稳定，确保李唐皇室的根本利益而已。

简言之，这是一种政治需要。所以在贞观年间，李渊与李世民的父子关系纯粹是虚有其表，毫无真情可言。

既然如此，李世民对死去的高祖又怎能有什么思念之情呢？

真正让李世民痛彻心扉的，不是高祖之死，而是短短一年后另一个人的死亡。

这个人就是长孙皇后。

贞观十年（公元636年）六月，长孙皇后因病去世，十一月葬于昭陵。李世民万分悲伤，"念后不已"，遂"于苑中作层观，以望昭陵"（《资治通鉴》卷一九四）。也就是在宫城的御苑中建筑了一座瞭望台，经常在此眺望，以慰思念之情。

有一天，李世民带着魏徵同登瞭望台，又让魏徵和他一起眺望昭陵。魏徵说："臣眼花，看不见。"李世民觉得非常奇怪，又指给他看了一次。

魏徵忽然说："哦，臣以为陛下看的是高祖的献陵。如果是说昭陵，那臣早就看见了。"

李世民一怔，随即明白过来，魏徵这是在趁机进谏啊！

说白了，魏徵就是拐着弯在骂他——一门心思只想老婆，却把死去的老爹抛诸脑后，你于心何安？

李世民十分尴尬，只好含泪命人拆毁了这座瞭望台。

不管昭陵还是献陵，我干脆什么陵都不看总成了吧？

这件事情，一方面固然表明了李世民与长孙皇后的夫妻情深，但与此同时，也有力地证明了李世民与李渊之间的父子情薄。

一直到李渊去世许多年后，当李世民自己面对儿子们的夺嫡之争，又一次在政治与亲情的冲突中陷入焦头烂额的窘境时，他才蓦然体会到高祖在武德年间的苦衷，从而反思自己在高祖晚年的所作所为，并且发自内心地涌起对高祖的惭悚和愧悔之情。

我们前文曾经提到过，贞观十七年（公元643年），李世民在偶然读到一篇讨论孝道的古代文章后，曾极为伤感地对侍臣说："人情之至痛者，莫过乎丧亲也……（朕）所行大疏略，但知自咎自责，追悔何及！"（《贞观政要》卷六）

这显然是一种真实而痛切的忏悔。

只是不知道这种迟来的忏悔，可否告慰高祖李渊的在天之灵。

第五章

贞观制度：开明政治的典范

"三权分立"以获权力平衡

有唐一朝的政治制度虽大多源于隋朝，但真正有效的施行、改进和创新，无疑是在唐太宗李世民的手中完成的。换言之，贞观时代可以说是唐朝近三百年历史的一个奠基时代和建制时代。而其中某些重要制度，如科举制，则更是被后来的历朝历代所继承和沿袭，从而深刻影响了此后一千两百多年的中国历史。

在古代中国，政治制度的核心其实就是宰相制度。要考察一个朝代的制度创设、执政得失和政治开明程度，其中一个重要的参照系就是它的宰相制度。因为宰相是百官之长、群僚之首，是整个帝国官僚集团的领袖和代表。所以，考察相权本身的范围和运作方式，并且考察相权与君权之间的关系，就能深入了解一个朝代的政治制度。

纵观中国历代政治沿革，其宰相制度大致经历了三个阶段性的演变：秦汉的三公制，隋唐的三省制，明、清的内阁制。虽然制度在不断演变，但基本上遵循一个共同的趋势，那就是——时代愈前，相权愈重；时代愈后，相权愈轻。

相权的衰落自然意味着君权的提升。从这个意义上说，一部中国的政治制度史就是一部相权不断削弱而君权不断强化的历史，整个演变的趋势就是政治上不断趋向于皇权专制与个人独裁。至明太祖朱元璋废除宰相后，不管是明代的内阁还是清代的军机处，其实不过是皇帝的一个秘书班子。明、清的内阁大学士和军机大臣所拥有的权力和地位，相对于汉唐时期的宰相已不可同日而语，偶有张居正这样的强势首辅出现，也仅属特例，并非常态。

单从君臣礼仪的变化，我们就可以形象地看出这种君尊臣卑的制度是如何一步步被强化的：从秦汉到隋唐，皇帝与宰相一同议政的时候，宰相是可以坐下来的，并有赐茶的礼遇，也就是所谓的"古有三公坐论之礼"，君臣之间可以"坐"而论道；到了宋代，宰相的座位就被撤掉了，只能站着跟皇帝说话；从元以后，迄于明清，宰辅们在皇帝面前连站的资格都被剥夺了，除非皇帝让你平身，否则就只能跪着奏事。

中国式君主专制的深化过程，于此可见一斑。

但是反过来看，在宋代之前，尤其是汉、唐时期，相权所受到的制约无疑是最小的。

唐朝的宰相制度与汉朝相比有一个重大区别：汉代采用的是"领袖制"，即由宰相一人独掌全国行政大权；唐代则是采用"委员制"，就是把宰相的权力分散到几个相互制约的部门，由许多人共同负责。天子各种诏敕，国家一切最高政令，必须经由几个部门反复磋商，共同研讨，最后才能颁布施行，所以也可以说，唐代实行的是一种"集体相权"。

李世民知道，一个人即使贵为天子，即使英明盖世，他的能力终归是有限的，难免会犯错误。而各种小错误日积月累，就可能酿成致命的错误。在这一点上，李世民就曾对前朝的隋文帝杨坚做出这样的批评："每事皆自决断，虽则劳形苦神，未能尽合于理。"

隋文帝可以算是一个勤政的皇帝，可他的问题恰恰就出在他过于勤政了，总是大权独揽，事必躬亲，其结果未必就是好的。

正是因为具有这样的政治智慧，李世民才能在隋朝和武德政制的基础上，创立一个更为完备、更具行政效能的新的宰相制度。

有一种观点认为，唐代之所以实行三省制和集体相权，目的是为了分散宰相的权力，使"权重"向皇帝一方倾斜。换言之，就是皇帝要把权力都集中到自己手上。

这种观点乍一看有些道理，实际上并不符合历史事实。

在中国历史上，君权几乎从来没有明确的限制，而难能可贵的是——贞观时期的政事堂恰恰对君权的范围有明确的划定。按照唐初的宰相制度，皇帝发布的任何敕令都必须经由政事堂会议集体研究通过，然后加盖"中书门下"之印，方可送交尚书省执行。如果是皇帝直接发出诏命，没有加盖"中书门下"之印，在当时便被视为违法，各个下级机关可以不予承认。

这就是贞观时期相权对君权的制约。

虽然相权对君权的这种制约到后来逐渐废弛，未能有效延续，可即便到了武则天当政专权的时代，这种传统却仍然深植人心。

当时发生的一起"刘祎之事件"，就是一个典型的例子。

垂拱三年（公元687年），时任宰相的刘祎之因不满武则天"临朝称制"，曾私下跟凤阁[1]舍人贾大隐抱怨，说武氏应该还政于李唐，"以安天下之心"。贾大隐随即向武则天告密。武则天大为不悦，从此怀恨于心。不久后，武则天罗织了一些罪名，颁下一道敕令，要将刘祎之治罪。敕使向刘祎之宣读敕令后，刘祎之接过敕书一看，当即不屑一顾地说："不经凤阁鸾台，何名为敕？"（《旧唐书·刘祎之传》）

武则天大怒，随后便以"拒捍制使"为名将刘祎之赐死。

这是中国政治史上一个有名的故事。刘祎之对敕使的那一句严厉质问，不仅代表着臣对君的反抗，更能充分说明贞观传统对后世所具有的深远影

1　武则天时期，中书省改称凤阁，门下省改称鸾台。

响。所以当相权遭到君权的侵犯后，刘祎之才能如此理直气壮地进行对抗。

尽管这种对抗是微弱而渺小的，丝毫不能改善刘祎之的处境，更不能使他免遭杀身之祸，但足以在泛黄的史册中留下一道值得后人崇仰的光芒。

而这道光芒的源头，就是以李世民为首的贞观君臣所共同缔造的那个制度典范。

如果说李世民实行三省制和集体相权的目的是削弱相权，强化君权，那么在唐初的宰相制度中，为何还有皇帝敕令须加盖中书门下之印才能生效的规定？为何到了武则天当政专权的时代，宰相刘祎之仍然可以凭借这种贞观传统，公然与代表君权的武则天对抗？

可见，所谓唐代皇帝是为了强化君权才分散相权的说法根本是站不住脚的。

事实上，贞观政治制度的出发点和本质精神并不在于将哪一方的权力削弱，而是在于对各方的权力进行制衡。这种制衡不仅仅存在于政事堂的宰相们之间，还存在于相权与君权之间。换言之，贞观制度最有价值、最弥足珍贵的地方，就是相权对君权的监督和制衡。

综观秦汉以降的两千年中国政治制度，我们不难发现：唐初的宰相制度无论比起前后的哪一个历史时期，都具有显著的优越性。也就是说，在君主专制制度的既定框架之内，在古代中国的历史条件和社会条件下，贞观政治的开明程度可以说是最高的，也是最接近理想状态的。即便用今天的眼光来看，作为贞观时代留给后世的宝贵遗产之一，唐初的宰相制度仍然不失其震古烁今的价值。

公平公正公开的科举制度

唐代的科举考试在原则上向所有人开放（工商从业者除外），任何人只要自认为有应举的能力，就可以"怀牒自投"，向所在地的州县报考，既不需要像两汉那样经过地方官察举，也不需要像魏晋以来那样等待九品中正评定。

虽然唐代的入仕之门向全社会开放，但是其考试过程非常严格。考生必须先通过县考、州考，然后才报送朝廷，参加礼部的大考。考试及第者并不是马上就能当官，而是仅仅取得入仕的资格而已，必须再通过吏部举行的考试，及格者才能正式授官。

吏部考试有四个条件："身、言、书、判。""身"是指容貌仪表，讲究的是"体貌丰伟"；"言"是指口才谈吐，讲究的是"词论辩证"；"书"是指书法，讲究的是"楷法遒美"；"判"是一种公文判例，讲究的是"文理优长"，往往取一些州县和大理寺过去的疑难案件，"课其断决，而观其能否"，要求考生必须通晓事理，谙熟法律，如此才能明辨是非，秉公而断。也就是说，要在唐朝政府做官，除了要通过县府、州府、礼部的层层考试之外，还必须通过吏部近乎苛刻的遴选：既要长得五官端正、一表人才，又要口齿伶俐、雄辩滔滔，还要写得一手龙飞凤舞的好字，最后还得精通人情世故和法律，能够对疑难案件进行准确的研判，而且判文必须写得文辞优美、对仗工整、言约旨远。

能通过这种考试的人完全可以称为出类拔萃，凤毛麟角。

由于吏部考试的门槛相当高，因此科举及第之后，屡试不中的人比比皆是。譬如以"文起八代之衰"著称的大文豪韩愈，科举及第后，三试吏部不中，十年犹然布衣。而这样的人绝非少数，有唐一代，进士及第后整整二十年都未能通过吏部考试，长期不能入仕为官的大有人在。

唐代科考之严，于此可见一斑。

正因为如此严格，它才能为国家选拔出真正的人才。

从贞观时代起，唐代宰相中科举出身者的比例就不断上升：唐太宗时期为3.4%，唐高宗时期为25%，武则天时期为50%；及至中晚唐，宰相中进士出身者的比例更是达80%以上，如武宗时期80%，宣宗时期87%，懿宗时期81%。（黄留珠《中国古代选官制度述略》）

随着唐代科举制的确立、完善和全面实行，寒门庶族迅速崛起，越来越多的平民子弟通过努力跻身于社会上层，进入了帝国的权力中枢，甚至官拜宰相。比如高宗时期的宰相李义府就是一个寒门出身、"家代无名"的人，他在贞观年间通过科举考试入仕以后，担心家世贫寒，难以跻身高位，因而赋诗表达自己的忧虑，其中一句是："上林如许树，不借一枝栖？"唐太宗李世民听到后，当即表了一个态，打消了李义府的顾虑。

李世民说："吾将全树借汝，岂惟一枝！"（《隋唐嘉话》）

后来，李义府果然仕途通达，位列宰辅。

自贞观之后，像李义府这种平民子弟通过科举入仕，最终官居宰相、位极人臣者已经不胜枚举。据两《唐书》列传所载，终唐一代，寒门庶族出身而拜相者共有一百四十二人，其中不入传者尚有多名，实际数字当不止此。而相应时期高门世族出身的拜相者，只有一百二十五人，已经低于前者。

由此可见，自贞观时代起，终唐之世，唐朝社会已经从根本上打破了魏晋南北朝以来门阀世族对政治权力的垄断，使国家政权向着广大的寒门庶族开放，在全国范围内选拔各个阶层的优秀人才，从而充分体现了"机会均等，公平竞争，择优录用"的原则。

在隋朝播下种子的科举制之所以能在贞观时期盛开和绽放，自然是与唐太宗李世民求贤若渴、唯才是举的政治理念息息相关。

打江山的时候，只有得人心者才能得天下。

而坐江山的时候，只有得人才者才能安天下。

作为一个兼具创业与守成之长的杰出政治家，李世民深知其中的道理——一个王朝如果能向社会各阶层，尤其是平民阶层普遍开放上升之阶，并且最大限度地获得平民阶层和读书人的归属感与政治认同，最终整合社会各阶层的利益，尽可能实现社会公正，那么这个王朝必将因此打下一个长治久安的坚实基础。

贞观中期，李世民有一次目睹新科进士鱼贯而出的盛况，情不自禁地

发出这样的感叹："天下英雄，入吾彀中矣！"（《唐摭言》）

两百年后的唐文宗开成年间，诗人赵嘏也对贞观时期所确立的科举制发出了由衷的赞叹："太宗皇帝真长策，赚得英雄尽白头！"（《国史补》）

钱穆先生说："科举制度显然是在开放政权，这始是科举制度之内在意义与精神生命。汉代的选举，是从封建贵族中开放政权的一条路。唐代的公开竞选，是由门第特殊阶级中开放政权的一条路。唐代开放的范围，较诸汉代更广大、更自由。所以就此点论，我们可以说唐代的政治又进步了。"（《中国历代政治得失》）

科举制作为一种具有显著优越性的选官制度，一经制定便被历朝历代所继承，从而对隋唐以后的中国历史产生了无与伦比的深远影响。

一直到公元1905年被废除为止，科举制在中国历史上存在的时间长达一千两百多年。

皇权让位于法权

中国是一个典型的成文法国家，从春秋末期李悝制定第一部系统法典《法经》六篇起，自秦汉以迄明清，历朝历代基本上都有自己的成文法典，其中尤以承前启后的《唐律》对后世的影响最大，最为后人所称道。

武德元年，李渊废除了隋炀帝的《大业律》，命裴寂、刘文静等人依照隋文帝的《开皇律》，修订了一部新律令，并于武德七年正式颁行，是为《武德律》。《武德律》虽然对《开皇律》有所损益，但基本上一仍其旧，没有太大发展。所以李世民即位后，立即着手对《武德律》进行完善。他采纳了魏徵"专尚仁义，慎刑恤典"（《贞观政要》卷五）的建议，依据儒家的仁政思想，进一步加强"德主刑辅"的立法原则，于贞观元年命长孙无忌、房玄龄等人重新修订法律，积十年之功，成一代之典，于贞观十一年（公元637年）正式颁行了一部严密而完备的法典——《贞观律》。

唐永徽二年（公元651年），高宗李治命长孙无忌领衔，以《贞观律》为蓝本，修订并颁布了《永徽律》。稍后，鉴于当时中央和地方在审判中对法律条文理解不一，李治又下令对《永徽律》逐条逐句进行统一而详细的解释。这些内容称为"律疏"，附于律文之下，于永徽四年（公元653年）颁行天下，律疏与律文具有同等法律效力。这部法典当时称为《永徽律疏》，后世称之为《唐律疏议》，简称《唐律》。

《永徽律疏》是唐高宗秉承李世民遗训，在贞观立法原则的指导下，按照《贞观律》的基本精神修订的。直至唐玄宗时，人们仍然认为《贞观律》与《永徽律疏》是"至今并行"的。由此可见，《唐律》实际上是定型于贞观时期，而完善于永徽年间。

《贞观律》和《永徽律疏》的制定和颁行是中国法律史上的一个重要里程碑，它们确立了中国古代刑法的规范，并且影响遍及朝鲜、日本、越南等亚洲各国，乃至在世界法律体系中也占有重要的一席之地，成为独树一帜的一大法系。

自唐以降，五代、宋、元、明、清各朝莫不奉《唐律疏议》为圭臬，虽代有损益，但终不敢越出其规范之外。元代律学家柳赟说："所谓十二篇云者，裁正于唐，而长孙无忌等十九人承诏制疏，勒成一代之典，防范甚详，节目甚简，虽总归之唐可也。盖姬周而下，文物仪章，莫备于唐！"（《唐律疏议·序》）

清代律学家吉同钧也说："论者谓《唐律疏议》集汉魏六朝之大成，而为宋元明清之矩矱，诚确论也！"（《律学馆大清律例讲义·自序》）

由此可见，定型于贞观时期、完善于永徽年间的《唐律疏议》，在后世法学家的眼中确实是历史上最重要的成文法典。

在古代中国，法律其实一直处于一个比较尴尬的地位。因为它并不是至高无上的。在它头上还有一个最高权威——皇帝。

也就是说，在古代中国，皇权绝对高于法权。法律之所以被皇帝制定出来，并不是用来约束皇帝本人的，而是为了更有效地对付臣子和老百姓。正所谓："生法者，君也；守法者，臣也；法于法者，民也。"（《管子·任法》）

韩非子也说："君无术则蔽于上，臣无法则乱于下，此不可一无，皆帝王之具也！"（《韩非子·定法》）

布衣皇帝朱元璋说得更透彻："法令者，防民之具、辅治之术耳。"（《明太祖实录》）

总而言之，古代的法律就是皇帝用来统治臣民的一种专制工具。正是在这个意义上，人们说中国历来是一个"专制与人治"的社会，而不是"民主与法治"的社会。

此言可谓确论。

所以，在君主专制的社会中，法律并不是神圣不可侵犯的，它非但约束不了皇帝，反而经常被皇权所凌驾，甚至随时可能被践踏。

既然如此，那么唐太宗李世民在这方面又做得如何呢？作为中国历史上最杰出的一部法典——《唐律》——的总设计师，李世民又是怎样看待"皇权与法权"的关系呢？

对此，李世民说过一句很有代表性的话："法者，非朕一人之法，乃天下之法！"（《贞观政要》卷五）

单纯从这句话本身来看，李世民的法律观念显然与自古以来的法家思想和其他帝王完全不同。他并不把法律视为皇帝手中的工具，而是能够承认并尊重法律的客观性与独立性。相比于朱元璋把法律当作一种"防民之具"和"辅治之术"，李世民的境界无疑要高出许多。

不过，即便我们相信这句话确乎是李世民"诚于中而形于外"的肺腑之言，我们也仍然要"听其言而观其行"，进一步考察他的实际行动，看其是否真的言行一致、表里如一。

从下面这个事件中，我们应该就能得出一个比较公允的结论。

贞观元年正月，有一个叫戴胄的大臣公然在朝堂上与李世民发生激烈的争执。

事情本身并不大，但性质却很严重。因为争论的焦点就是——皇帝的敕令与国家的法律，到底哪一个更有威信？哪一个更应该作为断案的依据？

说白了，这就是皇权与法权之争。

事情的起因是这样的：在李唐立国之初的统一战争中，很多将吏战死沙场，为国捐躯，国家为了照顾他们的后人，就出台了恩荫政策，让烈士后代能承袭先人官爵。于是就不断有人弄虚作假，谎称自己是功臣元勋的后代，以此骗取朝廷恩荫。此外，李唐朝廷在任用和提拔官吏的时候，也会优先选用那些曾经在隋朝为官，具有仕途资历和从政经验的人，所以就经常有人伪造资历，企图走一条加官晋爵的捷径。

上述这些现象就叫作"诈冒资荫"。有关部门难辨真伪，对此大伤脑筋。针对这些现象，李世民专门颁布了一道敕令，严令作假者主动自首，否则一经发现立即处以死罪。

敕令颁布后，还是有不怕死的人顶风作案。后来有关部门查获了一个叫柳雄的作假者，李世民决定杀一儆百，马上要治他的死罪。

案件送交大理寺后，负责判决的人就是大理寺少卿戴胄。

戴胄原本只是兵部的一个郎中，因有"忠清公直"的美誉，不久前刚刚被李世民破格提拔为大理寺少卿，相当于从一个国防部的小司长突然晋升为最高法院副院长。皇恩如此浩荡，按理说戴胄应该知恩图报，事事顺着李世民的脾气才对，可秉公执法的戴胄却在柳雄这件案子上狠狠地触逆了龙鳞。

根据当时的法律，这种罪最多只能判流放，所以戴胄便对柳雄做出了"据法应流"的判决。这个判决结果虽然是依法做出的，但显然违背了李世民的敕令。

李世民勃然大怒，对戴胄说："朕早就颁下敕令，不自首就是死路一条，你现在却要依法改判，这岂不是向天下人表明，朕说话不算数吗？"

戴胄面不改色地说："陛下如果直接杀了他，臣无话可说；可陛下一旦把案件交付法司，臣就不能违背法律。"

李世民悻悻地说："你为了让自己秉公执法，就不惜让朕失信于天下吗？"

戴胄说："陛下的敕令是出于一时之喜怒，而国家的法律却是布大信于天下！陛下若以法律为准绳，就不是失信，而恰恰是'忍小忿而存大信'！假如不这么做，臣只能替陛下感到遗憾。"

李世民沉默了。

他知道，如果他执意要杀柳雄，谁也拦不住，因为他是皇帝，而且早有敕令在先。可问题是，这么做虽然足以体现帝王的权威，但无疑会大大损害法律的权威。而法律的公信力一旦遭到破坏，朝廷的威信和人君的威信也就无从谈起。

思虑及此，李世民立刻转怒为喜，当着群臣的面对戴胄大加褒扬，说："朕法有所失，卿能正之，朕复何忧也！"（《贞观政要》卷五）

这是贞观时期一个比较著名的事件，同时也是中国法制史上富有典型意义的一个案例。因为它凸显了皇权与法权的冲突，并且以皇权的妥协告终，最后使得法律的尊严得到了维护。在这件事情上，李世民体现出了一个古代君主难能可贵的品质，那就是对法律的尊重以及对司法独立的尊重。这在中国几千年的人治社会中实属罕见。

"柳雄事件"之后，史称："胄前后犯颜执法，言如泉涌。上皆从之，天下无冤狱。"（《资治通鉴》卷一九二）

贞观时代吏治清明、执法公正应该是不争的事实，可要说"天下无冤狱"，则未免有些言过其实。但是不管怎么说，当一个王朝拥有像戴胄这种刚直不阿、执法如山的法官，并且拥有像李世民这种善于妥协、尊重法律的皇帝时，我们就完全有理由相信——贞观时期即便不是历史上最少冤狱的时期，起码也是最少冤狱的时期之一。

对死刑慎重，就是对生命尊重

要了解一个国家的法律，最重要的是看它的刑法。

要了解一个国家的刑法，最重要的就是看它对待死刑的态度。

而贞观法治之所以被后人津津乐道，其中最主要的原因，就在于"宽仁慎刑"的理念以及严格的死刑复核制度。

早在贞观元年，李世民就依据"死者不可再生，用法务在宽简"的立法思想，以诏令的形式对"死刑复核"做出了严格规定："古者断狱，必讯于三槐、九棘之官，今三公、九卿即其职也，自今以后，大辟罪（死刑）皆令中书、门下四品以上及尚书九卿议之。如此，庶免冤滥！"（《贞观政要》卷八）

这就是中国历史上著名的"三司推事、九卿议刑"的死刑复核制度。在上一章我们说过，李世民曾在贞观元年正月废除了五十多种绞刑条款，而随后继续修订律法时，贞观君臣又在隋朝律法的基础上，把多达九十二种的死刑罪名降格为流刑，又把七十一种流刑降为徒刑。除此之外，"凡削烦去蠹、变重为轻者，不可胜纪"（《旧唐书·刑法志》）。在这种"宽仁慎刑"理念的引导之下，到了贞观四年，国家就出现了"断死刑，天下二十九人，几致刑措"的良好治安形势。当时唐朝的户数将近三百万，若以平均一户六口人计算，总人口大约一千八百万。以这个人口数量来看，这个死刑人数的比例显然是非常低的。

"几致刑措"是中国历史上经常用来形容天下太平、社会安定的词汇，其意思是刑法几乎到了搁置不用的地步。如果我们参考一下近代欧洲的相关数字，就更容易明白这种形容词绝非过誉。

在18世纪的英国，死刑罪名多达222种，不但名目繁多，而且滥用死刑达到了令人匪夷所思的程度，只要偷窃一先令，或者是砍了一棵不该砍的树，又或者写了一封恐吓信，甚至仅仅是与吉普赛人来往，都有可能被处以死刑。到19世纪初，还曾经有一个13岁的少年因偷窃一把勺子而被判处绞刑。由于刑法的严苛和泛滥，导致每年被判死刑的高达1000人以上，而当时英国的总人口也不过1000万。

生命权是最为重要的人权。

对死刑的慎重意味着对生命和人权的尊重。

如果单纯从这个意义上说，我们似乎有理由认为——7世纪的中国唐朝在"人权领域"显然要比18世纪的英国先进得多。

当然，毋庸讳言，无论贞观时代的法治精神多么具有超越时代的先进性，当时的中国毕竟仍然是君主专制的社会；无论唐太宗李世民是一个如何尊重法律、慎用死刑的皇帝，他都难免有独断专行、枉法滥杀的时候。

贞观五年发生的"张蕴古事件"就说明了这一点。

张蕴古，河内相州（今河南安阳市）人，曾任幽州记室，武德九年十二月因呈上一道"文义甚美，可为规诫"的奏疏《大宝箴》，博得李世民的赏识，被擢升为大理寺丞。

然而，就是这么一个由皇帝一手提拔的人，也难免在皇帝的一时盛怒之下被错杀。

事情缘于一个叫张好德的人，此人因患有精神方面的疾病，"妄为妖言"，被有关部门逮捕下狱。张蕴古上奏为他辩护，说他癫痫病的症状十分明显，胡言乱语在所难免，根据法律应该判处无罪。李世民觉得有道理，就同意了他的请求。张蕴古随即前去探监，将皇帝准备赦免的消息透露给了张好德，并且颇为忘形地在狱中陪张好德下棋。以张蕴古的身份，这么做显然已经触犯了法律，而且是执法犯法。侍御史权万纪立刻发出弹劾，声称张好德的哥哥张厚德曾在张蕴古的家乡相州担任刺史，与张蕴古有过交情，所以张蕴古替张好德辩护显然并不是在秉公执法，而是在徇私包庇。

李世民大怒，未及调查便下令将张蕴古斩于长安东市。

张蕴古被杀不久，李世民经过一番冷静的反省之后，深感后悔。他对房玄龄等人说："公等食人之禄，须忧人之忧，事无巨细，咸当留意。今不问则不言，见事都不谏诤，何所辅弼？如蕴古身为法官，与囚博戏，漏泄朕言，此亦罪状甚重。若据常律，未至极刑。朕当时盛怒，即令处置。公等竟无一言，所司又不覆奏，遂即决之，岂是道理？"

李世民之所以责怪大臣们没有及时谏诤，正是因为他认识到：即便张蕴古确有徇私，论罪也不至于死，自己显然是在盛怒之下办了一桩错案。

为了汲取教训，杜绝此后类似错案冤案的发生，李世民随即下诏，规定今后"凡有死刑，虽令即决，皆须五覆奏"（《贞观政要》卷八）。具体而言，就是凡判处死刑的案件，即便是下令立即执行的，京畿地区内也必须在两天内五次覆奏，其他州县也至少要三次覆奏，以确保司法公正，避免滥杀无辜。

此举是对"三司推事、九卿议刑"的死刑复核制度的进一步完善。随后，这项"五覆奏"的死刑复核规定就被纳入了《永徽律》，成为正式的成文法。后来的《唐律疏议》对这条法律的执行做出了详细解释和严格规定：凡是"不待覆奏"而擅自处决死刑犯的官员，一律处以"二千里"的流刑；即便经过了覆奏，也必须在上级的最后一次批复下达的三天后，才能执行死刑，若未满三日即行刑，有关官员必须处以一年徒刑。

从这里，我们足以看出唐代的死刑复核制度之严及其对待死刑的态度之慎重。

贞观五年，李世民在做出"五覆奏"的规定后不久，发现许多司法官员在审判中完全拘泥于法律条文，即使是情有可原的案子也不敢从宽处理。虽然如此执法不失严明，但李世民还是担心这样难以避免冤案，于是他再次颁布诏令，规定："自今以后，门下省覆，有据法令合死而情可矜者，宜录奏闻。"（《贞观政要》卷八）也就是说，门下省在复核死刑案件的时候，凡是发现有依法应予处死但确属情有可原的，应写明情况直接向皇帝奏报。

"死者不可再生，用法务在宽简"的贞观法治精神在这里又一次得到了充分的体现。

如果说，制定一部严明而公正的法律需要执政者具备一种卓越的政治智慧的话，那么在执法过程中既能贯彻"法理"又能兼顾"人情"，就不仅需要执政者具备卓越的智慧，更需要有一种悲悯的情怀。

在李世民身上，我们显然看见了这种悲悯。

贞观六年（公元632年），李世民又做了一件不可思议的事情，更是把这种难能可贵的悲悯之心表现得淋漓尽致。

这就是历史上著名的"纵囚事件"。

贞观六年的十二月末，年关在即，李世民在视察关押死刑犯的监狱时，想到春节将至，而这些犯人却身陷囹圄，不能和家人团圆，顿时心生怜悯，于是下令把这些已判死刑的囚犯释放回家，但规定他们明年秋天必须自行返回长安就刑。

相信在当时，肯定有很多官员为此捏了一把汗。

因为要求死刑犯守信用，时间一到自动回来受死，这简直就是天方夜谭。而且这批囚犯的人数足足有三百九十个，其中只要有十分之一不回来，各级司法部门就要忙得四脚朝天了。况且，在把他们重新捉拿归案之前，谁也不敢担保他们不会再次犯案，这显然是平白无故增加社会不安定因素。

然而，出乎人们意料的是，到了贞观七年（公元633年）九月，三百九十个死囚在无人监督、无人押送的情况下，"皆如期自诣朝堂，无一人亡匿者"（《资治通鉴》卷一九四）。

李世民欣慰地笑了。

他当天就下令将这三百九十个死囚全部释放。

这个"纵囚事件"在当时迅速传为美谈，而且成为有唐一代的政治佳话，著名诗人白居易的《新乐府》诗中就有"死囚四百来归狱"之句赞叹此事。

然而，也有许多后人对此颇有微词，他们认为这是李世民为了树立自己的明君形象而表演的一场政治秀。北宋的欧阳修就专门写了一篇《纵囚论》进行抨击，说李世民此举纯粹是沽名钓誉，哗众取宠。他说，这种标新立异的事情只能"偶一为之"，如果一而再再而三，那么"杀人者皆不死，是可为天下之常法乎"？所以欧阳修认为，真正的"圣人之法"，"必本于人情，不立异以为高，不逆情以干誉"。也就是说，真正好的法律必须是合乎人之常情的，没必要以标新立异为高明，也没必要用违背常理的手段来沽名钓誉。

欧阳修的看法不能说没有道理。这种"纵囚"的事情要是经常干，那法律就变成一纸空文了。不过话说回来，李世民也不会这么愚蠢，他断然不至于每年都来搞一次"纵囚"。平心而论，"纵囚事件"虽然不能完全排除作秀的成分，但是如果认为此举除了作秀再无任何意义，那显然是低估了李世民，也错解了李世民的良苦用心。

李世民这么做，最起码有两个目的。

第一个目的，是要让天下人明白：刑罚只是一种手段，不是目的。

众所周知，"刑罚"只是社会治理的一种辅助手段，是不得已而为之的，其目的不仅是对"已然之罪"进行惩戒，更重要的是对"未然之罪"进行预防。从理论上说，如果采取道德教化的手段同样可以达到这个目的，那么刑罚的意义也就不复存在了。因此，如果那些死囚都能遵守"君子协定"，在规定时间内全部返回，那起码表明他们确实有改过自新、弃恶从善的决心和行为。既然如此，李世民取消对他们的刑罚也就不足为怪了。

第二个目的，是让人们认识到生命的价值与尊严。

就像李世民一直在强调的那样，"死者不可再生，用法务在宽简"，生命对于每个人只有一次，无论在什么情况下都是弥足珍贵的。就算有人犯了罪，必须受到法律的惩罚，生命的价值与尊严也并不因此就在他身上有所减损。而且整个社会，上至执法者，下至普通百姓，都有责任和义务挽救这些失足的人，提供一切可能的机会让他们重新做人。其实法律真正的本意也正在于此。当然，剥夺一个人的生命是很简单的，而改造人的生命却要困难得多，但是后者绝对比前者更有价值，也更有意义。李世民的"纵囚"举动，实际上就是凸显了上述理念，只不过他采取的是一种最典型、最特殊、最不可复制的方式而已。

由此可见，"纵囚事件"绝不是李世民一时心血来潮的产物，更不是单纯为了沽名钓誉，而是在"宽仁慎刑"的立法思想的基础上，把"死者不可再生，用法务在宽简"的贞观法治精神发挥到极致之后必然会有的一种结果。

从今天的角度来看，我们甚至可以说，按照贞观一朝的立法思想和法治精神，假如当时的历史和社会条件允许的话，贞观君臣就完全有可能将这种"宽仁慎刑"的法治进行到底，最终合乎逻辑地推演出"废除死刑"的结果。

其实，我们这个假设并不是没有历史根据。

——天宝初年，唐玄宗李隆基就曾秉承贞观的法治精神，一度废除了绞刑和斩刑。他在天宝六年（公元747年）发布的一道诏书中强调，这是为了"承大道之训，务好生之德"（《册府元龟·刑法部》）。这项刑法改革后来虽因"安史之乱"而中辍，没能延续下去，但足以表明贞观的法治精神对后世的影响之深。

几乎与唐玄宗大幅度削减死刑同步，日本平安王朝的圣武天皇也于神龟二年（公元724年）停止了死刑的适用，将所有死罪降为流罪，从而开创了日本刑法史上347年无死刑的奇迹。而日本此举，无疑受到了唐朝的影响。日本学者桑原骘藏曾经说过："奈良至平安时期，吾国王朝时代之法律，无论形式与精神上，皆依据唐律。"

时至今日，限制死刑、废除死刑已经成为一个国家文明与理性程度的标志。

自从19世纪以来，随着人类的进步和人权运动的发展，限制并废除死刑逐渐成为一种时代潮流。据有关学者统计，截至2013年，在全世界198个国家和地区中，在法律上废除死刑和事实上停止死刑适用的国家已经达到152个，占总数的77%；保留死刑的国家只有46个，占23%。在欧洲，"废除死刑"甚至成为加入欧盟的条件之一。此外，在美国，联邦法律虽仍保留死刑，但已有19个州废除了死刑。

在这些保留死刑的国家和地区中，虽然短期内还不可能完全废除死刑，但是在"少杀、慎杀、防止错杀"这一司法原则上无疑具有普遍共识。而我国同样是将"慎用死刑和逐步减少死刑"作为刑法的改革方向。

从这个意义上说，尽管时间已经过去了一千三百多年，尽管社会环境和时代条件已经发生了天翻地覆的根本性变化，但是直到今天，"宽仁慎刑"的贞观法治精神仍然值得我们继承和借鉴。而这种精神的核心，一言以蔽之，就是对生命的尊重。

| 第六章 |

李世民：当皇帝这点事

贞观一朝的管理哲学

作为大唐贞观的掌舵人，李世民之所以能够在短短二十年间打造出一个彪炳千秋的煌煌盛世，成就冠绝百代的一世伟业，其根本原因之一，就在于他拥有一套极其高明的管理哲学。因而能够把当时第一流的人才全部吸引到他的身边，从而发挥出空前绝后的创造力。

从武德年间起，李世民的麾下就可谓是"谋臣如云，猛将如雨"。到了贞观时代，各种人才更是纷纷涌现，济济一堂。初唐四杰中的卢照邻就曾描述过贞观一朝的人才盛况："虞（世南）、李（百药）、岑（文本）、许（敬宗）之俦以文章进，王（珪）、魏（徵）、来（济）、褚（遂良）之辈以材术显，咸能起自布衣，蔚为卿相，雍容侍从，朝夕献纳。我之得人，于斯为盛！"（《全唐文》）

贞观的人才集团不仅在当时是最优秀的，而且跟其他朝代比起来也是有过之而无不及。正如王夫之所说："唐多能臣，前有汉，后有宋，皆所不逮。"（《读通鉴论》卷二十）

那么，贞观一朝人才辈出的原因是什么呢？

换言之，李世民在人力资源的开发上究竟有何秘诀呢？

贞观元年，李世民刚刚上台执政，就命当时的右仆射封德彝负责向朝廷推荐人才。可是好几个月过去了，一直没见什么动静。李世民很不高兴，就诘问封德彝。

封德彝一脸无辜地说："不是臣不尽心，而是当今天下确实没什么人才啊。"

李世民顿时脸色一沉，说："君子用人如器，各取所长。古之致治者，岂借才于异代乎？正患己不能知，安可诬一世之人！"（《资治通鉴》卷一九二）

封德彝无言以对，只好惭悚而退。

这段话就是李世民用人哲学的精髓。正所谓"人才有长短，不必兼通"，所以关键是要"舍短取长，然后为美"（《全唐文》卷十，《金镜》）。也就是说，在真正高明的管理者眼中，每个人都有可能是人才。因为尺有所短，寸有所长，每个人身上都有优缺点，并且都有一些不同于他人的特点或特长。身为一个组织的领袖或者人力资源的管理者，就是要善于发现每个人身上的独到之处，然后把他们放到最适合的位置上，让他们的才能与他们的职务相匹配，从而发挥出最佳效能。

进而言之，在很多时候，一个高明的管理者从你身上发掘出的优点，很可能连你自己都很少意识到，甚至根本不曾察觉。

套用现在流行的一句话：这个世界从来不缺少人才，而是缺少发现人才的眼睛。

封德彝显然不是一个称职的管理者，因为他缺少这样一双眼睛。

无怪乎李世民会挖苦他：从前天下治理得好的人，难道是跑到别的朝代去"借"人才吗？是你自己没有知人之明，怎么能把天下人全给看扁了？

但是，知人却不是那么容易的一件事。魏徵就说："知人之事，自古为难。"（《贞观政要》卷三）李世民自己也说过："用人之道，尤为未

易。"(《金镜》)

那么，李世民又是如何鉴别人才之优劣长短的呢？

除了从战争年代起就练就了一双识别人才的慧眼之外，贞观年间的李世民还会不定期地召开"民主生活会"，让大臣们开展批评与自我批评，从而准确把握每个人的优点，充分发挥他们的优势。

比如贞观四年（公元630年）十二月，李世民就举办了一场宴会，邀请了当时政事堂的所有宰相出席。酒过三巡之后，李世民忽然用一种闲聊天的口吻对侍中王珪说："爱卿见识深远，而且口才又好，现在就请你从房玄龄开始，对在座诸位一一评鉴，最后也谈谈你自己，看看你的才能跟他们比起来如何？"

王珪略微沉吟，而后环视众人，有条不紊地说："孜孜奉国，知无不为，臣不如房玄龄；才兼文武，出将入相，臣不如李靖；撰写诏书和奏报事务，详明而公允，臣不如温彦博；处理繁杂和紧急之务，妥当而周到，臣不如戴胄；耻君不及尧舜，以谏争为己任，臣不如魏徵；至于激浊扬清，嫉恶好善，微臣与在座诸位比起来，也算是略有所长。"

李世民听得频频点头，深以为然。众人也大为叹服，承认王珪确实都说到点子上了。

实际上，李世民的这种做法就是今天管理学中所谓的"人才测评"。要做到"用人如器"，首先当然要知道每个人是什么"器"。而李世民自己就是人才测评的顶尖高手，他对于部属们的优劣长短，可以说是洞若观火，了如指掌。

贞观末年，有一次在朝会上，李世民就当着群臣的面对长孙无忌说："朕听说，主贤则臣直。但是人苦于不自知，今日就请你当面批评一下朕的得失。"

长孙无忌吓了一跳，赶紧拣好听的说："陛下武功文德，跨绝古今，发

号施令，事皆利物。《孝经》云：'将顺其美。'臣顺之不暇，实不见陛下有所愆失。"（《旧唐书·长孙无忌传》）

李世民立刻皱起眉头："朕希望听到自己的缺点和过失，可你却一味阿谀奉承。那好，既然你们不谈，那朕今天就当面谈一谈你们的得失长短，好让大家引以为鉴。大家听一听，有则改之，无则加勉。"

然后李世民就从长孙无忌开始，把面前的这些宰执重臣挨个评价了一遍。

"长孙无忌为人善避嫌疑，应对敏捷，比之古代贤者也毫不逊色，然而统兵作战，却非其所长；高士廉涉猎古今，心术聪悟，面临危难不改气节，为官亦不私结朋党，唯独缺少的是耿直规谏、忠直进言；唐俭言辞漂亮流利，性情平和，善解人意，觥筹交错之间，言语更是滔滔不绝，可惜跟随朕整整三十载，却无一言论及国家得失；杨师道性行纯善，品德无可指摘，但是为人怯懦，难当大任，无论事务缓急，皆不得力；岑文本品性敦厚，文章是其所长，可是惯于引经据典，有时未免脱离实际……"

接下来李世民又一一评价了刘洎、马周、褚遂良等人，虽然总的来说口气还算温和委婉，但是所说的内容却都一针见血，入木三分。

相信当时在场的这些帝国大佬肯定都听出了一身冷汗。

虽然他们的优点也都得到了李世民的肯定，但是身为臣子，每个人的软肋居然被皇帝拿捏得如此精到，不吓出冷汗才怪。

太宗的这双眼睛可真"毒"啊！

正是因为具有这种犀利的眼光和洞察一切的能力，李世民才能"弃其所短，取其所长"，并且建立起一套"人尽其才"的用人机制，进而打造出一支各具所长、优势互补的高绩效团队。

在晚年所著的《帝范》中，李世民就对这种"用人如器"的管理思想做出了极为精辟的阐述。千载之后读之，字里行间犹然闪烁着发人深省的智慧光芒。

明主之任人，如巧匠之制木：直者以为辕，曲者以为轮，长者以为栋梁，短者以为栱角。无曲直长短，各有所施。明主之任人，亦由是也。智者取其谋，愚者取其力，勇者取其威，怯者取其慎，无智、愚、勇、怯，兼而用之。故良匠无弃材，明主无弃士。不以一恶忘其善，勿以小瑕掩其功。割政分机，尽其所有……今人智有短长，能有巨细。或蕴百而尚少，或统一而为多。有轻才者，不可委以重任；有小力者，不可赖以成职。委任责成，不劳而化，此设官之当也……君人御下，统极理时，独运方寸之心，以括九区之内，不资众力何以成功？必须明职审贤，择材分禄。

慧眼识人才

在人力资源开发上，除了"用人如器"、善于对部属进行"性向测评"之外，李世民还有一个很重要的方法，那就是——不拘一格，唯才是举。

李世民选拔人才的时候，从来不论门第，不论新故，不论华夷，不论士庶，而是看其品行才学是否出众，有没有一技之长，即所谓"博访英贤，搜扬侧陋。不以卑而不用，不以辱而不尊"（《帝范》）。

在"门第"方面，无论是像长孙无忌、高士廉、杜如晦等出身高门世族的，还是像房玄龄、张亮、侯君集等出自寒门庶族的，李世民对他们皆一视同仁。此外，武德年间，高祖李渊偏重于任用关陇集团的后人，而到了贞观时期，山东（崤山以东）士族也大量进入政治高层。如崔敦礼，出身于博陵崔氏，"世为山东著姓"，历任左卫郎将、中书舍人等职，最后官至兵部尚书；卢承庆，源出范阳卢氏，后来也官至民部侍郎、兵部侍郎。

在"新故"方面，魏徵、王珪、韦挺等人原来都是典型的太子集团，算是李世民的头号政敌，可后来却成为他的股肱重臣；反而是一些秦王府的故旧，由于才学不足，能力有限，李世民即位后并没有重用他们。这些秦府旧人曾经跟房玄龄发牢骚，房玄龄向李世民反映，可李世民的态度很明确："朕以天下为家，不能私于一物，惟有才行是任，岂以新旧为差！"（《贞观政要》卷五）

在对待异族方面，李世民也根本没有"华夷之防"的狭隘观念，而是以"天下一家，不贱夷狄"的恢宏胸襟，大胆擢用了一批勇猛善战的异族将领。如"以智勇闻"的突厥王子阿史那社尔，于贞观九年归附唐朝，被封为左骑卫大将军，并娶了李世民的妹妹衡阳公主；贞观十四年，阿史那社尔与侯君集等人一同攻灭高昌，其后又在唐朝对高丽、薛延陀、西域的战争中屡立功勋。此外如突厥酋长执失思力、铁勒族酋长契苾何力等人，也都先后被委以重任，为大唐王朝的开疆拓土立下了赫赫战功。

而在破格提拔民间人才方面，最典型的例子当属对马周的擢用。

贞观三年（公元629年），李世民命百官上疏直言朝政得失。这对多数人来讲是件好事，因为谏言一旦得到皇帝采纳就有可能青云直上。可有一个人提起笔来却一筹莫展，急得抓耳挠腮。

这个人就是在玄武门之变中发挥重要作用的常何。

他是一介武夫，要论带兵打仗自然不在话下，可要叫他舞文弄墨实在是强人所难。正当常何急得团团转的时候，一个门客自告奋勇，愿意替他草拟奏疏。常何大喜过望，当即命人笔墨伺候。只见这个门客提笔挥毫，片刻工夫就洋洋洒洒地写了二十几条谏言。次日常何把奏疏呈了上去，本来只是想应付一下，交差了事，没想到太宗李世民看完奏疏，居然大为赞赏，立刻把常何叫进了宫，问他为何有这么大长进，几天不见文章就写得这么漂亮。

常何不敢隐瞒，只好据实相告，说自己根本没这本事，奏疏是一个叫马周的门客代写的。

李世民一听就来了兴致，追问他马周的情况。

常何说，马周是博州茌平人，从小父母双亡，家境贫寒，乡里人都瞧不起他，但是他勤奋好学，博览经史，尤其精通先秦典籍。武德年间谋了一个博州助教的职务，可他却不以教书为意，屡屡被当地刺史斥责，马周一怒之下离开家乡，四处云游，随后来到长安，寓居常何家中。

李世民听完，意识到这个马周虽然表面上落拓不羁，却是一个腹有诗书、胸怀大志之人，当即命使者前去传召马周。

不知道是马周有意延宕，还是李世民心情过于迫切，总之那天李世民整整派出了四批使者，才把这个布衣马周请进了宫。《贞观政要》卷三："太宗即日召之，未至间，凡四度遣使催促。"双方一番畅谈之后，李世民发现马周果然是满腹经纶，见识深远，顿生相见恨晚之感，随即让他当天就到门下省报到。

一夜之间，马周就从一介平民变成了朝廷命官，从社会最底层直接进入了帝国的政治中枢。

这是一个典型的"鲤鱼跳龙门"的故事。

马周从此登上帝国政坛，不久就被授予监察御史之职，后来历任朝散大夫、中书侍郎、吏部尚书、中书令等职。史称他"有机辩，能敷奏，深识事端，动无不中"，因而"甚获当时之誉"（《贞观政要》卷三）。甚至连李世民都说："我于马周，暂不见，则便思之。"（《旧唐书·马周传》）可见对他赏识和倚重的程度。

虽然马周确实具有比较出众的能力，但如果不是碰到李世民这种不拘一格、唯才是举的皇帝，马周恐怕也难逃怀才不遇、抑郁而终的命运，绝不可能演绎这一出"布衣变卿相"的千古佳话，更不可能成为享誉后世的贞观名臣之一。

任命是一门艺术

无论是"用人如器"，还是"唯才是举"，都说明李世民拥有高度的

"知人之明"。但是在管理学中，"知人"固然是一个重要的层面，可还有另一个重要层面，就是必须"善任"。

知人是善任的前提，善任是知人的目的。只有做到知人善任，让部属各司其职，管理者才能从具体而琐碎的事务中抽身而出，站在一个最宏观的层面上，制订整个团队的战略规划，实现整个组织的愿景目标。如北宋的范祖禹所言："君人者，如天运于上，而四时寒暑各司其序，则不劳而万物生矣！"（《唐鉴》）

从这个意义上说，所谓善任，其实就是授权的艺术。

然而，并不是所有的管理者都善于授权。中国古代的皇帝，尤其是那些对自己的治国能力颇为自负的开国之君，很多人根本不愿授权，也不敢授权。最典型的例子就是明太祖朱元璋，不但促狭猜忌，事必躬亲，甚至到最后连宰相都废了。还有隋文帝杨坚，也是一个宁可把自己累死也不敢轻易放权的主子。

在这方面，李世民就从杨坚身上汲取了深刻的教训。

贞观四年，李世民曾经问隋朝旧臣萧瑀："你认为隋文帝是一个什么样的君主？"

萧瑀说："克己复礼，勤劳思政，每天朝会都要开到夕阳西下，凡是五品以上官员，都要召见赐坐，与他们谈论政务，以至于经常忘了吃饭时间，只好叫侍卫给他们送饭。虽然他的品性称不上仁智，但应该算是励精之主。"

李世民听完后，笑着说："公只知其一，不知其二。隋文帝此人'性至察而心不明'，心暗则不通事理，至察则多疑于物。况且他又是靠欺负孤儿寡妇才得天下的，所以总是担心群臣内怀不服，因而不肯信任文武百官，每件事都要亲自决断，虽然殚精竭虑，劳神苦形，却未必凡事都能尽合于理。朝臣既知其意，也就不敢直言进谏，宰相以下，唯有承顺其旨意而已。"

正是因为认识到隋文帝为政的缺失，所以李世民才会反其道而行之，采取一种"广任贤良，高居深视"（《贞观政要》卷一）的管理方式，对部属进行充分有效的授权。

早在武德九年，李世民就素闻景州录事参军张玄素的贤名，于是亲自召见，问以政道。张玄素就建议太宗："谨择群臣而分任以事，高拱穆清而考其成败，以施刑赏，何忧不治！"（《资治通鉴》卷一九二）

李世民对张玄素的建言非常赞赏，随后将其擢升为侍御史，并且立即将其建言付诸实施。

张玄素提出的"分任以事，高拱穆清"，其实就是一种充分授权。如果每个部属都能在各自的权限范围内发挥主观能动性，积极妥善地履行职责，那么高层管理者自然可以"垂拱而治"了。此外，贞观一朝之所以能够确立"三省驳议"的宰相制度，让中书、门下、尚书三省分工合作，相互制衡，并且相权还能够对君权形成有效制约，其根本原因之一，也是在于这种授权原则的充分运用。

而张玄素所谓的"考其成败，以施刑赏"，实际上就是一种绩效考核。对此，李世民专门制定了对各级官员的"考课之法"，具体的考核标准是"四善"和"二十七最"。所谓"四善"，是指四种优异的工作表现，即"德义有闻、清慎明著、公平可称、恪勤匪懈"；所谓"二十七最"，是一套考核百官职守的具体标准，如"决断不滞，与夺合理，为判事之最""部统有方，警守无失，为宿卫之最"等。根据这些标准每年对官员进行考核，把成绩分为九等，报至尚书省予以公布。凡列为一至四等的官吏，每进一等增发一季的俸禄；五等无所增减；六等以下则每退一等扣发一季俸禄。这套严格的绩效考核制度，对于澄清吏治显然是十分有效的。

"充分授权"与"绩效考核"是权力控制的鸟之双翼、车之双轮，二者缺一不可。假如只有刑赏而无授权，那必然会使百官动辄得咎，无所措手足，最终造成帝王的独裁和专权；假如只有授权而无考核，那必然会导致君主大权旁落，甚至被权臣玩弄于股掌，到头来授权就变成了"弃权"。

很显然，这两种现象都是错误的权力控制方式，其结果只能是与"天下大治"的执政理想背道而驰。而李世民的管理哲学，无疑正是"充分授权"与"绩效考核"的完美结合。从这个意义上说，贞观之治的出现绝非偶然。

恩威并施的帝王术

有人曾经把管理称为权力控制的游戏。

如果从人与人之间的利益博弈的角度来看，此言可谓确论。

我们上面所说的李世民的那些管理哲学，显然都属于明面上的游戏规则。那么，除了这些规则之外，李世民在权力控制的过程中，是否还运用了一些不易被人察觉的御下手段呢？

答案是肯定的。

作为一个管理者，不论是古代的帝王，还是今天一个组织的领袖，在权力控制的游戏中难免都要运用一些隐性手段。

这种隐性手段在古代称为"恩威并施"，是一种帝王术。用我们今天的话来说，就是"胡萝卜加大棒"，而用日本"经营之神"松下幸之助的话来讲，则是——"慈母的手中紧握钟馗的利剑"。

那么，李世民又是如何挥舞这把利剑的呢？

看看李世民如何处理与李靖、尉迟敬德、李世勣、房玄龄等元勋功臣的关系，其微妙之处就颇值得我们玩味，也可以让我们充分领略李世民的帝王术。

贞观四年春天，李靖一举平定了东突厥，为大唐帝国立下了不世之功。凯旋之日，本来满腔豪情准备接受嘉奖的李靖突然被人狠狠参了一本。

参他的人是时任御史大夫的温彦博，弹劾的理由是"（李靖）军无纲纪，致令虏中奇宝，散于乱兵之手"（《旧唐书·李靖传》）。

听到自己被弹劾的消息，李靖就像从三伏天一下子掉进了冰窟窿里。得胜凯旋的喜悦还没退去，功高不赏的忧惧已经袭来。

"虏中奇宝散于乱兵之手？"

李靖一边硬着头皮入宫觐见皇帝，一边回味着这个让人莫名其妙的弹劾理由。

天知道温彦博人在朝中，他是用哪一只眼睛看见数千里外的乱兵哄抢突厥宝物的。就算他所说属实，可自古以来，在外征战的将士一旦打了胜仗，随手拿几件战利品也是常有的事，犯得着上纲上线吗？更何况，相对于平定突厥这样的不世之功，那几件所谓的"虏中奇宝"又算得了什么？

李靖摇头苦笑。

这种事其实是可大可小的。往小了说，就是个别士兵违抗主帅命令，犯了军纪，大不了抓几个出来治罪就是了；往大了说，却是主帅纵容部属趁机掳掠，中饱私囊，不但可以把打胜仗的功劳全部抵消，而且完全有可能为此银铛入狱，前程尽毁。

李靖大感恐惧。他不知道此时此刻，会不会有一只"兔死狗烹、鸟尽弓藏"的翻云覆雨手正在那金銮殿上等着自己。

见到李世民的时候，李靖内心的恐惧几乎达到了顶点。

因为李世民的脸上果然罩着一层可怕的冰霜。

接下来发生的事情似乎都在李靖的预料之中。李世民根据温彦博奏疏中提到的那些事端和理由，把李靖劈头盖脸地训斥了一顿，然而却绝口不提此战的功勋。李靖不敢辩解，更不敢邀功，只能频频叩首谢罪。《旧唐书·李靖传》记载："太宗大加责让，李靖顿首谢。"

后来的日子，李靖颇有些寝食难安，时刻担心会被皇帝找个理由灭了。有一天，太宗忽然又传召他进宫。李靖带着一种赴难的心情去见皇帝。

还好，谢天谢地！这回皇帝的脸色平和了许多。

李靖听见太宗用一种语重心长的口吻对他说："从前隋朝的将领史万岁击败西突厥的达头可汗，回朝后却有功不赏，被随便安了一个罪名就杀了。这些事情相信你也很清楚。不过你放心，朕是不会干这种杀戮功臣的事情的。朕想好了，决定赦免你的罪行，奖励你的功勋！"

听完这一席话，李靖顿时感激涕零，连日来忧愁恐惧的心情一扫而光，取而代之的是一种喜获重生的庆幸和感恩。

随后李世民就下诏加封李靖左光禄大夫，赐绢千匹，并赐食邑五百户（与前共计）。

又过了几天，李世民对李靖说："前些日子有人进谗言，说了一些对你不利的话。朕现在已经意识到这一点了，你可千万不要为此介怀啊！"随即又赐绢两千匹，拜李靖为尚书右仆射。

那一刻，李靖真的有一种冰火两重天之感。几天前还在担心被兔死狗烹，现在居然频频获赏，并且出将入相，位极人臣。如此跌宕起伏、乍起乍落的境遇真是让他无限感慨。

换言之，李靖算是结结实实地领教了一回天子的"恩威"——一边是皇恩浩荡，如"慈母之手"化育万物；一边又是天威凛凛，如"钟馗之剑"森冷逼人。李靖在感恩戴德之余，不免惶恐之至，从此在余生中平添了几分临深履薄的戒慎之心。

也许正因为如此，所以当贞观九年李靖再度出师大破吐谷浑，却又再次遭人诬告谋反时，他就深刻汲取了上次的教训，赶紧闭门谢客，低调做人。虽然史书称太宗很快就把诬告的人逮捕治罪，证实了李靖的清白，可李靖却从此"阖门自守，杜绝宾客，虽亲戚不得妄进"（《旧唐书·李靖传》）。

从某种意义上说，这又何尝不是在李世民恩威并施的"特殊教育"之下，一个担心功高震主的臣子到最后必然会有的一种选择。

与李靖类似的故事也曾经发生在尉迟敬德身上。

贞观六年（公元632年）九月的某一天，李世民在他的出生地——武功（今陕西武功县）的庆善宫赐宴百官。其时四夷宾服，海内晏安，君臣自然心情舒畅，于是在宴席上奏乐观舞，饮酒赋诗，一派喜庆祥和之状。

觥筹交错、欢声笑语之间，却有一个人满面怒容。

他就是尉迟敬德。

从一入席，尉迟敬德的怒火就腾腾地往上蹿了。

因为有某个功勋并不高的将领，此时此刻的座次却在他之上，尉迟敬德无论如何也吞不下这口恶气。

他越想越是火大，于是借着酒劲发飙，对那个将领怒喝："你有何功劳，座次居然在我之上？"

对方慑于尉迟敬德的气势，也怕破坏宴会的气氛，只好低下头不敢吱声。坐在尉迟敬德下面的任城王李道宗见势不妙，赶紧过来打圆场，不住地好言劝解。没想到尉迟敬德突然怒目圆睁，额头上青筋暴起，猛然挥出一拳砸在了这位亲王的脸上。

李道宗当场血流如注，一只眼睛差点报废。

庆善宫的喜庆气氛在刹那间凝固。百官目瞪口呆，搞不清这一幕究竟是怎么发生的。

太宗李世民龙颜大怒，当即站起来拂袖而去。

一场好端端的宴会就这样不欢而散。

宴席散后，李世民把尉迟敬德叫到了自己面前。

此刻尉迟敬德的酒早已醒了。他满心惶恐，意识到接下来要听到的，很可能是足以让他一辈子刻骨铭心的话。

果然，尉迟敬德听见李世民说："朕过去对汉高祖刘邦诛杀功臣之事非常反感，所以总想跟你们同保富贵，让子子孙孙共享荣华，世代不绝。可是你身为朝廷命官，却屡屡触犯国法！朕到今天才知道，韩信、彭越之所以被剁成肉酱，并不是刘邦的过错。国家纲纪，唯赏与罚；非分之恩，不可常有！你要深加反省，好自为之，免得到时候后悔都来不及！"

身为人臣，听见皇帝当面说这些话，尉迟敬德所感受到的震撼和恐惧是不言而喻的。

尽管时节已近深秋，那一天他的全身还是被冷汗浸透了。

就是从这个时候起，这个大半生纵横沙场的猛将一改过去的粗犷和豪放，为人变得谨小慎微，事事唯恐越雷池半步。

因为他知道，要想保住自己的项上人头和整个家族的荣华富贵，最好的办法只有一个——学会自我克制。

要比任何人都更懂得自我克制。《旧唐书·尉迟敬德传》记载："敬德由是始惧而自戢。"

尽管尉迟敬德从这件事后就学会了夹起尾巴做人，凡事小心翼翼，但是，李世民还是没有忘记随时敲打他。

贞观十三年（公元639年），君臣间又有了一次非同寻常的谈话。

李世民先是和尉迟敬德说了一些无关紧要的事，而后忽然话锋一转，说："有人说你要造反，是怎么回事？"

尉迟敬德顿时一怔。

可他马上就明白是怎么回事了——皇帝这是在对他念紧箍咒啊！

"是的，臣是要造反！"尉迟敬德忽然提高了嗓门，悲愤莫名地说，"臣追随陛下征伐四方，身经百战，今天剩下的这副躯壳，不过是刀锋箭头下的残余罢了。如今天下已定，陛下竟然疑心臣要造反？"

话音未落，尉迟敬德哗的一声解下上衣——遍身的箭伤和刀疤赫然裸露在李世民的面前。

李世民不无尴尬地看着这个一路跟随他出生入死的心腹猛将，眼前那一道道触目惊心的伤疤仿佛都在述说着当年浴血奋战的悲壮和艰辛以及君臣之间同生共死的特殊情谊。

李世民的眼眶湿润了。

他随即和颜悦色地对尉迟敬德说："贤卿快把衣服穿上。朕就是因为不怀疑你，才会跟你说这事，你还埋怨什么！"

高明的帝王在运用恩威术的时候，都很善于把握一种分寸感，既不会一味施恩，也不会总是发威，而是在两者之间维系一种动态平衡。

李世民当然也是这方面的高手。

经过这次敲打，尉迟敬德越发低调内敛，而李世民对他的表现也感到满意，所以自然而然地收起了"大棒"，很快就给出了一根足以让尉迟敬德受宠若惊的"胡萝卜"。

有一天，照旧是君臣间在说话，李世民说着说着忽然冒出一句："朕打算把女儿许配给你，不知贤卿意下如何？"

虽然这次不再是什么坏消息，而是天大的好事，可尉迟敬德所感受到的诧异和震惊却丝毫不亚于上次。

因为这一年，尉迟敬德已经五十五岁了，而太宗皇帝本人也不过四十一岁，他的女儿能有多大可想而知。暂且不说皇帝的女儿是何等尊贵，让人不敢高攀，单纯就年龄来说，双方的差距也实在太大了，简直大得离谱。

如此不可思议的恩宠，叫尉迟敬德如何消受？

好在尉迟敬德仕途多年，经验丰富，闻言立刻跪地叩首，谢绝了皇帝的好意。他说："臣的妻室虽然出身卑微，但与臣共贫贱、同患难已经几十年了；再者，臣虽然不学无术，但也知道古人'富不易妻'的道理，所以迎娶公主一事，实在非臣所愿。"

李世民微笑颔首，没再说什么。

此事就这样不了了之。

其实尉迟敬德很清楚，皇帝并不是真想把女儿嫁给他。之所以没头没脑地唱这么一出，无非是想表明对他的信任和恩宠罢了。所以，这种事千万不能真的答应，而应该婉言谢绝。

换句话说，皇帝的这种美意只能心领，绝不能实受。假如尉迟不开窍，真的顺着杆儿往上爬，傻乎乎地应承下来，那等待他的很可能不是

"抱得美人归"的美妙结局，而是"吃不了兜着走"的尴尬下场。

尉迟敬德当然不会不明白这一点，所以他和李世民之间就配合得相当默契。

当皇帝的，要善于表现自己的慷慨，不妨偶尔表示一下额外的恩典；做臣子的，要懂得恪守自己的本分，知道什么叫作器满则盈、知足不辱。大家把该说的话都说得漂亮一点，不该说的则一句也不说。许多事情点到为止，心照就好。

也许，就是在这种反复的君臣博弈之中，尉迟敬德居安思危的忧患之情才会越来越强烈，所以到了贞观十七年（公元643年），五十九岁的尉迟敬德就不断上疏"乞骸骨"（请求退休），随后便以开府仪同三司的荣誉衔致仕了。

而就在致仕的前一年，尉迟敬德就已经有意识地淡出现实政治，栖心于神仙道术了。史称："敬德末年笃信仙方，飞炼金石，服食云母粉，穿筑池台，崇饰罗绮，尝奏清商乐以自奉养，不与外人交通，凡十六年。"（《旧唐书·尉迟敬德传》）

直到唐高宗显庆三年（公元658年）去世，尉迟敬德基本上一直保持着这种远离政治的生活方式。这一点和李靖晚年"阖门自守、杜绝宾客"的结局可谓如出一辙。

不过，比起历朝历代那些"功高不赏""兔死狗烹"的功臣名将，他们实在应该感到庆幸了。就算是跟同时代的人比起来，他们也远比后来因涉嫌谋反而被诛的侯君集、张亮等人聪明得多，也幸运得多。

从这个意义上说，也许正因为唐太宗李世民能把这种"恩威并施"的帝王术运用得炉火纯青，从而牢牢掌控手中权力，所以才能与绝大多数元勋宿将相安无事，善始善终，而不至于像历代帝王那样，在江山到手、权力稳固之后就迫不及待地屠杀功臣，以至在历史上留下难以洗刷的污点和骂名。

政治是聪明人的游戏

除了李靖和尉迟敬德，还有一个初唐名将对李世民的恩威之术也体验得非常深刻。

这个人就是李世勣。

贞观十五年（公元641年）十二月，时任兵部尚书的李世勣突然患病，郎中给他开了一服药方，说必须用"须灰"做药引子才能治病。所谓"须灰"，就是人的胡须所研成的粉末。李世民听说这件事后，立刻前去探视李世勣，并且二话不说就剪下自己的胡须，把它赐给了李世勣。

可想而知，当李世勣双手捧着这几绺天下最尊贵的龙须时，内心是何等感激，又是何等惶恐！

他当即跪倒在地，"顿首见血，泣以恳谢"。

这个药引子的分量实在是太重了！以至于李世勣不但感动得热泪涟涟，而且把头都磕出了血。可即便如此，似乎也远远不足以表达他对皇帝的感恩戴德之情。

李世民宽宏地一笑，说："吾为社稷计耳，不烦深谢！"（《旧唐书·李勣传》）

史书没有记载李世勣是否因服用这服药而得以痊愈，但是我们不难想见，当李世勣把这碗历史上绝无仅有的"龙须汤"喝进肚子里的时候，内心肯定是无比激动、无比滚烫的。李世民的这几绺胡须就算没有对李世勣的身体发挥作用，也足以在他的内心深处发挥某种神奇的效用。

这种神效就是——一个深受感动的臣子在有生之年对皇帝死心塌地地忠诚。

在李世民的帝王生涯中，恩威之术施展得最典型的一次，是在贞观二十三年（公元649年）四月，也就是他生命的最后一刻。

当时李世民已经病势沉重，知道自己即将不久于人世，于是把太子李治叫到身边，给他交代政治遗嘱。

在李世民的遗言中，主要提到的人就是李世勣。

李世民对李治说："李世勣才智过人，但是你予他无恩，恐怕难以使他效忠。我现在把他贬黜到地方，如果他马上出发，等我死后，你就重新起用他为仆射；要是他迟疑拖延，你只能把他杀了！"

五月十五日的朝会上，李世民一纸诏书颁下，把时任同中书门下三品的李世勣贬为叠州（治所在今甘肃迭部县）都督。

没有人知道在接到贬谪令的那一刻，李世勣心中作何感想。

相信他肯定有过一瞬间的震惊和困惑。

然后就是一阵紧张而激烈的思考。

在皇帝病重、帝国最高权力即将交接的这一重大时刻，自己突然无过而遭贬，这到底意味着什么？

李世勣不知道弥留中的皇帝在想什么，也不知道自己最终的结局究竟是福是祸，但是有一点他可以确定——一切都取决于他当下这一刻的选择。

也就是说，是散朝后直接离开长安，赶赴叠州，还是暂时回到家中，静观事态演变？

走还是不走，这是一个问题。

经过片刻思索，李世勣很快做出了决定——他连家都没回，连妻儿老小都来不及告别，径直揣上诏书就踏上了贬谪之途。

听到李世勣当天就起程前往叠州的消息，即将登基的太子李治长长地松了一口气，而弥留中的太宗李世民也感到了莫大的安慰。

李世勣被贬当月，李世民撒手人寰。次月，李治即位。登基仅三天后，李治就把李世勣擢升为洛州（今河南洛阳市）刺史兼洛阳宫留守；半个月后，又加开府仪同三司、并"同中书门下，参掌机密"；同年九月，正式拜其为尚书左仆射。

至此，所有的人肯定都会为李世勣当初所做的那个决定庆幸不已。

因为这个决定不但让李世民父子避免了诛杀功臣的恶名，而且也为高宗一朝留下了一位忠肝义胆的开国元老和辅弼重臣。假如李世勣当初不是当机立断，毅然离京，而是多一念迟疑，回家多耽搁几天，那么下面这一页辉煌历史，有可能就不会这么快出现。

高宗总章元年（公元668年），李世勣以七十五岁高龄挂帅出征，一举平定了高丽。这个曾经让隋文帝杨坚、隋炀帝杨广和唐太宗李世民三个皇帝倾尽国力，终其一生都无法战胜的强悍小国，终于匍匐在了须发皆白的老将李世勣的脚下，也匍匐在了大唐帝国的脚下。

此时此刻，唐太宗李世民倘若九泉之下有知，一定会露出一个欣慰的笑容。

因为他在临终前所走的最后一步棋，似乎仍然影响着他身后数十年的历史。

假如当初没有施展那一招先抑后扬、恩威并施的帝王术，李世勣能否对重新起用他的新天子李治感恩戴德呢？假如没有贞观二十三年"乍落乍起"的人生际遇，李世勣能否深刻意识到，只有在新朝再立新功，他才能福禄永固，富贵长保呢？如果没有这一切，李世勣有没有那么强的动力在七十五岁高龄创造出平定高丽、鹰扬国威的历史功绩呢？

这些问题或许永远没有答案。

但是有一点我们不难发现——"帝王术"在古代政治生活中占据的比重绝对不可小觑，而它对历史所产生的影响有时也远远超乎我们的想象。

以上这些君臣博弈的故事，都是在李世民和武将之间展开的。那么，在李世民与文臣之间，演绎的又是一个什么样的版本呢？

说起贞观的文臣，其代表人物当非房玄龄莫属。

作为后人心目中居功至伟的一代良相，房玄龄对贞观之治所做出的努力和贡献是有目共睹、不言而喻的。史称其"既任总百司，虔恭凤夜，尽心竭节，不欲一物失所……明达吏事，饰以文学，审定法令，意在宽平……论者称为良相焉（《旧唐书·房玄龄传》）"。

毫无疑问，在贞观群臣中，房玄龄绝对是李世民最信任、最得力的心腹股肱之一。

然而，就是这样一位兢兢业业、一心为公的宰辅重臣，也依然会时刻感受到李世民手中那把"钟馗利剑"的森寒之光。

据《旧唐书》记载，大约在贞观初年，房玄龄"或时以事被谴，则累日朝堂，稽颡请罪，悚惧踧踖，若无所容"。意思是他时常会因某些过错而遭到太宗的谴责，以至于一连数日都要到朝堂上叩头请罪，内心恐惧不安，一副彷徨失措、无地自容的样子。

史书并未记载房玄龄到底犯了什么错。

不过这一点其实并不重要。重要的是像房玄龄这种位高权重、深受宠信的臣子，身为皇帝的李世民自然要时常给他念念紧箍咒。这一点我们从李靖、尉迟敬德等人的遭遇就可以明显看出来。

也正因此，所以房玄龄有时候就不仅仅是被"谴责"那么简单。只要唐太宗李世民认为有必要，房玄龄甚至会被勒令停职。

按史书记载，房玄龄在贞观年间至少曾经被停职三次。

第一次大概是在贞观十年（公元636年），也就是长孙皇后病重的那些日子。《资治通鉴》称"时房玄龄以谴归第"，也就是说他遭到太宗的谴责，被勒归私宅。长孙皇后临终前，特意为此事劝谏李世民："房玄龄侍奉陛下时日已久，一贯谦恭谨慎，所有的朝廷机密从未泄露半句。如果没有什么重大过失，希望陛下不要舍弃他。"

此次房玄龄的停职原因史书没有交代，但是有一点我们很清楚——李世民之所以将房玄龄"谴归私第"，绝不是要舍弃他，充其量只是想冷却他。

暂时冷却的目的，当然是希望在适当的时候再把他解冻，然后让他以更加谨慎的态度和更加饱满的热情，加倍地发挥光和热。

所以，不管有没有人劝谏，李世民在适当的时候肯定会召他回来。

对此长孙皇后其实也是心知肚明。不过该劝谏的她还是得劝谏，因为第三者的劝谏有时候也未尝不是给皇帝一个台阶下，好让君臣双方在"握手言和"的时候显得比较自然，也显得比较有面子。

比如贞观二十年（公元646年），房玄龄又一次被停职，时任黄门侍郎的褚遂良就连忙上疏，列举了房玄龄对国家的诸多贡献："玄龄自义旗之始翼赞圣功，武德之季冒死决策，贞观之初选贤立政，人臣之勤，玄龄为最。"（《资治通鉴》卷一九八）然后褚遂良说，假如不是犯了什么不赦之罪，就不应该把他摒弃；如果是因为他年迈体衰，陛下可以暗示他主动致仕。若非如此，只是因为一些小过失，希望陛下不要抛弃跟随数十年的元勋老臣。

褚遂良的谏言句句在理，当然给足了双方面子，所以李世民很快就把房玄龄召回了朝廷。

但是，并不是李世民每次把房玄龄"赶"回家去，都有和事佬出来打圆场。比如房玄龄这次复职没多久，就再一次"避位还家"，史书还是没有说明具体原因，但记载了这次复出的过程。

这个过程很简单，却很微妙。

再次把房玄龄"遣归"后，一连过了好几天，始终没人来劝谏，李世民不免有些着急。朝中政务繁冗，绝不允许他把房玄龄晾太久，可李世民一时又找不到什么好听的理由公开让房玄龄复职。

该怎么办？

李世民毕竟是聪明人，他很快就有了办法。

这一天，李世民忽然告诉侍臣，说他要去芙蓉园游玩。芙蓉园位于长安东南角的曲江，要去那里必然要经过房玄龄的宅邸。房玄龄得知消息后，立刻命子弟洒扫门庭。子弟问其故，房玄龄笑着说："皇上随时会驾到！"

片刻之后，龙辇果然"顺道"来到了房府的大门口，然后太宗李世民就"顺便"进来看望赋闲在家的房玄龄，最后又"顺带"用御辇把房玄龄接回了皇宫。

这个故事很经典。

除了表明李世民和房玄龄之间的默契和相知之外，这个故事的经典之处还在于，它告诉我们——政治是聪明人之间玩的游戏。

只有读懂人心，才能读懂政治。

综观李世民跟房玄龄玩的这些政治游戏，我们不难解读出这样一些内涵。

首先，不管是身为皇帝的李世民还是身为宰相的房玄龄，他们心里都很清楚，要把贞观的政治局面玩好玩大，要想建功立业、青史留名，他们两个就谁也离不开谁。从这个意义上说，他们是伙伴关系。但是，君就是君，臣就是臣，这个界限到任何时候都是不能模糊的，所以，他们之间更主要的还是主仆关系。

在这两重关系之下，情况就变得有些微妙而复杂。

作为皇帝的李世民，必须"两手抓，两手都要硬"。一方面，李世民必须给予房玄龄最尊崇的地位和官爵，对他寄予最大的信任，赐给他人臣所能享有的最高恩典，比如把女儿高阳公主嫁给房玄龄的次子房遗爱，又让弟弟韩王李元嘉娶了房玄龄的女儿当王妃，以此加强双方的情感纽带和利益联结。

这些都属于"恩"的范畴，目的是赢得房玄龄的绝对效忠。

另一方面，李世民又必须经常玩一些"小动作"，时不时把房玄龄"谴归私第"，晾在一边。这么做的目的有三：一是检验自己对权力的掌控程度，以防被暗中坐大的"权臣"架空；二是借此显示皇权的威严，让房玄龄懂得，君与臣之间，有一道永远不能跨越的界限，所以，保持一个适当的距离对双方都有好处；三是提醒房玄龄：虽然你很重要，但是你千万不要以为朝廷离了你就不转了。你应该始终保持戒骄戒躁、谦虚谨慎的态度，永远不能骄傲自大、忘乎所以。

这些都属于"威"的范畴，目的是让房玄龄时刻牢记——我是君，你是臣；政治第一，友谊第二。

其次，对于房玄龄而言，或许一开始他对李世民的帝王术还比较陌生，所以在贞观初年一被批评就吓得惶惶不可终日，可他后来就逐渐明白了——皇帝手中的那把"钟馗利剑"尽管看上去有些可怕，可它通常只是起一种威吓作用的，只要你忠心不改，恪尽职守，那把剑就不会真的往你身上招呼。

正因为房玄龄后来弄懂了这一点，所以他自然而然就有了"一颗红心，两手准备"。

一方面，他虽然仍旧对他的本职工作兢兢业业，却时刻有着被皇帝"谴归私第"的心理准备。他不但再也不会被皇帝的批评吓得寝食难安，而且就算被停职，他也权当是度假。因为他知道皇帝离不开他，朝廷离不开他，所以不管怎么"谴归"都能很快官复原职，一点也不用担心。

可另一方面，他也深深懂得，自己所享有的一切荣宠和恩泽都是天子的赐予，假如稍有不慎，随时有可能被天子全盘收回。所以，必须时刻保持临深履薄、戒慎恐惧之心，越是皇恩浩荡，越是要谦逊辞让。总而言之一句话，做事必须尽职尽责，才能显示能力；但做人必须谦恭低调，才能显示品德。有才有德，才是让领导放心的好下属。

有一件事情，可以充分说明房玄龄的这种"觉悟"。

贞观十三年（公元639年），时任左仆射的房玄龄又被李世民加封为太子少师，不仅肩负国之重任，而且更兼辅弼少主之责，房玄龄大为惶恐，不断上表请辞仆射之职。李世民当然没有批准，而是下诏对他进行了勉励，房玄龄没办法，只好硬着头皮答应下来。到了太子拜师那天，东宫举行了隆重的仪式，一切都已准备停当，可房玄龄却"深自卑损，不敢修谒，遂归于家"。他深感自己不够资格，所以不敢去东宫接受太子礼拜，只好躲在家里，始终不愿露面。

房玄龄的谦卑赢得了时人的一片赞誉。《旧唐书》称："有识者莫不重其崇让。"

这一切当然也被李世民看在了眼里，所以他对房玄龄越来越感到满意。

贞观十六年（公元642年），李世民又进封房玄龄为司空，仍旧让他总揽朝政，并且监修国史。房玄龄再次上表请辞，李世民又下诏勉励他说："昔留侯让位，窦融辞荣，自惧盈满，知进能退，善鉴止足，前代美之。公亦欲齐踪往哲，实可嘉尚。然国家久相任使，一朝忽无良相，如失两手！公若筋力不衰，无烦此让。"（《旧唐书·房玄龄传》）

这段话看上去好像是普通的慰勉之词，实则大有深意。所谓"自惧盈满，知进能退，善鉴止足"，其实正是李世民对臣下的一种要求。假如做臣子的都能具备这样的美德，或者说都能谙熟这样的游戏规则，那皇帝自然就没有什么放心不下的。换言之，臣子越是谦让，皇帝反而会更加信任他，越敢把权力交给他。所以李世民才会毫不避讳地说了一句大实话："忽无良相，如失两手！"朝廷一天没有好宰相，就像失去了左膀右臂一样。

正是因为对房玄龄的信任，所以贞观十九年（公元645年），当李世民御驾亲征高丽的时候，才会命房玄龄留守长安，把朝政大权全部委托给他，让他"得以便宜从事，不复奏请"（《资治通鉴》卷一九七）。

这实际上就是赋予了他皇权代理人的身份和权力。

那么，面对李世民交给他的无上信任和权力，房玄龄又是怎么做的呢？

有一天，房玄龄正在留守衙门办公，有人突然闯进来，口口声声说要告密。房玄龄问他告谁的密，那人说："告你的密！"

房玄龄一听，连想都没想，立刻命人准备车马，把这个告密者直接送到了前线天子的行在。

李世民听说留守送来了一个告密者，刚开始颇为诧异。因为以房玄龄的能力而论，他是不可能随随便便把皮球踢给皇帝的，更何况此时皇帝还在前线打仗。所以李世民断定，若非出于某种特殊原因，房玄龄是绝不会这么做的。

李世民转念一想，马上就猜出了答案。

他随即命人持刀列队，然后接见告密者，问他要告谁，那人回答说："房玄龄。"

李世民冷笑一声："果然！"当即喝令左右，二话不说就把那个告密者腰斩了。

事后李世民给房玄龄下了一道手诏，责怪他不够自信，还说："更有如是者，可专决之！"（《资治通鉴》卷一九七）

这又是一个典型的按照规则来玩的政治游戏。

作为房玄龄，虽然被皇帝赋予了专断之权，但是碰上这档子事，他是万万不能专断的。因为这件事实际上是把房玄龄推到了一个极为尴尬的境地，那就是——要恪尽一个留守的职责，还是要谨守一个臣子的本分？

如果房玄龄选择前者，自作主张把这个人杀了，那固然是尽了留守的职责，可皇帝过后一旦知道了这件事，会不会对房玄龄起疑心呢？会不会觉得房玄龄过于独断专行，因而对他产生不满和戒备呢？

完全有这种可能。

所以房玄龄宁可挨骂，也必须把事情交给皇帝处理。这么做，一来可以证实自己的清白，二来可以表明自己的忠诚，最后还能向皇帝传递出这样的信息——在任何情况下，他都会谨守人臣本分，碰到必须由皇帝亲自处理的事情，他绝不会越俎代庖。

而作为李世民，他内心对房玄龄这种做法其实是很满意的。他之所以在听到告密者的回答时会说出"果然"二字，是因为他猜出了告密者的来意；而他之所以能猜出告密者的来意，恰恰是因为他了解房玄龄的性格，也知道房玄龄这么做的用心所在。

可即便李世民觉得房玄龄这么做是对的，表面上他也必须"责怪"他，并且重申对他的授权和信任，这样才能展示一个皇帝用人不疑的胸怀。

总之，君臣双方其实都明白是怎么回事，但都要按照游戏规则把属于自己的那个角色演好。所以我们说——政治是聪明人之间玩的游戏。

| 第七章 |

出门有忠臣，回家有贤妻

魏徵：忠臣忠言不逆耳

在中国历史上，有资格被誉为千古一帝的皇帝肯定不多，就算能找出几个，大半也都有争议。如果一定要找一个共识最多、争议最少的，那恐怕就非唐太宗李世民莫属了。

但是，即便李世民能当之无愧地获此殊荣，也并不表明他就是完美无瑕的。

无论李世民如何天赋异禀，才智过人，他身上也难免会有一些人性的弱点。

换句话说，李世民之所以能成为中国历史上屈指可数的杰出政治家，并不是因为他没有弱点，而在于他有个办法对治自己身上的弱点。

这个办法说起来也很简单，就是两个字——纳谏。

纳谏这种事，说起来简单做起来难。因为人都是爱面子的，没有谁喜欢被人批评。就算是一个普通人，也不愿意整天被人说三道四、指手画脚，更不要说一个至高无上的皇帝了，他们通常更听不进任何不和谐音。

然而，李世民偏偏就愿意听。

不但愿意听，而且对此求之若渴，甘之如饴。

这并不是说李世民天生就是一个受虐狂，而是因为他深知这样一些道理："兼听则明，偏信则暗"；"人欲自照，必须明镜，主欲知过，必借忠臣"；"明主思短而益善，暗主护短而永愚"……

鉴于隋朝二世而亡的历史教训，李世民一直具有非常强烈的忧患意识。他认为，倘若当皇帝的都像隋炀帝那样"好自矜夸，护短拒谏"，那么结果就是"人臣钳口"，最终必然"恶积祸盈，灭亡斯及"。所以早在贞观元年，李世民就一再对大臣们强调："前事不远，公等每看事有不利于人，必须极言规谏。"（《贞观政要》卷二）

在李世民的极力倡导和鼓励下，贞观群臣谏诤成风，人人勇于进言。而其中对李世民影响最大、对贞观善政贡献最多、在历史上享有"第一诤臣"之美誉的人，无疑就是魏徵。

魏徵曾经有过一个奇怪的言论。

他说他不想当忠臣。

不想当忠臣，难道还想当奸臣？

不，魏徵说，他想当一个"良臣"。

贞观元年，当魏徵在朝堂上公然说出这番话的时候，李世民大为诧异："忠臣和良臣有什么区别吗？"

魏徵说："所谓'良臣'，应该像稷、契、皋陶那样，身获美名，君受显号，子孙传世，福禄无疆；而所谓'忠臣'，只能像龙逄、比干那样，身受诛夷，君陷大恶，家国并丧，空有其名。从这个意义上说，二者区别大了！"

李世民恍然大悟，"深纳其言"，当即赐给魏徵五百匹绢。

魏徵的这番言论乍一听很有颠覆性，其实只是说明了这样一个道理——当臣子的固然要对君主尽忠，但这种忠却不应该是愚忠，而是巧忠。也就是说，进谏并不是以一味蛮干、面折廷争为美，而是要讲究力度、角度、限度，以君王乐于接受为前提，以刚柔相济、恰到好处、切实可行为美。

《菜根谭》中有一句话说："攻人之恶勿太严，要思其堪受；教人之善勿过高，当使其可从。"魏徵的进谏，有时候就颇能体现这种中道的智慧。

比如贞观二年，李世民曾经用一种颇为自得的口吻对大臣们说："人们都说天子至尊无上，所以无所忌惮，可朕就不是这样的。朕总是上畏皇天之监临，下畏群臣之瞻仰，兢兢业业，犹恐上不合天意，下不符人望。"

李世民所说的固然是实情，可像他这样自己说自己的好，未免就有点矜夸的味道，而且潜意识里也是希望博得群臣的赞美。

这个时候，魏徵发话了。他说："此诚致治之要，愿陛下慎终如始，则善矣。"（《资治通鉴》卷一九二）

魏徵这话听上去像是在赞美，实际上却是在针砭。

因为它强调的是"慎终如始"这四个字。这就等于是说——陛下能这样当然好，但是最好能保持下去；假如不能持之以恒，现在高兴未免太早。

李世民是个聪明人，当然不会听不出这层弦外之音。

这样的进谏可谓寓贬于褒，既挠到了皇帝的痒处，又点到了皇帝的痛处，实在是含蓄而又巧妙。

类似的对话在贞观五年还有一次。当时国内安定，天下丰稔，东突厥又彻底平定，整个大唐帝国一片欣欣向荣，李世民又对侍臣说："今中国幸安，四夷俱服，诚自古所希！然朕日慎一日，唯惧不终，故欲数闻卿辈谏争也。"

这一次李世民的话就说得比较全面了，他一方面为自己取得了"自古所希"的历史功绩而自豪，但另一方面也表示了戒慎恐惧之心。

所以魏徵就说："内外治安，臣不以为喜，唯喜陛下居安思危耳。"

魏徵并不对这种天下大治的喜人形势歌功颂德，而是对皇帝居安思危的谨慎态度表示赞赏。这种发言显然要比纯粹的附和之词高明许多。

正是由于魏徵的谏言往往既委婉又能击中要害，李世民才会评价说："人言魏徵举动疏慢，我但觉妩媚。"（《旧唐书·魏徵传》）"妩媚"

二字，堪称绝妙。

当然，魏徵的谏言也并不都是这么妩媚的。

如果每次进谏都拐弯抹角，那最后就算不流于阿谀谄媚，也会变得庸庸碌碌。倘若如此，那魏徵也绝不可能被李世民所倚重，更不可能以诤臣之名享誉后世。

所以，该据理力争的时候，魏徵也绝不含糊。

史称魏徵"犯颜苦谏"的时候，"或逢上怒甚，徵神色不移，上亦为之霁威"（《资治通鉴》卷一九三）。意思是说：每当李世民被魏徵的谏言刺激得怒不可遏的时候，魏徵总是毫无惧色，李世民到最后也不得不收起帝王的威风，把自己的怒火强压下去。

有两则小故事颇能说明李世民对魏徵的这种忌惮之情。

有一次魏徵离京去祭扫祖墓，回来的时候听说皇帝打算去终南山游玩，连仪仗队和随从都已整装待发，可后来却无故取消了，魏徵就问皇帝有没有这回事。李世民尴尬地笑着说："当初确实有这个想法，但是怕你生气，只好作罢了。"

还有一次，有人进献了一只漂亮的鹞鹰，李世民非常喜欢，就让它站在自己的手臂上，正在逗弄玩耍，忽然看见魏徵走了进来，情急之下赶紧把鹞鹰塞进怀里。魏徵其实早就看在眼里，可他嘴上却不说，故意在奏事的时候把时间拖得很长。等到他告辞离去，鹞鹰早已活活闷死在李世民的怀里了。

魏徵平常的谏诤一般都会讲究方式方法，可要是碰到至关重要的大事，魏徵也会与太宗面折廷争。

君臣之间最激烈的一次言语交锋，发生在贞观六年春天。

当时的大唐王朝四海升平，国泰民安，所以满朝文武纷纷劝请太宗前往泰山封禅。"公卿百僚，以天下太平，四夷宾服，诣阙请封禅者，首尾相属。"（《册府元龟》卷三十五）

所谓封禅，是帝王祭告天地的一种大典。泰山是五岳之首，所以封禅大典都在泰山举行——于泰山设坛祭天曰"封"，于泰山南麓的梁父山辟基祭地曰"禅"。在古代中国，泰山封禅既是太平盛世的象征，也是帝王功业鼎盛的标志。但并不是所有帝王都有资格获此殊荣。在唐朝之前，只有秦始皇、汉武帝，还有东汉的光武帝等少数几个自认为建立了丰功伟业的帝王，才敢举行封禅大典。

对此，李世民内心当然也是满怀渴望。

但是当百官劝请时，李世民一开始还是谦虚地推辞了一下。他说："诸位贤卿皆以封禅为帝王盛事，但朕却不这么看。如果天下安定，家家户户丰衣足食，就算不封禅，又有什么损失？昔日秦始皇封禅，而汉文帝不封禅，后世难道以为文帝之贤不如始皇吗？况且即使是祭拜天地，又何必一定要登泰山之巅，封数尺之土，才算表达出对天地的诚敬呢？"

群臣都知道这只是皇帝的客套话，所以还是极力劝请。

后来李世民就顺水推舟地答应了。虽然表面上似乎有点勉强，可大家都知道，其实皇帝心里还是很乐意的。

就在皇帝和满朝文武其乐融融地探讨具体的行程安排和相关事宜的时候，魏徵忽然表情严肃地站了出来，坚决表示反对。

李世民脸色一沉，问："你不赞成朕封禅，是不是认为朕的功业还不够高？"

魏徵说："够高。"

李世民又问："那是不是德不够厚？"

魏徵说："够厚。"

"是不是社稷还不安定？"

"已经安定。"

"是不是四夷尚未臣服？"

"都已臣服。"

"是不是庄稼还没有丰收？"

"丰收了。"

"是不是祥瑞还没有呈现？"

"呈现了。"

"既然如此……"李世民冷笑着说，"那为何还不能封禅？"

魏徵从容自若地回答道："陛下虽然已经拥有这六项成就，但是，我朝承隋末大乱之后，户口凋零，仓廪空虚，陛下一旦车驾东巡，千乘万骑，每到一处，地方州县必定难以承受各种负担。更何况，陛下举行封禅大典，四夷君长必定前来共襄盛举，可如今自伊水、洛水以东，至于东海、泰山，村庄寥落，人烟断绝，道路萧条，进退艰阻，极目所见，千里蛮荒。这岂不是引戎狄至我腹地，然后示之以虚弱吗？再者说，即使给予四夷君长厚重的赏赐，也未必能满足他们远道而来的愿望；纵然免除百姓几年的捐税赋役，也未必能弥补他们的损失。为了博得一个封禅的虚名，却遭受一些实实在在的损害，这对陛下又有什么好处？"

李世民听完，不得不表示赞赏，立即停止了封禅的动议。"太宗称善，于是乃止。"（《贞观政要》卷二）然而他在感情上其实是不太情愿的。

碰巧，几天后黄河两岸的几个州突然爆发了严重的洪涝灾害，满朝文武再也不敢提半个字，封禅之事就此不了了之。可是在内心深处，李世民其实一直都没有放弃封禅的想法。"终太宗世，未行封禅，然帝意亦非遂终止也。"（《魏郑公谏录》卷二）

魏徵这次谏诤虽然得到了李世民的采纳，但此事多少还是伤及了皇帝的自尊心，所以那些日子，李世民一直看魏徵不顺眼，再也不觉得他妩媚了。

有一天，可能魏徵又因什么事触怒了太宗，所以散朝之后，李世民怒气冲天地回到宫中，咬牙切齿地说："找个机会一定要杀了这个乡巴佬！"

长孙皇后大为惊愕，连忙问皇帝说的是哪个乡巴佬。

李世民脸色铁青："就是魏徵！他经常在朝堂上当众羞辱我。"

长孙皇后听完，一声不响地退回寝殿，片刻后就一身凤冠霞帔地来到皇帝面前。李世民大为诧异，问她穿得这么隆重干什么。长孙皇后说："臣妾听说，君王英明，臣子一定正直。如今魏徵之所以敢直谏，正是由于陛下的英明，臣妾怎么能不道贺！"

李世民本来也没想杀魏徵，他这么说其实只是发泄发泄而已。现在皇后又给了他这么大一顶高帽，他当然更没有理由生气了，于是就把连日来的不愉快全都抛到了九霄云外。

长孙皇后实在是一个既贤淑又聪慧的女人。因为此举不但保全了魏徵，而且维护了皇帝的尊严，诚可谓一举两得。

古代有一种传说，说龙的咽喉部位"有逆鳞径尺，人有撄之，则必杀人"（《韩非子·说难》）。其实意思就是说绝大多数帝王都容不得臣子进谏。所以，历朝历代因犯颜直谏、触逆龙鳞而被帝王诛杀的臣子不知凡几。

然而贞观一朝却人人敢于犯颜直谏，这其中的主要原因就在于唐太宗李世民确实具有从谏如流的见识和器度。而魏徵之所以在谏诤上表现得最为突出，也是因为他知道太宗求谏的诚意和决心要远远大于历代帝王，因此必然需要像他这种知无不言、言无不尽的诤臣。

从这个意义上说，魏徵的谏诤行为也不完全是出于他的正直和勇气，而是基于一种精明而准确的判断。

关于这一点，魏徵自己就曾经当着李世民和其他大臣的面坦言："陛下导臣使言，臣所以敢言。若陛下不受臣言，臣亦何敢犯龙鳞、触忌讳也！"（《贞观政要》卷二）

这确实是一句大实话。

可想而知，以魏徵那套"只当良臣、不当忠臣"的为官之道和处世哲学来看，假如李世民是一个猜忌刻薄的昏聩之君，那魏徵到头来也只能是一个明哲保身的平庸之臣。

所以，只要李世民有成为明君的愿望，魏徵就有成为诤臣的动力。他们是相互需要、相互成就的。用李世民自己的话说，他们的关系就如同鱼和水——"君臣相遇，有同鱼水，则海内可安"，又像是金矿与良工——

"公独不见金之在矿，何足贵哉？良冶锻而为器，便为人所宝。朕方自比于金，以卿为良工。"（《贞观政要》卷二）

如果我们问：李世民的千古一帝是怎样炼成的？那么从他自己的比喻中，或许就能找到答案——

即便李世民是一个天赋异禀、才智过人的皇帝，最初他也只是像金子蕴藏在矿石中一样，体现不出任何价值。只有经过"良工"耐心细致地斧凿敲打，日复一日，千锤百炼，才能最终把他身上的杂质和瑕疵一一敲打掉，让矿石中的黄金绽放出璀璨的光芒。换言之，假如没有诤臣的监督、约束和针砭，李世民即使天赋再高、能力再强，最终也可能毫无建树，甚至有可能重蹈隋王朝之覆辙，沦为像隋炀帝杨广那样的亡国之君。

正如《菜根谭》所言："欲做精金美玉的人品，定从烈火中煅来；思立掀天揭地的事功，须向薄冰上履过！"李世民的明君之路，又何尝不是这么走过来的。

魏徵一生对李世民的谏言无数，其中有一句出自《荀子》的话曾经被广为传颂，成为后世引用频率最高的一句政治格言。这句话就是——"君，舟也；人，水也。水能载舟，亦能覆舟！"

在李世民二十三年的帝王生涯中，这也许是时刻萦绕在他耳旁、倏忽不敢忘怀的一句话。

贞观十七年（公元643年）正月，魏徵病殁。李世民"亲临恸哭，废朝五日，赠司空、相州都督，谥曰文贞"，并且亲自撰写了墓志铭，书于碑石之上。

在随后的日子里，李世民一直沉浸在绵长的哀思之中。

魏徵的离世不仅让李世民失去了一个臣子，更让他失去了生命中最重要的一位良师益友。

在一种难以排遣的寥落和寂寞中，李世民不禁对侍臣发出了一番感叹，这番话从此也和他们君臣二人的名字一起，永远镌刻在了青史之上，令无数后人感慨和深思——

"夫以铜为镜,可以正衣冠;以古为镜,可以知兴替;以人为镜,可以明得失。朕常保此三镜,以防己过。今魏徵殂逝,遂亡一镜矣!"(《旧唐书·魏徵传》)

长孙皇后:成功男人背后的女人

都说,一个成功男人的背后肯定站着一个女人。

这句话确实有道理。李世民这个成功男人的背后,就站着一个了不起的女人——长孙皇后。

古人经常用"母仪天下"这个词来形容皇后,意思是作为皇后的这个女人,其修养、德行、智慧、才情、气度、仪容,都应该成为普天之下所有女性的典范和表率。

然而,纵观中国历史,我们却不无遗憾地发现——配得上这个称号的皇后实在是寥若晨星,屈指可数。

而在历史上为数不多的好皇后中,长孙氏绝对是其中非常出众的一位。她是一个绝对称得上母仪天下的女人。

在这个世界上,大多数男人都热衷于追求权力,这一点是毋庸置疑的。而相当一部分女人在这方面似乎也不遑多让。

所以才会有哲人说:"男人通过征服世界而征服女人,女人通过征服男人而征服世界。"

在男人看来,一旦得到权力自然就会得到一切;而在女人看来,一旦征服了男人自然就会得到权力。中国历史上好几个垂帘听政的皇后相信都会对这句话深有同感。

可是,这句话在长孙氏身上却不太适用。长孙氏既不热衷于征服男人,也不热衷于征服世界。

她热衷的事情只有一件——辅佐他的男人征服世界。

当我们翻阅史籍时不难发现，长孙皇后身上最值得后人称道的第一个优点就是——尽力辅佐，但绝不干政。

早在长孙氏还是秦王妃的时候，就在政治上为李世民提供了很大的助力。当时李世民正和太子齐王斗法，在后宫这条战线上显然处于下风，于是长孙氏便"孝事高祖，恭顺妃嫔，尽力弥缝，以存内助"，为李世民最终成功夺嫡创造了许多有利条件。而玄武门事变当天，长孙氏更是和李世民一起站在了第一线，既解除了李世民的后顾之忧，更坚定了李世民及其麾下将士的信心和斗志。

正是因为一路走来，长孙氏能够与李世民一起沐风栉雨、同生死共进退，所以李世民登基之后对长孙氏更为倚重，时常想和她讨论朝政，可长孙氏却说："'牝鸡之晨，唯家之索。'妾妇人，安敢豫闻政事！"（《资治通鉴》卷一九一）李世民坚持要和她讨论，可长孙氏却始终保持沉默。

长孙氏不但自己绝不干政，而且极力避免让自己的亲族掌握太大的权力。

在中国历史上，很多朝代的衰亡都和外戚擅权有直接关系，比如两汉在这方面就表现得非常典型。长孙氏从小在舅父高士廉的影响下熟读经史，自然对此深怀戒惧。所以在贞观元年七月，当李世民准备擢升长孙无忌为宰相的时候，长孙氏就极力劝阻，对李世民说："妾既托身紫宫，尊贵已极，实不愿兄弟子侄布列朝廷。汉之吕、霍可为切骨之诫，特愿圣朝勿以妾兄为宰执。"（《旧唐书·文德皇后长孙氏传》）

可李世民不听，执意任命长孙无忌为尚书右仆射、兼吏部尚书、左武候大将军。

如果长孙皇后不再表示反对，默认了这件事，那人们似乎就有理由怀疑——她先前的劝阻只不过是一种欲迎还拒、故作谦让的作秀罢了。

然而，长孙皇后绝不是作秀。诏书一下达，她私下里立刻去找他的兄长，坚决反对他接受任命。长孙无忌没办法，只好向李世民一再请辞。最后搞得李世民也很无奈，只好改授他开府仪同三司的荣誉衔。至此，长孙皇后才如释重负。

长孙兄妹有一个同父异母的兄长，叫长孙安业，比他们兄妹年长许多，是一个"嗜酒无赖"的纨绔子弟。当长孙兄妹尚且年幼之时，他们的父亲长孙晟亡故，长孙安业立刻把兄妹二人赶出了家门，让他们去投靠舅父高士廉。

当时的长孙安业当然不会想到，被他赶出家门的这两个孩子日后居然飞黄腾达，一个成了帝国的宰相，一个成了天下最有权势的女人——皇后。

而让他更想不到的是，长孙氏得势之后，不但没有因为以前的事情报复他，反而以德报怨，屡屡让皇帝对他"厚加恩礼"，最后还让他当上了京城的监门将军。

可惜长孙安业终究是一个不懂得惭愧和感恩的小人。

贞观元年（公元627年）十二月，他居然恩将仇报，丧心病狂地参与了一次未遂政变，把自己推向了灭亡的边缘。

当时，心怀异志的利州都督义安王李孝常因事入朝，暗中联络右武卫将军刘德裕和监门将军长孙安业等人，与他们"互说符命"，准备利用他们手中掌握的禁军发动政变。不料未及行动，他们的阴谋便全盘败露。以李孝常为首的政变分子当即被一网打尽，全部被捕入狱。

这其中当然也包括长孙安业。毫无疑问，等待他们的只有死路一条。按说这回长孙安业绝对是咎由自取，罪有应得，任凭天王老子来也救不了他了。可是，居然还是有人想救他一命。

这个人就是长孙皇后。

不过，她之所以想救长孙安业，绝不是简单地出于妇人之仁，而是有着更深层的考虑。

她流着眼泪对李世民说："安业之罪，诚当万死！但是天下人都知道，他曾经对臣妾做过绝情之事，如今一旦将他处以极刑，天下人必然认为是臣妾想报复他，这对于朝廷的名誉恐怕会有损害。"

李世民觉得很有道理，随后便赦免了长孙安业的死罪，将他流放巂州。

从长孙安业的事情上，我们不难发现，长孙皇后身上确实有许多优秀的品质。首先，对长孙安业不计前嫌，以德报怨，这足以表明她的善良和宽容；其次，当不知好歹的长孙安业竟然又"以怨报德"的时候，长孙皇后能再次替他求情，这就不仅仅是善良所能概括的了。这里体现的是一种智慧——一种顾全大局的智慧。

如果说李世民是一块蕴藏在矿石中的金子，那么善于对他进行"斧凿"的良工绝不仅仅只有魏徵一人。

除了朝中还有很多善谏的大臣之外，在后宫，长孙皇后也是时常对李世民进行规谏的一大良工。

李世民扬言要杀魏徵的那次，我们就已经领略了长孙皇后的聪明和善巧，下面这则故事同样可以表明这一点。

有一次李世民得到了一匹骏马，喜欢得不得了，就命宫人好生饲养。没想到刚养了几天，这匹马突然无病而暴死。李世民勃然大怒，立刻下令要杀了这个宫人。

为了区区一匹马而杀人，这显然有损李世民的明君形象。于是长孙皇后当即站出来劝谏。这一次，她还是用了一个巧妙的手段，并不直接进谏，而是给李世民讲了一个故事。

故事说的是春秋时期，齐景公也因喜爱的马死了，要杀养马人，当时的三朝老臣晏子就指着那个养马人的鼻子破口大骂："你犯了三宗罪你知不知道？第一宗罪，好好的马被你养死了；第二宗罪，害得我们的国君为马而杀人，百姓听说了，一定会骂我们的国君不仁；第三宗罪，四方诸侯知道这事，也一定会轻视我国……"等晏子骂完这些话，旁边的齐景公很自觉，一句话也没说就把那个养马人放了。

说完这个故事，长孙皇后对李世民说："陛下肯定从史书中读到过这个故事，莫非是把它忘了？"

李世民听完后，反应和齐景公如出一辙，马上就赦免了那个宫人。

类似这样的劝谏还有很多。比如李世民有时候一生气，难免会迁怒宫人，往往因为一些小事就要治她们死罪。而长孙皇后总是装出一副比皇帝更生气的样子，让皇帝把这些犯了错的宫人交给她，由她处置。然后皇后便将她们暂时拘押，事实上是把这些宫人暗中保护了起来。等过了一些日子，李世民的气消了，长孙皇后才慢慢分析个中道理给他听，证明那些宫人其实是无罪的，从而多次避免了滥杀无辜，"由是宫壶之中，刑无枉滥"。

正是因为有长孙氏这样的贤内助屡屡帮李世民矫正错误，弥补缺失，所以李世民才会颇为感慨地对房玄龄说："皇后庶事相启沃，极有利益尔。"（《贞观政要》卷二）

很显然，有长孙皇后和魏徵这一内一外两大良工的"斧凿"和"敲打"，李世民这块矿石中的金子想不发光都难。

长孙氏在后人的心目中之所以能成为皇后的楷模，李世民夫妇之所以能成为历史上著名的模范夫妻，其主要原因不仅是长孙氏能在政治上尽力辅佐李世民，更是因为在生活上，他们的伉俪情深也足以让后人感动。

大约在贞观七年（公元633年），李世民患上了"气疾"，将近一年都没有痊愈，长孙皇后一直守候在李世民身边，日夜悉心照料。由于担心李世民的病情不能好转，此时的长孙氏做出了一个令人意想不到的举动。

她把一包毒药藏在衣带中，对亲近的侍女说："皇上若是有什么三长两短，我绝不独自求生！"

而更让人感动的是，长孙氏自己其实是抱病照顾李世民的，因为她本人恰恰也是从小就患有气疾。贞观八年，长孙氏陪李世民一起上九成宫避暑养病。有一天下半夜，柴绍等人突然上山，向李世民报告了一起突发事件。李世民大为震惊，当即全副武装，到前殿询问事件的详情。长孙皇后意识到事态严重，立即带病跟随，左右极力劝阻，长孙皇后却说："皇上如此震惊，我岂能心安！"

或许是因为这次半夜出宫感染了风寒，再加上紧张和焦虑，长孙皇后的病情突然加重，从此一病不起。太子李承乾向母亲建议："所有该服的药物都服过了，您的身体还是没有好起来，不如奏请父皇大赦囚犯，同时度化一些人出家，也许可以得到冥福的庇佑。"

长孙皇后不以为然地说："生死有命，不是人力所能改变。若行善一定有福，那我从没做过坏事，又何必担心？若行善无效，何福可求？'大赦'是国家大事，而佛法是异国之教，对政治不见得有什么助益，何况皇上从来也不信这个，岂能以我区区一介妇人而乱了天下之法？假如一定要照你的话做，我还不如速死！"

可李承乾没有听从他母亲的话，还是认为自己的办法肯定有效，可又不敢上奏皇帝，只好私下去找房玄龄。房玄龄转而上奏李世民。李世民也觉得未尝不可一试，于是准备大赦。长孙皇后得知后极力反对，李世民最后只好作罢。

贞观十年（公元636年）六月，长孙皇后病重不治。弥留之际，她给李世民留下了这样一些遗言。

第一，要求起用房玄龄："玄龄事陛下久……苟无大故，愿勿弃之。"

第二，再次强调不要让自己的亲族掌权："慎勿处之权要，但以外戚奉朝请足矣。"

第三，要求薄葬："愿勿以丘垄劳费天下，但因山为坟，器用瓦木而已。"

第四，最后的谏言："愿陛下亲君子，远小人，纳忠谏，屏谗慝，省作役，止游畋，妾虽没于九泉，诚无所恨！"（《资治通鉴》卷一九四）

讲完这些，长孙皇后取出一直藏在衣带中的毒药，最后说了一句："臣妾在陛下卧病的那些日子，发誓以死跟随陛下，绝不像吕后那样！[1]"。

六月二十一日，长孙皇后崩于立政殿，年仅三十六岁。

长孙皇后生前曾经编纂了一本有关古代妇女言行得失的书，共三十卷，名为《女则》。但她只是将其作为自己立身处世的准则，并不是想以此博取声誉，所以一直叮嘱宫人不要告诉李世民。直到她去世后，宫人才把这本书交给李世民。

李世民睹物思人，泫然泪下，悲恸不已，对近臣说："皇后此书，足以垂范百世！朕非不知天命而为无益之悲，但入宫不复闻规谏之言，失一良佐，故不能忘怀耳！"（《资治通鉴》卷一九四）

无论从哪个方面来看，长孙皇后的早逝对李世民而言都是一个莫大的损失。晚年的李世民之所以在政治上和生活中都犯下许多错误，未能做到"慎终如始"，其中一个很重要的原因，就是因为外无魏徵的犯颜直谏，内无长孙皇后的拾遗补阙。假如长孙皇后能伴随李世民走得更远一点，乃至共同走完人生岁月，那么，我们似乎有理由相信——李世民千古一帝的形象一定会更加完美，而贞观的历史也无疑会更加璀璨。

自制力：战胜人性的弱点

李世民的成功，固然与魏徵和长孙皇后等人的规谏和辅佐息息相关，但是有一点我们却不能不强调，那就是——假如李世民本身根本不是一块当明君的料，那身边不管有多少个魏徵和长孙氏，无论他们怎么"斧凿"和"敲打"，李世民也绝对不可能"发光"，所谓的千古一帝当然也就无从谈起。

1　西汉的吕雉在汉高祖刘邦死后，打击刘姓宗室，极力扶植外戚，擅权揽政，历时八年，史称"吕氏之祸"。

所以，关键还是在于李世民自己。

贞观二年，李世民就曾经对侍臣说："古人云：'君犹器也，人犹水也，方圆在于器，不在于水。'故尧、舜率天下以仁，而人从之；桀、纣率天下以暴，而人从之。下之所行，皆从上之所好。"（《贞观政要》卷六）

君犹器，人犹水；下之所行，皆从上之所好。

李世民的见解可谓精辟！

如果一个皇帝不具有明君的潜质，其他人再怎么努力帮他也是白搭。说难听点，在一堆石头上敲打一万年也敲不出一座金矿，给一只鸡插再多羽毛也变不出一只凤凰。

由此可见，李世民最后之所以能成就千古一帝的功业和盛名，除了外界的助力之外，更需要他本身具有一种内在的人格力量。

这种力量就是——自制力。

一种能战胜自身人性弱点的高度的自制力。

俗话说："英雄难过美人关。"古往今来，许多意志坚定、功成名就的男人通常挡不住美女的诱惑。他们纵然可以征服天下，可往往会在某个美女的石榴裙下变得软弱无力，不堪一击。

那么，作为一世英雄的李世民，在面对美人的时候又是如何表现的呢？

贞观二年十二月，李世民在宫中宴请新任的代理侍中王珪，当时旁边就有一位绝色美女在侍宴陪酒。她是庐江王李瑗的姬妾，李瑗因谋反伏诛后，这个美女就被"籍没入宫"，成了李世民的妃子。

酒酣耳热时，李世民指着这个美女对王珪说："庐江王不是东西，当初因为贪图她的美色，就杀了她丈夫并把她纳为小妾，如此暴虐无道的小人，哪有不灭亡的道理！"

王珪听完后一言不发，忽然站起身来，毕恭毕敬地问了皇帝一个问题："陛下认为李瑗这么做，是对还是不对？"

李世民愕然说："杀人之夫而夺人之妻，这种事你还问对不对？"

王珪并不直接回答，而是给李世民讲了一个小故事。

这个故事出自《管子》一书。春秋时期，齐国出兵攻占了毗邻的一个小诸侯国郭国。几年后齐桓公经过此地，问当地父老："郭国为何灭亡？"父老说："因为国君知道什么是善，什么是恶。"齐桓公大惑不解，问道："照各位所言，你们的国君是位贤明的君主，又怎么会亡国呢？"父老回答说："国君知道什么是善，却不去做；知道什么是恶，却不能改，所以灭亡。"

故事讲完，王珪就进入了正题："而今，这位美女仍然在陛下左右，臣还以为陛下认同李瑗杀夫夺妻的做法。如果陛下认为他的做法是错的，却仍旧留着这位美女，那就叫'知道什么是恶，却不能改'！"

李世民闻言，顿时朗声大笑，连连称善，随后就把这位美女送回了家乡。

孔子说："吾未见好德如好色者也！"

我很少见到喜好道德如喜好美色那样的人啊！可孔子他老人家假如碰上李世民，肯定会把他算一个。

其实，作为一个正常男人，并且是一个大权在握的皇帝，一定程度的好色也不算什么太大的毛病，但是当好色与好德产生冲突时，李世民却能舍色而取德，这就足以表明他确实拥有超越常人的自制力。

如果说放归一个叛臣的姬妾还算比较容易做到的话，那么在下面这则故事中，李世民的做法就尤其显得难能可贵了。

那是在贞观八年（公元634年），长孙皇后替唐太宗李世民物色了一个"容色绝姝，当时莫及"的妙龄少女，准备将其纳入后宫为"充华"。这个美女是隋朝通事舍人郑仁基的女儿，年仅十六七岁，不但姿色出众，而且知书达理。对于这个人选，太宗本人和朝中大臣都很满意。于是李世民立即下诏书，确定了成婚的日子。可就在宫中使节正准备前往郑家迎娶新人时，魏徵却忽然站出来，把这桩美事搅黄了。

因为魏徵得知这个郑家女儿早已许配给了士人陆爽，当即上奏："陛下为人父母，抚爱百姓，当忧其所忧，乐其所乐……今郑氏之女，久已许人，陛下取之不疑，无所顾问，播之四海，岂为民父母之道乎？"（《贞观政要》卷二）

李世民闻言，大为惊讶，连忙下诏"深自克责"，并且罢停了迎婚策使，命人赶紧将郑氏送还旧夫。可是，当时朝中的左仆射房玄龄、中书令温彦博、礼部尚书王珪、御史大夫韦挺等一帮宰执大臣却异口同声地表示反对。他们说："郑氏许配给陆爽的事情，只是传闻，并不能确定，朝廷大礼既行，绝不可中止。"

与此同时，那个忽然成了皇帝情敌的读书人陆爽也吓得不轻，赶紧上书表白说："陆某家父在世之时，确实与郑家有所交往，可婚姻之事纯属子虚乌有，都是外人乱传。"

以房玄龄为首的大臣们这回更有理由了，于是力劝皇帝早日完婚。

然而，李世民对此还是半信半疑。他问魏徵："群臣大概是为了讨好朕，可陆爽本人为何也这么说呢？"

魏徵回答："臣猜想，他可能是把陛下等同于太上皇了。"

李世民诧异地问："这怎么说？"

魏徵说："当年太上皇平定京城时，曾经把辛处俭的女人纳入后宫，颇为宠幸。辛处俭时任太子舍人，太上皇很不高兴，就把他逐出东宫，贬为万年县的属吏。辛处俭为此恐惧不安，时常担心性命不保。而今陆爽也一样，他以为陛下就算今天能容他，日后也必定会暗中谴谪，所以一再自我表白，实在不足为怪。"

李世民听完，很坚决地取消了这个婚礼，并且公开下诏承认自己的错误："今闻郑氏之女，先已受人礼聘，前出文书之日，事不详审，此乃朕之不是，亦为有司之过。授'充华'者宜停。"（《贞观政要》卷二）

在中国古代，一个稍微有点地位的男人拥有三妻四妾是很正常的事情，更不用说至高无上、富有四海的皇帝了。从当时的制度和社会习俗来说，六宫粉黛、三千佳丽是皇帝必然有的特权。无论皇帝要娶普天之下的哪一个女人，也绝没有人敢说半个不字，并且于情、于理、于法都没有什么说不过去的。

而太宗迎娶郑氏这件事情，就更是无可厚非了。首先，诏书已经下达，宫中的一切工作都已准备就绪，皇帝大婚绝非儿戏，不能说停就停；其次，只有魏徵一人持反对意见，朝中所有宰执大臣全都极力赞成，李世民要想顺水推舟把美女娶进宫很容易；最后，连陆爽本人都表态说没有婚约这回事了，李世民当然更没有理由取消这个婚礼。

但是，出乎所有人意料的是，李世民最后还是毫不犹豫地放弃了。

皇帝这种深明大义的做法赢得了朝野上下的交口赞誉。

李世民之所以做出这个明智的决定，其中一个原因当然是魏徵的谏言，但是最重要的，无疑还是他内在的自制力在发挥作用——他能够用理性战胜自己的感情，用道义战胜自己的欲望，而且能勇于向天下人承认自己的错误。尽管这个女人他即便娶了，也几乎没有人会说他是错的。

从这个意义上说，李世民之所以能成为千古一帝，绝不仅仅是因为他能征服天下，更在于他能征服自身——征服人性普遍的弱点。

正所谓：胜人者力，自胜者强。

| 第八章 |

盛世唐朝，世界之心

永远的长安

在所有中国人的心中，都有一个永不褪色的历史记忆。

这份记忆是如此辉煌，以至无论何时，只要我们的目光向历史的深处回望，仿佛总是能看见一个澄明的天空，一片辽阔的大地，还有天地之间——那一座金黄色的富贵雍容的城。

这座城就是长安。

它生长在唐朝。

在我的眼中，唐朝的长安凝聚了所有男性的雄伟与阳刚，也蕴含着所有女性的华丽和妩媚。我无法用更多的形容词来描摹它。我只愿独自穿过岁月的长廊，悄悄掀开时光的帷幔，用一种朝圣的目光，去抚摸这座城的每一块砖墙、每一株草木、每一寸土地、每一角飞檐以及这座城中每一个男女老幼的脸庞……

我看见唐朝的阳光像花一样绽放，我看见长安向我敞开了母亲一样的胸膛。

那一刻，我告诉自己，我是唐朝人。

我告诉自己——

长安，是每个中国人的精神故乡。

长安是当时世界上最大的一座都市，也是世界历史上第一个达到百万人口的大城市。它东西长9721米，南北宽8651米，全城周长36.7公里，面积约84平方公里，是明清时期北京城的1.4倍，是古代罗马城的7倍。城内共有三个建筑群：位于北部正中的是宫城，为皇帝和皇族所居；宫城南面是皇城，面积比宫城略大，是中央政府机构所在地；宫城和皇城之外是外郭城，为居民区和商业区。

整座长安城规模宏伟，布局严谨，结构对称，排列整齐。外城四面各有三个城门，贯通十二座城门的六条大街是全城的交通干道。而纵贯南北的朱雀大街则是一条标准的中轴线，它衔接宫城的承天门、皇城的朱雀门和外城的明德门，把长安城分成了东西对称的两部分，东部是万年县，西部是长安县，东、西两部各有一个商业区，称为东市和西市。城内南北有11条大街，东西有14条大街，把居民住宅区划分成了整整齐齐的110坊，其形状近似一个围棋盘。

长安的每条街道都笔直而宽广，其宽度达到了令人咋舌、近乎奢侈的地步。比如南北主干道朱雀大街的宽度就达150多米，而今天中国的"第一街"——北京长安街最宽的地段也没有超过120米。再如位于宫城与皇城之间的承天门横街，宽度更是达到441米，堪称人类有史以来最宽的街道，其气势之雄伟令人叹为观止！

这些宽阔平坦的街道两侧大多种有整排的槐树和榆树，而宫城与皇城中遍植梧桐和垂柳，整座城市绿树成荫，风景宜人，既繁华热闹，又不失幽雅和静美。

贞观八年（公元634年），唐太宗李世民在长安东北部的龙首原上初建了大明宫。龙首原地势高耸，可以俯瞰整座长安城，故而大明宫的气势远比太极宫更为煊赫。龙朔二年（公元662年），唐高宗李治又对大明宫进行了扩建，使其功能更为完备，规模更为宏大。从此，大明宫取代太极宫，成为唐朝皇帝的起居和听政之所。

大明宫是当时世界上规模最为宏大、规制最为严整、规划最具特色的宫殿建筑群，其周长为7.6公里，面积达3.2平方公里，是明清紫禁城的4.5倍。宫城四面有11座城门，东、西、北三面都有夹城，南部有三道宫墙护卫，目前已探明的殿、台、楼、亭等基址共有40余处。在大明宫的中轴线上，自南而北依次是含元殿、宣政殿和紫宸殿，大明宫就是以这三个宫殿群为中心组成的。其中，含元殿是大明宫正殿，是唐朝皇帝举行朝会大典以及阅兵、献俘等重大仪式的殿宇。此殿殿基高达15.6米，面阔75.9米，进深41.3米，面积达3134.67平方米，是现存世界上最大的木结构宫殿——北京故宫太和殿——面积的1.3倍。

在含元殿主殿的两翼即东南和西南方向，分别建有突出主殿的翔鸾阁和栖凤阁，两阁相距150米，各以曲尺形廊庑与主殿相连。整组建筑两翼突出，主殿缩进，呈"凹"字形。主殿前是左右两条各长78米的蜿蜒迤逦的龙尾道。

在整个含元殿建筑群的前方，是一个南北宽615米、东西长750米的大型广场，总面积达461 250平方米，比今天北京的天安门广场还大，相当于60多个标准的现代足球场。

站在这样一个气势磅礴的广场上仰望巍峨壮丽的含元殿，任何人都会为之悚然动容，心潮澎湃。

九天阊阖开宫殿，万国衣冠拜冕旒！

哪一个中国人心中，没有这样的一个唐朝？

哪一个中国人心中，没有这样的一座长安？

最具世界主义色彩的朝代

走在长安车如流水马如游龙的宽阔大道上，你遇见的绝不仅仅是唐朝人。

你随时会遇见突厥人、西域人、波斯（伊朗）人、大食（阿拉伯）人、拂菻（东罗马）人、日本人、新罗人、天竺（印度）人、真腊（柬埔寨）人、骠国（缅甸）人……他们中有元首、大臣、使节、士兵、商人、学者、留学生，还有僧侣、艺术家、工匠、歌姬，甚至有"色黑如墨、唇红齿白"的黑色人种昆仑奴，可谓形形色色，不一而足。

在公元7世纪和8世纪，要感受什么叫作国际性大都市，你必须来长安；要感受什么叫作对外开放、与时俱进，你也要来长安；要了解当时的东西方和亚洲各国在政治、经济、文化各方面交流的盛况，你更要来长安。

因为当时的大唐帝国是世界上最先进、最文明、最发达的国家，而大唐帝京长安则是整个亚洲的经济和文化中心。历史学家向达先生说，在唐朝，"一切文物亦复不间华夷，兼收并蓄。第七世纪以降之长安，几乎为一国际的都会，各种人民，各种宗教，无不可于长安得之"。

英国著名历史学家汤因比说："长安是旧大陆文明中心所有城市中最具世界意义的城市，在这方面超过了同时代的君士坦丁堡，唐帝国和中国文明不仅为朝鲜，而且为更远的日本所赞赏和效仿，这显示了中国的威望。"

据统计，唐朝曾先后与世界上300多个国家和地区有交往。为了接待各国使节和来宾，唐朝专门设立了鸿胪寺，由当时朝中的国际政治专家担任主管官员。长安城中甚至有专供外国人长期居住的"番坊"。有很多外国留学生到唐朝读书之后，进而参加科举考试，最后终身在唐朝为官。如日本人阿倍仲麻吕，中国名字叫晁衡，于唐玄宗开元五年（公元717年）来到长安的太学就读，当时年仅19岁，完成学业后留在唐朝任职，历任左补阙、秘书监、左散骑常侍等职。

晁衡在长安与著名诗人李白、王维结成了好友。天宝十二载（公元753年），晁衡作为唐朝回访日本的使者，与日本遣唐使一起返回日本，不料途中遇险，船只漂到越南，友人们误以为他已经遇难，极为悲伤，李白为此写下了一首《哭晁卿衡》："日本晁卿辞帝都，征帆一片绕蓬壶。明月不归沉碧海，白云愁色满苍梧。"后来晁衡又辗转回到了长安，一直到唐代宗大历五年（公元770年）去世，前后在中国一共生活了53年。

有一些外国使臣出使唐朝后也留了下来。比如波斯大酋长阿罗撼，于唐高宗显庆三年（公元658年）出使中国后便留在唐朝为官，此后又以唐朝使者的身份出使拂菻等国，因功被任命为右屯卫将军，授上柱国，封开国公，位尊爵显，并一直在中国活到了95岁高龄。

西方著名汉学家李约瑟说过："唐代确是任何外国人在首都都受到欢迎的一个时期。长安和巴格达一样，成为国际著名人物荟萃之地。"

除了留学生和使节，在唐朝定居数量最多的就是商人。唐朝专门设立了互市监和市舶司管理对外贸易。当时的长安、洛阳、扬州、广州、泉州、兰州、凉州、敦煌，都成了唐朝对外贸易的重要城市。贞观时，西域各国"入居长安者近万家"，而各国商人在长安西市开店经商、长期居住的也有数千家之多。广州是当时世界上最大的贸易港口，有唐一朝，曾有大量的外商在广州定居，从事各种贸易活动，仅唐朝末年的黄巢起义，死于战乱的外商就达12万人以上。

为了适应国际交往的需要，唐朝的对外交通相当发达。陆路从长安出发，经河西走廊，出敦煌、玉门关西行，可直达中亚、西亚、东欧，这就是著名的"丝绸之路"。海路方面，可由登州、楚州或明州出海，前往朝鲜半岛和日本。此外，由扬州、明州、泉州或广州出发，经越南海岸，在马来半岛南端穿越马六甲海峡，过印度洋，可到达斯里兰卡、印度等地；再越过阿拉伯海，可到达阿曼湾、波斯湾，并可远至红海，抵达埃及和东非的港口，这就是"海上丝绸之路"。

就是通过陆地和海上这两条"黄金通道"，世界各地的人们纷纷来到了中国。

贞观十七年（公元643年），东罗马皇帝波多力遣使来唐，献赤玻璃、绿金精等物，唐太宗回书答礼，赠绫、绮等丝织品。东罗马的皇帝、贵族和妇女都极其喜爱中国的丝织品，拂菻也成了唐朝丝织物传入其他国家的重要转输地。

7世纪初叶，伊斯兰教创始人穆罕默德统一了阿拉伯半岛。穆罕默德本人对中国文化非常向往，曾对他的弟子说："学问虽远在中国，亦当求之。"唐高宗永徽二年（公元651年），大食遣使与唐通好，在此后一个半世纪的时间里，大食遣使来唐共达36次。唐朝文化因此大量传入阿拉伯世界，其中最重要的就是造纸术。

中国的造纸术后来又从这里传入了欧洲，极大地推动了西方文明的发展。唐朝后期，火药的主要成分——硝，也传入阿拉伯。阿拉伯人称之为"中国雪"。与此同时，阿拉伯的天文、历法、数学、建筑、医学也对唐朝产生了一定影响。阿拉伯的医学是近代欧洲医学的基础，而其外科医术就是在这时候传入了中国。

7世纪中叶，波斯为大食所灭，波斯王卑路斯及其子泥涅斯先后定居长安，客死唐朝。当时许多波斯商人也流亡到了唐朝，纷纷在中国落户。长安、洛阳、扬州、广州等地都有波斯商人开设的"胡店"，以经营宝石、珊瑚、玛瑙、香料、药材驰名。通过贸易活动，波斯的菠菜、波斯枣传入唐朝，而唐朝的丝绸、瓷器、纸张也传入了波斯。

印度、巴基斯坦、孟加拉国，在当时统称天竺。唐初，中天竺的戒日王征服了五天竺，统一了印度半岛，随即遣使与唐通好。从此，天竺与唐朝的贸易往来日益频繁。印度半岛东西两岸常有唐朝商船泊港，天竺商船也到广州、泉州进行贸易。唐朝输往天竺的商品有麝香、纻丝、色绢、瓷器、铜钱，从天竺输入的物品有宝石、珍珠、棉布、胡椒。中国的纸和造纸术传入印度，从此结束了印度用白桦树皮和贝叶写字的时代。唐太宗也派人到中天竺学习制糖技术，据说学成归国后制出的糖，其颜色和味道比印度原产的还好。

由于佛教经典的翻译，在唐朝产生了与佛教密切相关的变文。敦煌、云岗、麦积山、洛阳龙门石窟的壁画、雕塑，都受到印度北部犍陀罗艺术风格的影响。此外，天竺的天文、历法、医学、音韵学、音乐、舞蹈、绘画、建筑，都对唐朝产生了一定的影响。唐朝"十部乐"中便有天竺乐，舞蹈中也有天竺舞成分。

唐初，在朝鲜半岛上，高丽、百济、新罗三国鼎立，都同唐朝有所往来。高宗时期，唐朝先后出兵平定了百济和高丽，新罗遂于公元675年统一了朝鲜半岛，此后与唐朝的关系进一步发展，贸易往来十分频繁。新罗商人运至唐朝的牛黄、人参、海豹皮、朝霞、金、银等物，占唐朝进口物品的首位。他们同时也从中国带回丝绸、瓷器、茶叶、书籍等物品。

新罗曾派遣大批留学生到长安学习，在唐朝的外国留学生，数量最多的就是新罗人。唐文宗开成五年（公元840年），学成归国的新罗学生一次就有一百零五人。不少新罗学生还参加唐朝的进士科考，中举后就留在唐朝为官。

从贞观十三年（公元639年）起，新罗就相继设立医学、天文、漏刻博士，专门研究唐朝的医学、天文、历法。公元675年，新罗开始采用唐朝历法。8世纪中叶，新罗仿效唐朝的政治制度改革了从中央到地方的各级行政机构。唐德宗贞元四年（公元788年），新罗采用了科举考试制度选拔官吏，以《左传》《礼记》《孝经》为主考科目，此外又根据《唐律》改订了《刑律》。新罗原来没有文字，7世纪中叶，新罗学者薛聪创造了"吏读"法，用汉字作音符来标注朝鲜语的助词、助动词等，帮助阅读汉文，推动了文化的普及和发展。唐文宗太和二年（公元828年），新罗使者带回了茶叶种子，开始种茶。唐末五代，雕版印刷术传入新罗。（参见施建中主编《中国古代史·下册》）

有唐一朝，与中国交往最为密切、受唐朝影响最大的国家，当属日本。

当时的日本仍处于奴隶制向封建制过渡的时期，对大唐繁荣昌盛的文化和发达的物质文明无比向往，高度崇拜。日本人迫切希望能过上"像汉人那样灿烂的文化生活"，于是不断向中国派出留学生、学问僧。从唐太宗贞观四年（公元630年）到唐昭宗乾宁元年（公元894年）的264年间，日本先后派出遣唐使13次，派船迎送唐朝使者6次，共计19次，其中实际到达长安为15次。唐初，遣唐使团不超过200人，可从8世纪初起，人数已多达550人以上。

遣唐使给唐朝带来了珍珠绢、琥珀、玛瑙、水织绝等贵重礼品。唐朝回赠高级丝织品、瓷器、乐器、文化典籍。遣唐使团将中国的典章制度、天文、历法、文学、书法、宗教、音乐、美术、舞蹈、医学、建筑、雕刻、工艺美术、生产技术、生活习俗带到日本，推动了日本政治、经济、文化、教育、科技的全面发展，对日本社会产生了巨大而深远的影响。

日本留学生中最知名的是吉备真备，学问僧最知名的是空海。吉备真备回国后，用汉字楷体偏旁创造了片假名；学问僧空海不仅将中国大乘佛教的密宗学说带回了日本，而且用汉字草体偏旁创造了平假名，使日本文化逐渐走上了独立发展的道路。（参见施建中主编《中国古代史·下册》）

而中国僧人东渡日本，传播大唐文化，最著名的是鉴真和尚。

鉴真俗姓淳于，扬州人，对于大乘佛教的律宗造诣精深，在扬州大明寺讲律传戒。应日本圣武天皇之请，他东渡日本传法，经六次努力，历尽艰险，终于在天宝十三年（公元754年）到达日本。鉴真其时已经年近七旬，双目失明，可他不仅将中国佛教的律宗传到了日本，而且向日本人传授了佛寺建筑、雕塑、绘画、医药等各种知识。日本现存的唐招提寺，便是鉴真主持修建的。他在日本整整居住了10年，圆寂后葬在了招提寺。

7世纪以前，日本没有固定都城，直到公元694年，日本才兴建了藤原京，此后又于公元710年修建了平城京，公元794年修建了平安京。而这些都城的设计理念、城市布局和建筑风格，无一例外，全都是模仿唐朝的长安城。比如城中均有朱雀大街、东市、西市等等，甚至连建筑用的砖瓦纹饰也和唐朝如出一辙。

基本上可以说，当时的日本京城俨然就是山寨版的长安。

除了上述国家之外，唐朝与南亚的林邑（越南）、真腊（柬埔寨）、骠国（缅甸）、尼婆罗（尼泊尔）、狮子国（斯里兰卡）以及中亚的吐火罗（阿富汗）等国都有广泛的商业联系与外交往来。

在长达几个世纪的文化交流中，南亚的佛学、医学、历算、语言学、音韵学、音乐、舞蹈、美术，东亚的音乐、舞蹈，西亚和欧洲的祆教、景教、摩尼教、伊斯兰教等，如八面来风纷纷传入中国，对中国文化产生了深远的影响。

美国汉学家伊佩霞说："与二十世纪前中国历史上任何其他的时代相比，初唐和中唐时期的中国人自信心最强，最愿意接受不同的新鲜事物。这个时期的中国人非常愿意向世界敞开自己。"

英国历史学家韦尔斯说："第七、八世纪，中国是世界上最安定、最文明的国家。当时的欧洲人民尚处于茅舍坞壁的宗教桎梏之境，而中国人民的生活却已经进入安乐慈爱、思想自由、身心愉悦的境域。"

唐太宗李世民说过这么一句话："自古皆贵中华、贱夷狄，朕独爱之如一。"（《资治通鉴》卷一九八）正是因为以李世民为首的大唐君臣具有如此博大的胸怀，公元7世纪初到8世纪中叶的唐朝，才能成为中国历史上最自信、最开放、最博大、最宽容、最具生机和活力、最具世界主义色彩的一个时代。

这就叫兼收并蓄，博采众长；这就叫海纳百川，有容乃大。

舌辩18天，大唐玄奘对印度6000僧人

公元642年，五天竺的最高领袖戒日王向当时的印度全境发布了一道敕命——他要在曲女城（今印度北方邦卡瑙季）举行一场规模空前的无遮大

会，即大型的佛教经义辩论会。会议邀请了十八个国王，还有各国的大小乘佛教僧人三千多人、著名的佛教圣地那烂陀寺的僧人一千余人以及婆罗门教和其他宗教的僧人两千余人，几乎集中了当时五天竺的所有政治和宗教精英。

而邀请这些人与会的目的只有一个，那就是——与一个来自中国的僧人进行自由辩论。

大会正式举行那天，整座曲女城人山人海，万头攒动，锣鼓喧天。除了被邀请的代表外，云集于此的还有各国的大臣、卫兵、侍从以及慕名而来的社会各界人士。会场内外"或象或舆，或幢或幡，各自围绕……若云兴雾涌，充塞数十里间"（《大慈恩寺三藏法师传》）。场面之盛大隆重可谓前所未有，百年不遇。

人们纷涌进入会场后，看见高坛的宝床上静静地坐着一个面目清癯、肤色白皙的僧人，在会场的门楼前高悬着两部用大字书写的大乘佛教论著——《会宗论》和《制恶见论》。

这位僧人就是论主，他写的这两部论著就是本次大会的论题。与会的任何人都可以就这两部论著的任何一个论点提出质疑，进行辩论和驳难。戒日王命人在会场前高声宣布：大会为时十八天，在此期间，任何人只要能从这两部论著中找出一个字不合义理，并且将论主驳倒，这个中国僧人就要当场被砍掉脑袋，向众人谢罪！

如果不是对自己的学识、智慧和辩才充满自信，绝不敢做出如此承诺，夸下如此海口。

可是，这个中国僧人真有那么厉害吗？

要知道，在座的这些人绝非等闲之辈——"诸贤并博蕴文义，富瞻辩才"（《大慈恩寺三藏法师传》）。也就是说，五天竺最有学问、最有智慧、对佛法造诣最为精深的人都在这里了，难道以他们多年的修行和深厚的学养，果真挑不出这个中国僧人一个字的毛病？

这几乎是不可能的！

然而，不可能的事情最后还是发生了。

在这十八天里，不断有人站出来挑战，提出了尖锐的质疑，进行了激烈的辩难。而这个中国僧人却始终神色自若，从容应对，引经据典，侃侃而谈。最后，挑战者无不理屈词穷，一一败下阵来。到大会结束时，确实没有一个人能攻破他的学说，驳倒他的立论。与会的众多高僧大德无不心服口服，对这个中国僧人佩服得五体投地。

戒日王非常高兴，当即赐给他大量的金银和法衣，在场的十八个国土也纷纷供养各种珍宝。按照印度惯例，无遮大会得胜的论主可以乘坐璎珞庄严的大象游行于各地，接受人们的礼敬和瞻仰。可对于这些赏赐、供养和尊贵的礼遇，这个中国僧人全都婉言谢绝了。

本来人们对这位精通三藏、智慧如海的法师已经敬佩不已，而此刻他对名利的这种淡泊超然的态度越发赢得人们的崇敬。他的美名随后就传遍了五天竺，大乘僧众盛赞他为"大乘天"，小乘僧众尊称他为"解脱天"。

这位来自东土大唐、名震五天竺并最终在世界佛教史上写下辉煌一页的中国僧人，就是玄奘。

玄奘，俗姓陈，名祎，洛州缑氏（今河南偃师）人，世称"唐三藏"。"三藏"是指佛教的经藏、律藏、论藏，此称号意谓对佛教典籍的精通，只是一种泛用的尊称，并非玄奘专名。玄奘生于隋开皇十六年，即公元596年[1]，其祖上历代为官，父陈惠曾任隋朝江陵县令，后辞官归隐，潜心儒学。

玄奘十一岁时，跟随他的二兄、已出家的长捷法师进入洛阳净土寺修学佛法，不久便熟习《法华经》《维摩经》。隋大业四年（公元608年），大理寺卿郑善果奉旨到洛阳度僧，年仅十三岁的玄奘闻讯前往。素有"知

1　玄奘生年多有异说，此处从梁启超之说。

士之鉴"的郑善果见其容貌俊逸、器宇不凡，就问他是否想出家，玄奘说是。郑善果又问他为何出家，他答："意欲远绍如来，近光遗法。"郑善果大为赞叹，对身边的人说："若度此子，必为释门伟器，但恐果与诸公不见其翔翥云霄、洒演甘露耳！"（《大慈恩寺三藏法师传》）

当时玄奘的年龄尚幼，本来是不能出家的，可郑善果却破格录取了他，将年少的玄奘剃度为僧。

郑善果预料到这个少年终将成为"释门伟器"、一代高僧，可他无论如何也不敢想象，自己此刻的这个决定竟然会深刻影响此后一千多年中国佛教的历史。

玄奘出家后，很快就精通了《大涅槃经》《摄大乘论》等重要的大乘经论。大业十四年（公元618年），天下分崩离析，熊熊战火燃遍中原，洛阳更是首当其冲。为了躲避战乱，同时也为了进一步深造，玄奘离开洛阳，前往天下的名山大寺参学，先是到了成都，后来又辗转荆州（今湖北江陵）、扬州、相州（今河南安阳）、赵州（今河北赵县）等地，于贞观元年来到长安。

将近十年间，玄奘遍访名师，究通各家，此时已成为备受赞誉的一介高僧。但是在多年参学的过程中，玄奘逐渐发现众多名师对佛法的理解异说纷纭，歧义互见，而考诸现有各种佛典译本，却又颇多矛盾抵牾之处，令人无所适从，于是萌生了前往印度求取更多佛学原典，尤其是大乘经典的强烈愿望。

恰逢当时中天竺的僧人波颇密多罗来到长安，向他介绍了著名佛教圣地那烂陀寺（在今印度比哈尔邦巴特那县）的学术规模以及天竺高僧、该寺住持戒贤法师弘讲《瑜伽师地论》的盛况，更加坚定了玄奘西行的决心。他立即向朝廷上表，要求出境前往天竺。可由于当时出国之禁甚严，他的申请被驳回了，但是玄奘始终没有放弃"誓游西方，以问所惑"的决心和信念，一直做着各种准备工作。

贞观元年（公元627年）八月[1]，长安和关东地区爆发了严重的霜灾和饥荒，朝廷同意灾民可以前往各地自谋生路，玄奘意识到时机成熟，终于做出一个大胆的决定——混在难民队伍中偷越国境，西行求法。

此行前途未卜，生死难料。

出发的这一刻，除了简单的行囊和一腔求法的理想之外，玄奘什么都没有。

没有人知道，十九年后，这个孑然一身的"偷渡客"竟然会带着震古烁今的伟大成就载誉归来，不仅受到举国上下的盛大欢迎，而且得到太宗李世民的亲自接见。

没有人知道，他迈出长安的这一步，是在书写一页前无古人、后无来者的历史。

玄奘茕然西去的背影显得寂寞而苍凉。

走向天竺的这一路，充满了常人难以想象的艰辛。

一路上虽然没有白骨精和盘丝洞，没有牛魔王和火焰山，没有魑魅魍魉和九九八十一难，却有一望无际的大漠黄沙，有荒无人烟的戈壁荒滩，有关卡盘查、官吏缉捕的困扰，有缺水断粮、迷失方向的危险。所有这一切，都足以让他葬身在没有人知道的地方，或者迫使他心生懊悔，黯然东返。

然而，这一切都没能挡住玄奘的脚步。

早在迈出长安的那一刻，玄奘就已发出宏大的誓愿——

此行不求财利，无冀名誉，但为无上正法。

若不至天竺，终不东归一步。

宁可就西而死，岂能归东而生？

这就是信仰的力量。

正是这样一种单纯而伟大的信仰，使他能克服一切艰难险阻，甚至蔑视死亡的威胁，顽强地走向自己生命中的圣地。

1　玄奘西行的时间，普遍认为是贞观三年，此处依据梁启超在《中国历史研究法》中的相关考证，确定为贞观元年。

玄奘从长安起程，经秦州（今甘肃天水）、兰州、凉州（今甘肃武威）、瓜州（今甘肃安西东南），出玉门关外五烽（五道重兵把守的关卡），进入"上无飞鸟，下无走兽，复无水草"的八百里戈壁——莫贺延碛，在克服了四天五夜滴水未进的困难之后，终于穿越这个可怕的死亡地带，经伊吾（今新疆哈密市）抵达高昌（今新疆吐鲁番东）。

高昌国王麴文泰盛情接待了他，但执意要求他留在高昌讲经说法，否则就要把他遣送回国。玄奘无奈，只好以绝食相抗，"水浆不涉于口三日"。最后麴文泰终于被玄奘的至诚所感动，提出两个放行的条件：一、与他约为兄弟；二、求法归来后在高昌停留三年。

玄奘同意。麴文泰大喜，当即"为法师度四沙弥以充给侍，制法服三十具；以西土多寒，又造面衣、手衣、靴、韈等各数事；黄金一百两，银钱三万，绫及绢等五百匹，充法师往返二十年所用之资；给马三十匹，手力二十五人"（《大慈恩寺三藏法师传》）。此外，为了玄奘能顺利西行，麴文泰还专门准备了二十四封国书，命护送的大臣交给沿途的二十四国国王，每书奉送大绫一匹为礼物，并且亲手写了一封辞义谦恭的信，随信献上"绫、绡五百匹，果味两车"，请求西突厥统叶护可汗致信其势力范围内的西域诸国，为玄奘法师提供尽可能的帮助。

就这样，玄奘离开高昌，过焉耆、龟兹等国，翻越凌山（葱岭北部），到达碎叶城（今吉尔吉斯斯坦托克马克市西南），会晤了统叶护可汗。随后，在统叶护可汗致所经诸国的信件和护送使节的帮助下，玄奘顺利经过西域诸国，过铁门关（今乌兹别克斯坦南部），入吐火罗（今阿富汗）北部，而后沿今巴基斯坦北部，过克什米尔，进入了北印度。

贞观五年（公元631年）秋天，玄奘终于抵达朝思暮想的佛教圣地——那烂陀寺。在这里，玄奘拜戒贤为师，潜心学习梵语，研习各种大小乘经论，尤其专攻印度法相宗（唯识宗）代表作《瑜伽师地论》，历时五年。此后，玄奘遍访五天竺，足迹遍及印度各地。

贞观十五年（公元641年），玄奘重回那烂陀寺。此时他的学业已经臻然大成，戒贤命其升座为众讲解大乘唯识经典。在此期间，他著有《会宗论》，会通了印度大乘瑜伽、般若二宗，将唯识与中观学说相互融贯，自成一家。此外，由于当时南天竺的小乘僧人著有《破大乘论》攻击大乘学说，负面影响很大，玄奘就应戒日王之请，又撰写了破除小乘见地的《制恶见论》。

从此，玄奘在印度声名鹊起。

贞观十六年（公元642年），玄奘又在戒日王举办的曲女城无遮大会上挫败了五天竺所有的论敌，其盛名更是如日中天，几乎取代戒贤，成为全印度造诣最深、声誉最隆的佛教思想界领袖。

玄奘意识到自己的使命已经圆满完成，遂于贞观十七年（公元643年）告别了戒贤法师和戒日王，返回中国。经过两年的时间，在贞观十九年（公元645年）正月二十四日，玄奘终于回到了阔别将近二十年的长安。

和他一起回到中国的，是657部具有高度学术价值的梵文佛典。

玄奘大师的西行求法，前后历时十九年，行程共计五万里，堪称世界中古史上一次艰难而伟大的探险之旅、朝圣之旅，也是意义最为深远的一次学术和文化之旅。

玄奘回到长安的时候，受到了朝野上下隆重而盛大的欢迎，与他当年"偷越国境"时寂寞而苍凉的境况相去不啻霄壤。

然而，玄奘还是当年的那个玄奘，信仰还是当年的那个信仰。

唯一不同的，只是外在的评价和世人的目光。

贞观十九年二月，玄奘去洛阳见了李世民。李世民对他极为赞叹和欣赏，劝他还俗从政，玄奘力辞。于是李世民就请他把西行路上的所见所闻记录下来。随后，玄奘在弟子辩机的协助下，用一年时间完成了价值不可估量的《大唐西域记》。

这是一部当之无愧的世界名著。

它记述了玄奘西行途中所历所闻的150个国家的政治经济、语言文化、宗教信仰、历史沿革、地理形势、水陆交通、气候物产、风土人情等，不但是当时中国人了解外部世界不可多得的一部著述，而且成为后世研究中古时期中亚和印度历史、地理及中西交通弥足珍贵的第一手史料。

众所周知，印度在哲学和宗教方面拥有灿烂的成就，可他们的历史从来都是一笔糊涂账。马克思甚至声称："印度社会根本没有历史！"因此，要研究印度古代史，《大唐西域记》就是一部谁也绕不过去的重要著作。

一回国，玄奘就开始着手翻译带回来的佛学典籍。唐太宗全力支持他的译经事业，命房玄龄在弘福寺为他组织了一个规模完备的译场，并"广召硕学沙门五十余人"当他的助手。贞观二十二年（公元648年），玄奘译出了一百卷的《瑜伽师地论》，太宗御笔钦赐《大唐三藏圣教序》。同年，太子李治为亡母长孙皇后祈福所建的大慈恩寺竣工落成，玄奘奉命成为住持，进入该寺继续译经。

唐高宗龙朔三年（公元663年），年已六十八岁的玄奘终于译出了多达六百卷的《大般若经》，而他的生命也已在彪炳千秋的译经事业中走到了终点。

唐高宗麟德元年（公元664年）二月初五夜，玄奘大师在宜君山的玉华寺圆寂，终年六十九岁。

出殡之日，莽莽苍苍的白鹿原上出现了一支一眼望不到头的送葬队伍。

这里有朝廷官员，有佛教僧人，可更多的是自发为大师送行的长安百姓。史称："（玄奘）归葬于白鹿原，士女送葬者数万人。"（《旧唐书·玄奘传》）

从回到长安的第二十七天起，玄奘就开始着手翻译佛典，一直到去世前的二十七天，他才搁下手中的译笔，诚可谓鞠躬尽瘁，死而后已。

十九年间，玄奘带领弟子们共译出佛教经论75部1335卷，计1300万言。

玄奘大师对梵文造诣精深，而且学术态度极为严谨，因而由他主译的这批卷帙浩繁的佛教经典，无论是在名相的辨析安立、文义的精确畅达，还是在翻译体例的制定、矫正旧译的讹谬方面，都取得了超越前人的成就，从而在中国译经史上开辟了一个崭新的纪元。后世因此将他与前秦的鸠摩罗什、萧梁的真谛、开元时代的不空，并称为中国佛教史上的四大翻译家。

尤其值得一提的是，在这四个人中，其他三个都是外籍僧人：鸠摩罗什祖籍天竺、生于龟兹，真谛是西天竺人，不空是北天竺人，只有玄奘是唯一的中国人。

梁启超说："自古至今，不但中国人译外国书，没有谁比他多、比他好，就是拿全世界的人来比较，译书最多的恐怕也没有人在他之上。""法相宗的创造者是玄奘，翻译佛教经典最好、最多的是玄奘，提倡佛教最用力的是玄奘。中国的佛教，或只举一人作代表，我怕除了玄奘，再难找到第二个。"

只有伟大的时代才能诞生这样伟大的人物。

在古代中国，盛世修书一贯被视为国家富强、文化繁荣的重要标志，而玄奘大师西行求法、盛世译经的壮举，又何尝不是为贞观时代添加了一笔不可多得的文化财富，又何尝不是从宗教和文化的层面彰显了大唐王朝的盛世荣光！

| 第九章 |

万邦来朝，李世民成了天可汗

东征突厥，报五年之仇

公元7世纪初，大唐帝国无疑是当时世界上最强大的国家。

从贞观元年（公元627年）起，唐太宗李世民就引领着大唐帝国走上了一条励精图治的强国之路，短短十余年间就呈现出一派盛世景象——无论是政治的清明、经济的繁荣、文化的昌盛，还是社会的稳定、民生的富庶、人口的增长，无不显示出大唐帝国在文治方面所取得的骄人成就。

然而，文治的昌盛并不必然带来国家的强大。

对此，作为一个从血与火的战场上走过来的帝王，作为一个曾经用刀剑荡平群雄、鼎定天下的创业之君，李世民比任何人都清楚——要缔造一个繁荣而强大的帝国，既要有一袭崇文的华服，更要有一根尚武的脊梁。

换言之，李世民所追求的不仅是"垂衣天下治，端拱车书同"（李世民《重幸武功》）的煌煌文治，他同时更憧憬着"指麾八荒定，怀柔万国夷"（李世民《幸武功庆善宫》）的赫赫武功。

上苍没有亏待李世民。

历史没有辜负李世民。

面对他那经天纬地的宏大抱负，上苍给予了异乎寻常的垂青，历史似乎也显得出奇慷慨——就在李世民执政的第四个年头，一个威震四夷、功盖八荒的时代就在他的憧憬和仰望中翛然降临。

这就是令无数后人热血沸腾、心驰神往的天可汗时代。

贞观四年，也就是公元630年，天可汗时代正式拉开了序幕。

第一个被唐朝征服的对手，就是曾经盛极一时的东突厥。

从南北朝时起，东突厥就是历代中原王朝最强大的敌人。到隋大业年间，东突厥在始毕可汗执政时期臻于全盛——"东自契丹、室韦，西尽吐谷浑、高昌诸国，皆臣属焉。控弦百余万，北狄之盛，未之有也。高视阴山，有轻中夏之志。"（《旧唐书·突厥传》）

大业末年，中原板荡，天下分崩，东突厥的百万铁骑屡屡伺机入寇。其兵锋所到之处，城郭宫室焚毁殆尽，财帛子女为之一空。而四方的逐鹿群雄也纷纷依附在东突厥的卵翼之下，如薛举、刘武周、梁师都、李轨、窦建德、王世充、高开道等人，"俱北面称臣，受其可汗之号"（《通典》卷一九七）。就连唐高祖李渊晋阳起兵时，也不得不借助东突厥的力量，将其引为奥援。

唐帝国建立之后，颉利可汗即位，依旧肆无忌惮，"承父兄之资，兵马强盛，有凭陵中国之志"，多次倾巢南侵，深入唐朝腹地。"高祖以中原初定，不遑外略，每优容之，赐与不可胜计"，颉利却越发变本加厉，不但"言辞悖傲"，而且"求请无厌"（《旧唐书·突厥传》）。

如此强大的外患一天不铲除，大唐王朝就一天也不得安宁。

而最让李世民感到耻辱的一次，就是武德九年的渭水之盟。

那一次，李世民刚刚登基，政局未稳，颉利可汗就亲率十多万铁骑直逼长安。李世民被迫牺牲了府库中的大量金帛，与颉利签订了城下之盟，才换取了暂时的和平。

曾经在战场上所向披靡、无往不胜的李世民断然没有想到——自己刚当上皇帝就被突厥人无可奈何地要挟了一把，结结实实地敲诈了一回。

这样的奇耻大辱不啻一道丑陋的伤疤，从此深深刻在李世民的记忆之中，并且时常浮现在他的眼前。

"将欲取之，必固与之！"

李世民每时每刻都在等待着雪洗前耻、根除外患的那一天。

这一天很快就到来了。

从贞观元年起，曾经"控弦百万，凭陵中夏"的东突厥几乎在一夜之间就从鼎盛走向了衰落——

一方面，颉利可汗宠信佞臣，导致政局大乱，原本臣属于东突厥的薛延陀、回纥、拔野古等北方诸部相率反叛；另一方面，东突厥境内又遭遇了空前严重的自然灾害，"其国大雪，平地数尺，羊马皆死，人大饥"（《旧唐书·突厥传》）。如此天灾人祸、内忧外患的巨大困境使东突厥很快露出了亡国之兆。

此外，东突厥王室又产生了严重的分裂，更使其形势雪上加霜。

这个致命的分裂源于颉利可汗与突利小可汗的叔侄反目。

颉利可汗即位之后，突利小可汗封藩于幽州北面，统辖其国东部。贞观元年，严重的雪灾导致东突厥各部族无以为生，于是，突利可汗下辖的奚、霫、契丹等部纷纷叛离，归降唐朝，突利没有办法阻止。颉利大为不满，怒斥其统御无方。双方的裂痕由此产生。不久，颉利在讨伐北方叛乱诸部的战争中失利，于是征调突利北上平叛，没想到突利又遭遇惨败，仅以少数轻骑逃回。颉利怒不可遏，将突利囚禁了十多天，并施以鞭挞的惩罚。二人的关系就此严重恶化，叔侄之间开始各打各的算盘。

突利先是满腹怨恨，继而生出了反叛之心。而颉利对突利也彻底失去了信任，在随后的日子里连连向他征兵，试图削弱他的力量。

突利意识到颉利这是在温水煮青蛙，迟早会把他弄死，所以他决不能坐以待毙。

危急之中，突利自然而然地想起了一根救命稻草，那就是当年在幽州五陇阪与他"约为兄弟"的秦王、如今的大唐天子李世民。

此地不留爷，自有留爷处。三十六计，走为上计。

贞观二年（公元628年）四月，突利向李世民呈上密表，请求归降。颉利很快就得到消息，顿时勃然大怒，立即发兵进攻突利。

突利急忙遣使向唐朝求援，李世民问策于群臣。满朝文武都认为对付东突厥的时机已经成熟，应该立即采取行动。时任兵部尚书的杜如晦更是强烈主张，应趁突厥内乱而将其一举荡平，否则将后悔无及。

然而，李世民最终还是没有大举出兵。

因为他知道，以唐朝当时的国力，还不足以发动一场平定东突厥的大规模战争。

可他也知道，这无论如何都是一个削弱东突厥的机会。

所以，李世民绝不会无所作为。

他一边派遣秦武通率兵接应突利，一边把目标锁定在了另一个人身上。

十几年来，这个人一直盘踞在唐帝国的北部边境，而且不遗余力地充当东突厥的打手，始终是唐王朝的肘腋之患。

他，就是梁师都。

在隋末的逐鹿群雄之中，梁师都绝对算得上是一个硕果仅存的老前辈。

早在大业十三年（公元617年）春，即李渊父子起兵之前，梁师都就已经在朔方（今陕西横山区）登基称帝了，此后一直在东突厥的支持下割据一方，虽然无力扩张地盘，却活得长久。当四方的逐鹿群雄都已被李渊父子一一剪灭的时候，梁师都却始终活蹦乱跳。直到大唐王朝已经建立了整整十个年头，梁师都依然在他的独立王国里自在逍遥，始终没有出局的意思。

可是到了贞观二年，梁师都的好日子就到头了。

因为颉利可汗自顾不暇，再也罩不住他这个小弟了。

李世民先是打算"和平解放"朔方，于是给梁师都去了一封信，对他晓以利害，劝他弃暗投明，可梁师都偏偏不见棺材不掉泪，硬是不从。李世民遂决定武力铲除，把任务交给了夏州（今陕西横山区西）都督长史刘旻、司马刘兰成，命他们想办法拔掉这颗扎在帝国北部十几年的钉子。

二刘很有谋略。他们第一步采取的是骚扰行动，不断派遣轻骑兵深入梁国国境，践踏摧毁其农田庄稼，使其人心惶惶；第二步，他们发动了间谍战，派出大量间谍潜入朔方，造谣生事，上下撺掇，成功离间了梁师都与群臣的关系。自此，梁国国力渐衰，归降唐朝的人不绝于途。其国名将李正宝等人打算发动政变，劫持梁师都举国归唐，不料事情泄露，李正宝逃奔唐朝。

经此变故，梁国上下越发相互猜忌。二刘意识到时机成熟，遂上表请求出兵。李世民当即派遣右卫大将军柴绍、殿中少监薛万均率部出征，同时命刘旻和刘兰成协同作战。

在此之前，东突厥曾经想放弃梁师都，拿他和唐朝做交易，交换叛逃到唐朝的契丹人。

可突厥人的这项提议遭到李世民的断然拒绝。

李世民说："契丹人和突厥人是两个种族，而今契丹人已经归附大唐，你们有什么资格索回？梁师都身为中原汉人，侵盗大唐土地，凌辱大唐百姓，你们突厥人却庇护他。我兴兵讨伐，你们就出面干预。可他终究只是锅里的一条鱼，逃不出我的手掌心！就算暂时消灭不了他，我也绝不会以归附大唐的人和他交换。"

颉利可汗恼羞成怒，决定力保梁师都。当唐军逼近朔方时，突厥立刻出兵援救。在朔方以南数十里的地方，突厥与唐军展开遭遇战。此战突厥大败，柴绍乘胜进围朔方，突厥军队不敢救援，只能远远观望。

贞观二年四月二十六日，朔方城粮尽援绝，回天乏术，梁师都的堂弟梁洛仁不得不将梁师都刺杀，举城投降唐军。

至此，这个在突厥卵翼下苟延残喘了十余年的割据政权终于覆灭。

接下来，李世民就可以全力以赴地对付东突厥了。

贞观二年冬，叛离东突厥的北方各部纷纷推举薛延陀的首领乙失夷男为可汗。乙失夷男心里虽然很渴望，可表面上却一再推辞。因为这件事非同小可——一旦自立为可汗，就意味着与颉利可汗势不两立，成为东突厥最首要的敌人，一点回旋的余地和退路都没有了，所以乙失夷男不敢贸然行事。

最起码，在明确获得"国际社会"的支持以前，乙失夷男不想冒冒失失地当这根出头的椽子。

在当时，"国际社会"的首要代表当然就是唐朝。

要想当这个可汗，唐朝的态度很重要。

而让乙失夷男不敢想象的是，就在他大做可汗梦的时候，一个名叫乔师望的唐朝特使居然千里迢迢地给他送来了一道册封诏书。

千真万确！这道诏书是大唐天子李世民颁发的，不但册封他为"真珠毗伽可汗"，还赐给他象征着权力和威严的"鼓纛"（巨鼓和大旗）。乙失夷男激动万分，随即遣使到唐朝入贡，同时登上可汗之位，宣布成立薛延陀汗国，建王庭于郁督军山（今蒙古杭爱山）下。

从此，薛延陀的势力空前壮大，"东至靺鞨，西至西突厥，南接沙碛，北至俱伦水，回纥、拔野古、阿跌、同罗、仆骨、霫诸部落皆属焉"（《资治通鉴》卷一九三）。

贞观三年（公元629年）的秋天，乙失夷男又派遣其弟统特勒入唐朝贡，李世民又赐以宝刀和宝鞭。唐朝与薛延陀的关系迅速进入了蜜月期。

很显然，李世民所采取的是"远交近攻"的战略。他主动对乙失夷男进行册封，承认薛延陀独立，与其建立同盟关系，摆明了就是要让东突厥陷入腹背受敌的困境。

面对如此不利的战略形势，颉利可汗大为惶恐，只好硬着头皮向唐朝称臣，并且要求迎娶唐朝公主，"请修婿礼"（《旧唐书·突厥传》）。

谁都知道，这种表面上的低姿态只不过是突厥人的权宜之计。一旦形势有所缓和，国力有所恢复，突厥人绝不会放弃对唐朝的侵略。

对此，大唐君臣自然心知肚明。

代州（今山西代县）都督张公瑾就上表力请朝廷出兵，并列举了东突厥必然灭亡的六大理由："第一，颉利纵欲凶暴，诛杀贤良，亲近奸佞；第二，薛延陀等部族纷纷叛离；第三，突利小可汗、将军阿史那社尔等人皆被颉利问罪而无处容身；第四，塞北连年遭遇霜冻，突厥人粮食缺乏；第五，颉利不信任突厥人，将大权交给外族胡人，而外族胡人反复无常，如果大军压境，必生内变；第六，汉人因躲避战乱而流亡突厥的人数众多，如今突厥内乱，他们据险自保，若唐军出塞，其众必然纷起响应。"

张公瑾对形势的判断既全面又准确，可谓一针见血。

李世民意识到征服东突厥的时机已经成熟，遂于这一年八月命兵部尚书李靖为北伐统帅，负责组建远征军。

同年十一月二十三日，远征军集结完毕，各路将领多为当世名将。李世民命大军兵分六路：以李靖为行军总管、张公瑾为副总管，出定襄道；并州都督李世勣、右武卫将军丘行恭出通汉道；左武卫大将军柴绍出金河道；幽州都督卫孝节出恒安道；灵州大都督薛万彻出畅武道；任城王李道宗出大同道。六路大军共计十余万人，皆受李靖节度，从各个方向大举进攻东突厥。其中，担任正面攻击的主力部队是李靖与李世勣的部队。

六路大军就像六支寒光闪闪的利剑同时刺向漠北。这一次，唐帝国倾尽精锐，志在必得。

东突厥注定在劫难逃……

十一月二十八日，任城王李道宗首战告捷，在灵州（今宁夏灵武市）击败东突厥的边境部队。

十二月初二，突利小可汗逃离东突厥汗国，抵达长安朝见大唐天子李世民。

李世民不无自豪地对侍臣说："往者太上皇以百姓之故，称臣于突厥，朕常痛心。今单于稽颡（叩首），庶几可雪前耻。"（《资治通鉴》卷一九三）

同月下旬，东突厥的重要将领阿史那郁射也率部来降。

突利是东突厥的二号人物，阿史那郁射是颉利的心腹大将，他们的投诚意味着颉利已经众叛亲离，彻底变成了孤家寡人。

东突厥的灭亡已经指日可待。

雪夜弓刀：东突厥的覆灭

贞观四年（公元630年）正月。唐帝国北部边境。

地冻天寒，朔风怒吼。一支军队正顶着漫天飞雪从马邑（今山西朔州市）出发，以急行军的速度向北推进。

一马当先的人就是李靖。

尽管这一年李靖已经年届六旬，是一个名副其实的老将了，可他跃马扬鞭的身影却依然和年轻人一样矫健。

紧跟在李靖身后的，是他从北伐大军中亲自挑选出来的三千精锐骑兵。

这三千铁骑要跟随李靖执行一项突袭任务，目标就是颉利可汗的王庭——定襄（今内蒙古和林格尔县）。

突袭部队以迅雷不及掩耳之势进抵恶阳岭（和林格尔县南），出其不意地歼灭了这里的突厥守军。稍事休整之后，李靖命令部队连夜开拔，直指定襄。

又有谁能想到，在这大雪纷飞、月黑风高的隆冬深夜里，大唐最精锐的一支铁骑居然会孤军深入，像一柄钢刀一样直直插向东突厥汗国的心脏？

头一个想不到的，就是颉利可汗。

此时此刻，颉利正在他那温暖如春的可汗大帐中烤火饮酒。尽管早已获悉唐朝出兵的消息，可颉利并不十分担心。

因为边境线上到处都有重兵布防，唐军北上的每一步都要付出血的代价。况且时值严冬，越往北天气越冷，唐军无论是行军作战还是后勤补给都将遭遇重重困难，要想在短时间内打到他的突厥王庭，无异于痴人说梦。此外，从最近得到的战报判断，唐朝各路大军进展都很缓慢，显然也是受制于天气因素，很可能要等到春天气候回暖，唐军才会发动大规模攻势。

所以，眼下的颉利根本没有理由感到恐慌。

周遭万籁俱寂，除了帐外的巡逻兵踏雪而过的脚步声，天地间什么动静也没有。摇曳的烛光下，颉利醉意朦胧，睡眼惺忪。

然而，那震耳欲聋的喊杀声还是响起来了。

就在颉利毫无防备的时刻突然响起来了。

有那么一瞬间，颉利以为自己是在做梦。

可他马上就清醒了。

这不是梦。

这是让人不敢相信却不得不相信的现实——唐军杀来了。

唐军就像插上了翅膀的雄鹰一样，越过茫茫雪原从天而降了。

颉利一个箭步冲出大帐的时候，看见整座王庭已经陷入了一片火海，到处都是砍杀声和哀号声。颉利对着左右怒吼："如果不是唐朝倾国而来，李靖何敢孤军至此？"

可是，不管唐军到底来了多少人马，此刻的颉利都已无心恋战了。

他心里只有一个字——逃！

当夜，颉利带着部众逃出王庭，一路上恍如惊弓之鸟，头也不回地朝着阴山方向没命狂奔。

此战唐军出奇制胜，一举攻占了定襄。

这是中国战争史上又一个长途奔袭、以少胜多的经典战例。

大唐名将李靖在自己辉煌的军事生涯中又书写了浓墨重彩的一笔。

捷报传至长安，李世民大喜过望。当年的渭水之耻一朝冰释。数月后，当李靖班师凯旋时，李世民曾当面称赞他说："昔李陵提步卒五千，不免身降匈奴，尚得书名竹帛；卿以三千轻骑深入虏庭，克复定襄，威振北狄，古今所未有，足报往年渭水之役！"（《旧唐书·突厥传》）

中唐诗人卢纶有一首脍炙人口的《塞下曲》，正是定襄之战的生动写照。

> 月黑雁飞高，单于夜遁逃。
>
> 欲将轻骑逐，大雪满弓刀。

定襄的陷落对于东突厥和颉利可汗是一次致命的打击。

此役之败，使颉利不仅丢掉了王庭，更丢掉了突厥军民最后的一点士气和人心。

李靖没有让颉利喘息，又派出间谍离间颉利的君臣关系。这一年正月初九，颉利的心腹大臣康苏密带着一干亲信投奔了唐朝。

与康苏密一起回到长安的，还有流亡塞北多年的隋朝萧皇后以及她的孙子杨政道。

颉利绝对没有料到唐军会对定襄发动突袭。在逃往阴山的路上，他一定对此百思不解。

可他更加没有料到的是：另一支唐军居然又守候在他的逃亡路上。

这就是李世勣。

按照李靖事先的战略部署，在他奔袭定襄的同时，另一支唐军主力李世勣部也从云中（今山西大同市）出发，绕道进抵颉利逃往阴山山区的必经之路——白道（今内蒙古呼和浩特市北），在那里给颉利张开了一个口袋。

二月初八，当颉利逃至白道时，唐军突然从四面八方杀出，而李靖的追兵又迅速追至，对其形成了合围之势。突厥军队一日数惊，士气降到了最低点。但是突厥人毕竟骁勇善战，在扔下无数具尸体之后，残部硬是拥着颉利可汗杀开一条血路，仓皇逃进了阴山。

颉利一口气跑到了阴山以北的碛口（今内蒙古四子王旗西北），没有力气再往前跑，只好暂时在此设立牙帐。惊魂甫定，颉利急忙派遣心腹执失思力前往长安，向唐太宗李世民谢罪，愿意举国投降，并承诺由颉利可汗亲自入朝。

李世民很清楚，这只是颉利的缓兵之计，此时如果不乘胜将东突厥一举击溃，颉利就会逃亡漠北，日后也必定会死灰复燃，卷土重来。

于是李世民一边命鸿胪卿唐俭前去与颉利谈判——实际上是稳住他——一边密令李靖继续进兵，不让颉利有丝毫喘息之机。

李靖与李世勣会师之后，立即召开军事会议，商讨下一步的作战方案。

他们很快就得出了一致结论："颉利虽然兵败，但残部仍有数万之众。如果他们穿越大漠，与漠北的铁勒九姓会合，到时路途遥远，又为大漠所阻，唐军势必无法深入追击。现在唐朝特使唐俭正在碛口与颉利谈判，突厥人肯定会放松警戒。如果我们出动一万名精锐骑兵，携带二十日口粮，从白道出发，奇袭突厥牙帐，必然可以生擒颉利。"

副帅张公谨提出了反对意见。他说："皇上已经下诏接受了突厥人的投降，特使唐俭仍在突厥大营中，怎么能在这个时候发动攻击？"

李靖斩钉截铁地答道："战场形势瞬息万变，机不可失。当年韩信大破齐国，便是抓住了战机。如果能以此一战击破突厥，唐俭之辈何足惜哉？"

这就是名将之所以是名将的一个重要原因。

他不但要比普通将领更有谋略、更有胆识、更有决断力，而且绝对要比普通将领更为冷酷无情。

在李靖看来，牺牲一颗唐俭的人头，换取对突战争的最终胜利，这绝对值得。

是日深夜，李靖率部先行，李世勣随后跟进。大军进入阴山，遇到东突厥的殿后部队一千余帐，唐军不费吹灰之力便将其悉数擒获。李靖命这些人当向导，大军继续向纵深挺进。

东突厥的丧钟已经敲响，可颉利可汗依旧没有听见。

他再次犯了麻痹轻敌的大错。

当唐朝特使唐俭一行来到碛口时，颉利悬着的一颗心终于放下了。

他一阵窃喜，同时暗暗打定了主意——权且跟唐朝虚与委蛇，诈降称臣，伺机返回漠北，养精蓄锐，等到来年秋高马肥之时，再南下报仇。以牙还牙，以血还血。

颉利的如意算盘打得哗哗响。

可令人遗憾的是，他这辈子再也没这机会了。此时，唐军前锋苏定方率领的两百轻骑，已经在大雾的掩护下悄悄逼近了突厥大营。

直到唐军摸到了距离颉利大帐只有七里地的时候，突厥哨兵才侦察到敌情，慌忙发出了警报。

可是，一切都已经太迟了。

颉利根本来不及组织有效的抵抗，只好再一次脚底抹油，骑上早已准备好的一匹千里马，带着骑兵一万余人继续向漠北逃亡。

李靖大军杀入突厥军营后，与其说是在进行一场战斗，不如说是在实施一次大规模屠宰。

因为颉利一溜，突厥部众彻底丧失斗志，人人争相逃命，只能任唐军宰割。

片刻之间，一万多颗突厥人的脑袋就被砍了下来，剩下的十几万男女全部投降。唐军擒获各种牲畜数十万头。同时，东突厥历任可汗的夫人、隋朝的义成公主也被斩于乱兵之中[1]，其子阿史那叠罗施被唐军俘虏。

特使唐俭趁乱逃出，捡了一条命。

就在李靖进攻突厥大营之际，李世勣故伎重施，火速北进截断了颉利向北逃窜的退路。颉利麾下的几大酋长纷纷率部向李世勣投降，唐军共俘获五万余人。

面对唐军给他布下的天罗地网，颉利可汗傻眼了。

前无去路，后有追兵，数十万部众死的死、降的降。短短几天之间，他就从一个堂堂的可汗变成了一无所有的丧家之犬，眼下甚至到了灭亡的边缘。

---

1 按照突厥"父死子继、兄终弟及"的风俗，义成公主曾先后成为启民可汗、始毕可汗、处罗可汗、颉利可汗父子四人的妻子，在东突厥整整生活了三十年。

流亡漠北、重整旗鼓已经变得不可能了，颉利现在唯一焦虑的只是——如何保住自己的性命。

近乎绝望之下，颉利想起了一个人。

这个人就是他的叔父阿史那苏尼失。

苏尼失是启民可汗的弟弟，管辖部落五万家，牙帐位于灵州（今宁夏宁武市）西北。在颉利国势日衰、众叛亲离的这几年，苏尼失是少数忠于他的人之一。突利亡奔唐朝后，颉利就把小可汗的位子给了苏尼失，算是对他一腔忠诚的报答。此时此刻，颉利唯一可以信任的人只有他了。

思虑及此，颉利迅速掉转马头，带着少数亲兵往灵州方向奔去。

莽莽的黄尘中，颉利落荒而去的背影仿佛一只断翅的苍鹰，充满了孤独、恐惧和无望。

此次出征，唐朝大获全胜，斩杀突厥骑兵数万人，收降部众数十万人。北起阴山、南抵大漠的广袤土地，全部落入大唐帝国的掌控之中。

二月十八日，李靖大破东突厥的捷报传至长安，李世民感到无比的自豪和喜悦，当即下诏大赦天下。

经过四年的忍辱负重和养精蓄锐，唐帝国终于一举平定了东突厥，洗雪了当年的称臣之辱和渭水之耻。自北朝以来数百年间一直对中原王朝构成强大威胁的边患，至此也宣告终结。

贞观四年三月初三，大唐帝国迎来了历史性的一刻。

四方各部族的酋长和首领纷纷来到长安，齐集在太极宫前，共同向唐太宗李世民敬献了一个史无前例的尊号——天可汗。

李世民说："我为大唐天子，又下行可汗事乎！"（《资治通鉴》卷一九三）这一刻，文武百官和四夷君长皆山呼万岁。自此，唐太宗李世民对四夷君长颁发诏书时，一律自称"天可汗"。

一个彪炳千秋、光芒万丈的天可汗时代从此拉开序幕。

天可汗不仅是一种尊严和权力的象征，更是一种实质性的国际政治体系。这个体系的确立，意味着唐太宗李世民不仅是大唐皇帝，更成为四夷诸番共尊的万王之王，同时也意味着大唐帝国从此取得了国际联盟的首脑地位，不但是维护国际秩序的主导力量，也是处理国际争端的唯一仲裁者。

唐太宗以大唐天子身份"下行可汗事"，其成员国既保持原有的制度，又可以接受唐帝国任命，出任大唐官员。日本学者谷川道雄称其为"胡、汉二元体制"，陈寅恪先生称其为"胡、汉分治"，也有一些当代学者称之为"双轨政制"或"一国两制"。

唐朝的天可汗制度，可以视为中国历史上第一个具有国际性质的组织和制度。四夷诸番自愿结成联盟，共推大唐天子为联盟首脑，以唐帝国的国力和声威作为一种稳定国际秩序、维护国际和平的力量。在唐帝国的主导下，体系内全体成员有权利和义务对破坏和平的成员国实施制裁。唐帝国也有权力和义务保障各国的国家安全和国家利益，维护各国独立，仲裁国际争端。各成员国必须绝对服从天可汗；各国嗣君即位，必由天可汗下诏册封；各国军队必须统一接受天可汗的征调，可以联合起来，对破坏和平的成员国发动制裁性的战争，必要时也要接受征调到中国平叛。

在这种以天可汗为中心的国际秩序和战略格局之下，唐帝国可以利用各成员国之间的相互制衡维护自身的国家安全，从而最大限度地减少防务开支和战争成本，而广大的成员国则能享有一种和平共处的国际环境。尤其对于那些弱小的国家而言，更能在相当程度上避免受到强大邻国的侵略。所以，这种天可汗体系既有现代国际安全组织的性质，又有类似于今天联合国的作用。

如果没有一种强大的国力为依托、没有一个强盛的文明为背景，唐太宗李世民绝不可能成为号令四方的天下共主，而大唐帝国也绝不可能在公元7世纪初就创造出如此震撼人心的历史功绩。

后世史家对此也做出了很高的评价："唐之德大矣！际天所覆，悉臣而属之；薄海内外，无不州县，遂尊天子曰'天可汗'。三王以来，未有以过之。至荒区君长，待唐玺纛乃能国；一为不宾，随辄夷缚……"（《新

唐书·北狄列传》)

颉利狼狈投奔苏尼失之后，虽然已经是一个输得精光的赌徒，可他心里依旧残存着一丝翻本的希望。

因为苏尼失麾下仍有五万帐的部众，其中作战部队绝对不少于五万人。此外，他的另一个心腹将领阿史那思结麾下也还有四万铁骑。

颉利想，凭着这些筹码，自己完全有可能东山再起。

然而，无情的现实很快就粉碎了颉利残存的希望——三月初五，东突厥最后一支劲旅阿史那思结率部投降了唐朝。

消息传来，颉利目瞪口呆，如遭电击。

在这种树倒猢狲散的时刻，颉利心里顿时产生了一个更大的怀疑和恐惧——苏尼失会不会把自己卖了？

东突厥老老少少、大大小小的人都降了，他苏尼失能忠贞不渝，誓与可汗共存亡吗？

这种可能性太小了。

在此刻的颉利看来，眼下整个东突厥已经没有一个人值得他信任了。与其坐在这里束手就擒，还不如继续逃亡，投奔吐谷浑。

现在任何异族人都比本族人更让颉利感到放心。

就在颉利准备再度逃亡的同时，唐大同道行军总管李道宗的军队已经向苏尼失的大营迅速逼近。李道宗还先行遣使警告苏尼失，让他即刻逮捕颉利，向唐朝投降。

疑心满腹的颉利嗅出了危险的气息，随即不辞而别，带着几个亲信连夜出逃，进入人迹罕至的荒山野岭中，抄小路往吐谷浑方向狂奔。

接到李道宗的信后，苏尼失大为忧惧。尽管他很不情愿背叛颉利，可眼下的东突厥就快死翘翘了。大厦将倾，独木难支；覆巢之下，焉有完卵？假如不按李道宗说的办，他苏尼失只能陪着颉利一块完蛋。

现在颉利从他的眼皮底下溜了，唐军一定会认为是他故意放跑的，这份罪责他无论如何也承担不起。思虑及此，苏尼失不得不痛下决心，火速派人进入山区追捕，最后硬是把颉利给抓了回来。

贞观四年三月十五日，唐大同道副总管张宝相率部进抵苏尼失大营，苏尼失连忙把五花大绑的颉利交了出去，随后率麾下的五万帐全部降唐。

至此，"漠南之地遂空"，唐朝平定东突厥的战争终于画上圆满的句号。

东突厥亡国后，其残余部众一部分归降薛延陀，一部分投奔西突厥，另有十万余人归附唐朝。太宗李世民在广泛听取群臣的意见后，采纳了中书令温彦博"全其部落，顺其土俗，授以生业，教之礼义"的意见，将突厥降众安置于东起幽州、西至灵州的各个州县内，希望以中华礼仪之邦的文明力量，逐步将其同化。

原东突厥的疆域，颉利辖境被分置为六个州，设立定襄都督府与云中都督府；突利辖境分置为顺、祐、化、长四州。

颉利被擒至长安后，李世民先是把他的家人和他一起软禁在太仆寺。颉利终日抑郁寡欢，与家人悲歌而泣。李世民遂安排他出任虢州刺史，因为其地"多獐鹿"，可以让他纵情打猎。但颉利辞谢，李世民只好授予他右卫大将军之职，并赐以田宅。

对于一个自即位之后便屡屡侵犯唐朝的亡国之君来说，李世民的做法可以说是仁至义尽了。贞观八年（公元634年），颉利在无尽的悔恨和哀伤中郁郁而终。李世民命其族人以突厥礼仪葬之，赠其"归义王"，谥号"荒"。

对于东突厥的突利小可汗及一干降将，李世民更是展示出了一个天可汗的非凡气度和博大胸襟。他说："凡有功于我者，必不能忘；有恶于我者，终亦不记！"（《旧唐书·突厥传》）

突利先是被封为北平郡王、右卫大将军，后又出任顺州都督；苏尼失封怀德郡王；阿史那思摩封怀化郡王、右武候大将军，后出任北开州都督，统领颉利旧部。其他突厥降将官居五品以上者共有一百余人，占朝廷高阶官员的一半；原东突厥的贵族政要进入长安定居的将近一万家。

高原之战：平定吐谷浑

在唐朝与西域诸国之间，有一条地形狭长的交通要道，称为河西走廊。从长安往西北方向出发，经过河西走廊，出玉门关，可到达西域；再穿过西域，可直抵中亚、西亚诸国，甚至远抵欧洲大陆。

这条贯穿欧亚大陆的重要交通线和贸易通道，就是著名的"丝绸之路"。

而吐谷浑汗国就位于河西走廊的南侧，扼守着丝绸之路的咽喉。

很显然，吐谷浑与唐朝的双边关系如果良好，就能保障这条贸易生命线的安全与畅通。

不过可惜的是，从李世民上台执政起，双方的关系就一直显得不太良好。尽管太宗李世民努力与其建立睦邻友好关系，可吐谷浑却屡屡入寇河西走廊，严重威胁着唐朝边境与丝绸之路的安全。

吐谷浑是鲜卑族慕容部的一支，西晋末年从东北的白山黑水迁徙至水草丰沃的青海、甘肃一带，"有地数千里"。6世纪中叶，其王慕容夸吕自立为可汗，建都伏俟城（今青海湖西岸布哈河河口）。隋末唐初，慕容伏允在位，曾一度被隋炀帝杨广击败，逃奔党项。大业末年，趁中原战乱之际，慕容伏允收复失地，重建其国。其长子慕容顺曾入隋为人质，唐朝建立之后，高祖李渊以送还慕容顺为条件，与吐谷浑相约共击河西李轨。平定李轨后，李渊履约将慕容顺遣送回国。

贞观初年，慕容伏允年事已高，遂将朝政大权委于宰相天柱王，对其言听计从。天柱王是一个鹰派人物，倾向于对外扩张。在他的影响下，吐谷浑采取了阳奉阴违的做法，表面上经常遣使朝贡，背地里又频频入侵唐朝的西北边境，曾先后纵兵大掠兰州、鄯州（今青海乐都区）、廓州（今青海化隆县西）等地。

贞观八年（公元634年）五月，吐谷浑又一次故伎重演，一边"遣使入贡"，一边又"大掠鄯州而去"（《资治通鉴》卷一九四）。唐太宗李世民终于忍无可忍，遣使对慕容伏允大加责备，并命他亲自到长安朝见。

慕容伏允谎称有病，拒绝入朝，同时又为其子尊王请婚，要求迎娶唐朝公主。

吐谷浑的这种做法看上去好像颇为自相矛盾，不可理喻，其实也不难理解——他们这么做，无非是一方面想多劫掠一些财帛，捞一些实惠，一方面又不想与唐朝彻底决裂，怕唐朝大动干戈，所以才会屡屡玩这种既当强盗又抛媚眼的不入流把戏。

吐谷浑自以为高明，其实是在玩火。

而玩火者必自焚。

这是千古不易的真理。

李世民对吐谷浑的求婚做出了非常明确的答复——要娶唐朝公主可以，但是尊王必须亲自到长安迎娶。

慕容伏允再次当起了缩头乌龟，不但没有让他儿子入朝，而且再度纵兵入寇，甚至扣押了出使吐谷浑的唐朝使臣赵德楷。

这简直就是丧心病狂。

李世民一再容忍，连续派遣十批使者与吐谷浑交涉，但是毫无结果，慕容伏允置若罔闻。李世民又亲自对吐谷浑的使者"谕以祸福"，但冥顽不灵的慕容伏允"终无悛心"（《资治通鉴》卷一九四）。

李世民的忍耐是有限度的。虽然天可汗这种国际政治体系的性质决定了李世民必须把忍耐的尺度放到最宽，必须尽量采用政治斡旋的手段解决国际争端，但是，忍耐绝不意味着纵容，政治斡旋更不意味着放弃武力征服。

就在李世民考虑对吐谷浑用兵的同时，鄯州刺史李玄运也上了一道奏疏："吐谷浑有非常优良的马匹，这些马都放牧于青海湖一带，如果我们派出一支轻骑兵进行突袭，必能夺取他们的良马。"

吐谷浑的良马就是著名的青海骢。这是原产于波斯的良种马，极为健硕，耐力超常，据说可以日行千里。因为吐谷浑地处青藏高原，水草丰美，很适宜放养这种波斯马，因此吐谷浑大量引进，将其放牧于青海湖一带，并且迅速繁衍。吐谷浑骑兵就是凭借这种优良的青海骢，才得以快速出击，在对唐朝的侵略和作战中占据了充分的速度优势，攻击河西走廊屡屡得手。如果唐朝能夺取这些马匹，不但是给吐谷浑一次严厉教训，而且具有十分突出的战略意义。

贞观八年六月，天可汗终于出手了。

李世民命左骁卫大将军段志玄，率唐朝边境守军及契苾、党项等外族军队，组成一支多国联军，对吐谷浑发动了一次闪电战。段志玄出征后，迅速击溃了吐谷浑的边境部队，并向纵深追击了八百余里。然而，深入吐谷浑的国境后，段志玄却担心粮草不继而下令撤兵。

唐军的第一次西征就这样无功而返。

此次出征的结果让李世民很不满意。

看来，要想彻底平定吐谷浑，段志玄并不是一个合适的人选。

那么，满朝文武中谁最合适呢？

答案只有一个——李靖。

在李世民看来，没有谁比他更有资格出任远征军的统帅。可问题在于，此时的李靖已经是一个六十四岁的老人，而且身患足疾，前不久刚刚因病辞去右仆射之职，李世民还特意赐给他一把灵寿杖。这么一个年过花甲、连行走都要借助拐杖的老人，愿意承担这项重任吗？

李靖得知天子有意让他出征后，当即找到房玄龄，让他向皇帝转告："靖虽年老，固堪一行！"（《旧唐书·李靖传》）

李世民龙颜大悦。

不出所料，李靖这把宝刀果然未老。

贞观八年十二月，李世民命李靖为远征军最高统帅，李道宗与侯君集为副统帅，率契苾何力、执失思力、薛万均、薛万彻等人，下辖唐军和东突厥、铁勒、契苾等骑兵部队，组成六大兵团，以雷霆万钧之势，对桀骜不驯的吐谷浑发起了一场规模浩大的战争。

为了抵御唐朝的远征大军，吐谷浑积极施展外交手段，先后把南部的党项族人和洮州（今甘肃临潭县）的羌族人从唐朝阵营中拉拢了过去。党项人和羌人在这种时候背叛唐朝，无疑是在给吐谷浑当陪葬。

贞观九年（公元635年）三月，高甑生部率先对洮州羌发起进攻，很快就将其击溃。闰四月初八，李道宗部进抵库山（今青海湟源县南），大败吐谷浑的前锋部队，首战告捷。

面对来势汹汹的唐朝大军，慕容伏允感到了一阵莫大的恐惧。这个在位时间长达三十九年的可汗意识到——自己面临的将是一生中最危险的一场战争。

慕容伏允很清楚，以吐谷浑的国力和兵力，绝对不可能与强大的唐军抗衡，如果硬着头皮与其正面对决，无疑只有死路一条。

所以，唯一的办法只有一个字——拖。

具体的战略就是：首先，大幅度向吐谷浑西部的山区和沙碛地带后撤，保存实力，避敌锋芒；其次，利用吐谷浑国境的广袤和纵深拖长唐军的战线，让唐军在寻找对手主力的过程中疲于奔命，使其行军作战和后勤补给同时陷入困境；最后，凭借高原地区恶劣的自然环境挫尽唐军的锐气，再利用各种复杂地形进行阻击，并从各个方向出动小股部队进行袭扰，不断消耗其有生力量，最终拖垮唐军。

打不赢你，难道我还拖不死你？

李靖的主力部队刚刚抵达鄯州（今青海乐都区），慕容伏允就丢弃了他的王庭伏俟城，带着军队一撤两千里，轻装进入了沙碛地带（今青海柴达木盆地）。

临走之前，慕容伏允下了一道命令，把青海湖沿岸的广袤草场全部焚毁，给唐军留下了千里赤地和一片焦土。

这是一记狠招。

他想把唐军的战马活活饿死。

要想进行远距离作战，马匹没有草料是万万不行的。李靖得到这个不利消息后，立即召开军事会议，讨论对策。以副统帅李道宗为首的多数将领认为："马无草，疲瘦，未可深入。"（《资治通鉴》卷一九四）

侯君集立即反驳。他说："吐谷浑才打了一场败仗就鼠逃鸟散，连侦察哨也消失得无影无踪，可见他们士气低落，无心恋战。眼下他们君臣离心，收拾他们易如反掌。若不把握战机，必然后悔不及！"

侯君集的看法与李靖不谋而合。

李靖知道，慕容伏允之所以弃城而逃，就是因为他非常了解李靖的打法，担心李靖又给他来一招长途奔袭，擒贼先擒王，使他重蹈东突厥颉利可汗的覆辙，所以才第一时间远避沙碛，企图一方面自我保全，一方面又拉长唐军的战线，最后伺机将唐军各个击破。

对于慕容伏允这种自作聪明的打法，李靖不禁冷笑。

针对敌方的图谋，李靖制定了一个"兵分两路，迂回包抄，大举扫荡"的宏大战略——北路由他亲自指挥，率领李大亮的部队和薛万均、薛万彻的部队，沿青海湖南岸由北向南作战，扫荡盘踞在大非川（今青海共和县西南切吉平原）一带的吐谷浑主力；南路由侯君集、李道宗两路部队组成，直插吐谷浑的大后方，进攻黄河源头的吐谷浑各部落据点，最后在大非川与李靖的部队会师，完成南北夹击、包抄合围之势，全歼吐谷浑军队的所有主力。

伏允啊伏允，你以为我李靖纵横天下数十载，靠的就是一招直捣王庭、猛虎掏心吗？

笑话，真是笑话！

你想拉长我的战线，把我一步步拖垮，再把我一块块吃掉是吧？

行，我成全你！

就让你伏允好好瞧一瞧，看看我李靖除了打擒贼先擒王的奇袭战之外，怎么打一场硬碰硬的歼灭战！

这是一场名副其实、艰苦卓绝的远征。

按照李靖的战略部署，唐朝的两路大军必须在世界上海拔最高的地区——平均海拔4000米以上的青藏高原，深入吐谷浑国境数千里，克服种种恶劣的自然条件，穿越复杂而陌生的地形，在缺乏粮草、补给和后援的情况下，进行远距离作战和大尺度迂回，追踪吐谷浑的主力并与其决战，其艰难和危险的程度可想而知。

这对于所有出征的将士——上至六十四岁的统帅李靖，下至每一个普通士兵来说，都是一场勇气、耐力和意志力的考验。

他们能经受住这样的考验吗？

由李靖率领的北线兵团，首先在曼头山（今青海湖南岸日月山）打响了第一战。

闰四月二十三日，李靖的部将薛孤儿带着一支轻骑兵，在曼头山与吐谷浑的军队遭遇。由于唐军是主动求战，而吐谷浑军是被动应战，双方的士气根本不可同日而语。唐军骑兵发起冲锋后，很快就将吐谷浑军击溃，不但斩杀了这支军队的首领——吐谷浑的一个亲王，而且缴获了大量的牛羊。

获得这些战利品后，唐军的士气更为高昂，而且更重要的是军粮也有了保障。

这就叫以战养战。

对于任何一支深入敌境、补给匮乏的军队而言，这四个字都是克敌制胜的不二法门。

曼头山战役后，李靖率部继续向纵深挺进，又在牛心堆（今青海湖南岸）打了一场胜仗。

闰四月二十八日，大军迅速推进到赤水原（曼头山西）。

在这里，唐军遭遇了自出征吐谷浑以来最危险的一场战斗。

因为连连败北，吐谷浑军队不甘心失败，于是在这里集结了一支重兵，给唐军设下了一个伏击圈。

唐军前锋薛万均、薛万彻部一进入赤水原，吐谷浑军队立即发起异常猛烈的进攻。薛氏兄弟率领麾下骑兵左冲右突,可漫山遍野都是敌军,根本无法杀出重围。一番鏖战后,兄弟二人身中多处枪伤,坐骑也被砍倒,只好下马作战。敌军的包围圈越缩越小,唐军伤亡惨重,战死者超过了三分之二,眼看就将全军覆没。

就在这万分危急的关头,左领军将军契苾何力奉李靖之命率援军赶到。他亲率数百骑突入重围,竭力反击。兵锋所过之处,敌军望风披靡,战场形势迅速逆转。最后唐军反败为胜,大破吐谷浑军队,俘虏其南昌王慕容秀俊,并再次缴获各种牲畜数万头。

其后,李靖的北线部队长驱直入,连战连捷:李大亮部在蜀浑山(今青海天峻县西部山区)击败吐谷浑军,俘虏了二十个亲王,获杂畜五万头;薛万均、薛万彻部在赤海(今青海茶卡盐湖)大破吐谷浑宰相天柱王率领的主力部队,缴获各种牲畜二十万头;稍后,执失思力又在居茹川(茶卡盐湖附近山川)击退了吐谷浑军队的反击。

北线部队在李靖的指挥下,以所向披靡之势横扫青海湖南岸,只用了不到一个月的时间就把盘踞在这一带的吐谷浑主力全部歼灭。

李靖不愧为千古名将。

接下来,我们来看看南线的战况。

在南路,侯君集和李道宗部队遭遇了比北路更大的困难。因为南面都是高海拔地区,平均海拔起码要比青海湖沿岸高出1000米以上。将士们不但要克服严重的高原反应,而且所经之地荒无人烟,粮草和补给都供应不上,甚至连"以战养战"都不太可能。

南线部队面临的第一道障碍,名叫"汉哭山"(今青海鄂拉山)。

这座山为什么叫这个奇怪的名字,史书无载。但是依常理判断,这个相当不吉利的名字不可能是汉人自己取的,很可能是从前的汉人经过这座山时,经常会出现剧烈的高原反应,所以吐谷浑人才会以此命名,说这是一座让汉人哭泣的大山。

但是跟后面要遭遇的困难比起来,汉哭山根本算不上什么。

当唐军翻过此山，穿越破逻真谷（鄂拉山口）后，更为严峻的考验就来了。

南线部队此次远征的目标是分布在黄河源头的吐谷浑各部落，而从鄂拉山口到目的地之间，是绵延数千里的不毛之地和雪域冰川。唐军经过这里的时候，已经是农历五月，在汉地早已是骄阳似火、热浪逼人，可这里却依然是一片白茫茫的冰雪世界。侯君集和李道宗部队整整跋涉了两千里，不但一头牛羊都找不到，而且连人马的饮用水也无从寻觅。将士们只好"人吃冰、马啖雪"（《资治通鉴》卷一九四），克服了种种常人难以想象的困难。

不过，令人欣慰的是，辛苦总是有回报的。

南线部队进抵乌海（今苦海，位于鄂拉山口西南）时，终于发现了一支吐谷浑的大股部队，其首领是吐谷浑的亲王梁屈葱。

好些日子没打过仗的唐军将士顿时大为兴奋，于是人人奋勇争先。经过一番激烈厮杀，吐谷浑军大败，梁屈葱被唐军俘虏。

不言而喻，南线部队同时也缴获了大量牲畜。

获得充分的补给之后，唐军开始长驱直入，从星宿川（今黄河源头的星宿海）一路打到柏海（今青海鄂陵湖和扎陵湖），连战连捷，彻底摧毁了吐谷浑在黄河源头一带的军事力量。

最后，南线部队胜利班师，与李靖部队会师于大非川。

此次远征，两路大军历尽千难万险，奔袭数千里，大小几十战，终于将吐谷浑军队的有生力量歼灭殆尽，完全实现了李靖预期的战略目标。

就算放在几千年的中国战争史上，这一战都堪称难得一见的大手笔。

然而，慕容伏允仍然在逃。

没有把他彻底摆平，这场战争就谈不上完美。

此时，慕容伏允已经穿过柴达木盆地的戈壁荒漠，越过阿尔金山脉，一口气逃到了塔克拉玛干沙漠东南部的且末城（今新疆且末县）。

这里是吐谷浑国境的最西端。经过一个多月连续作战的唐军将士，还有没有勇气和力量进行数千里的追击？

有。

稍事休整之后，李靖就发出了一道新的命令——追！

慕容伏允万万没有料到——唐军说来就来了。

怎么办？

还能怎么办，撒丫子跑吧！

于是伏允就跑，埋着脑袋继续跑，沿着突伦川（又称图伦碛，今新疆塔克拉玛干沙漠）南缘一直向西跑。

只是在跑路的过程中慕容伏允百思不得其解——唐军难道是铁打的？为什么如此辽阔的高原冰川非但拖不死他们，反倒被他们轻而易举地征服了？

慕容伏允逃进突伦川后，想想自己的国家好像也没有哪个地方是安全的了，要保住老命只有一条路可以走——投奔于阗。

留得这把老骨头在，或许还有东山再起的机会，就像当年从隋帝国手中夺回失去的江山一样，慕容伏允想。

遗憾的是，这一次，伏允他老人家再也没机会了。

唐军前锋将领契苾何力一听说慕容伏允逃进了突伦川，马上要领兵再追。薛万均担心像上次那样遭遇伏击，坚决不同意。契苾何力瞪着眼说："那老家伙现在没有城郭了，只能随水草迁徙，如果不趁他们聚居在此地时发兵袭取，一旦四散逃去，就没机会端他们的老巢了。"

话一说完，契苾何力也不管薛万均同不同意，自己挑了一千精锐骑兵，鞭子一甩就直奔突伦川而去。薛万均无奈，只好随后跟进。

时值盛夏，沙漠地带又严重缺水，被热辣辣的太阳暴晒几个时辰后，唐军将士个个嘴唇干裂，头晕目眩。最后没办法，只能杀了心爱的战马，生饮其血。

就是靠着这种坚毅顽强的精神，这群不怕死的硬汉终于进入了突伦川。

唐军再一次从天而降，慕容伏允的残余部众简直不敢相信自己的眼睛。

他们也没心思打仗了，个个抱头鼠窜，争相逃命。唐军轻而易举地砍下了数千颗首级，同时俘获牲畜二十余万头，并生擒了伏允的妻子和儿子。

慕容伏允跑得快，没被唐军逮着。可是在沙漠里跑了十来天，最后的一千多名骑兵几乎都跑光了。剩下的几个亲兵蓦然发现，再跟着这个国破家亡的老头混下去实在是没前途，索性一刀把他砍了，提着脑袋投降了唐军。

吐谷浑之战至此取得圆满胜利。

贞观九年五月十八日，李靖向朝廷呈上了捷报。

慕容伏允败亡后，唐朝面临的问题是如何处置吐谷浑这个国家。

选择有两个：第一，把它从这个世界上抹掉，在其地建立羁縻州府；第二，扶植一个亲唐政权，让它在唐帝国的西大门站岗，防范并制约西域诸国。

很显然，后者比前者更节约成本，更高明，并且在道义上显得更为堂皇。

好在吐谷浑国内也不全是鹰派，有一个重要人物就是比较典型的亲唐派。

他就是慕容伏允的长子慕容顺。

此人久居汉地，对中原王朝有亲近之感，而且由于从小就出国当人质，太子之位被弟弟夺去，所以他"意常怏怏"（《资治通鉴》卷一九四），回国后自然就成了一个"持不同政见者"。而自古以来，这种前朝政坛的"非主流"往往最适合充当新政权的领导人。

就在吐谷浑军队连连败北之际，慕容顺就意识到自己咸鱼翻身的机会来了，于是"顺因众心"，把一直独揽朝政的宰相天柱王斩了，顺势夺回了政权。慕容伏允一死，慕容顺便自然而然地"举国请降"，归附了唐朝。

贞观九年五月二十一日，李世民下诏，特准吐谷浑复国，册封慕容顺为吐谷浑第十八任可汗，兼大唐的平西郡王。此外，李世民还命凉州都督李大亮率部留驻吐谷浑，以防慕容顺镇不住人心。

吐谷浑平定后，丝绸之路上的驼铃声又像往常一样热闹起来了。

然而，表面的繁荣之下却隐藏着新的危机和隐患。

在吐谷浑西边，有一块地方始终令李世民放心不下。

那就是西域。

日月照霜雪：征服高昌

西域是一个统称，泛指今天的青海、新疆以及中亚的东部地区，涵盖的范围十分广阔。在西域之内，分布着大大小小数十个国家和部族，诸如西突厥、吐谷浑、党项、高昌、焉耆、龟兹、疏勒、于阗、罽宾、康国等，其中势力最为强大，唯一能与唐帝国抗衡的国家，无疑就是西突厥。

突厥是南北朝晚叶继匈奴和柔然之后崛起的一个游牧民族，隋文帝开皇三年（公元583年），突厥分裂为东、西两部。此后东突厥日益强盛，而西突厥则日渐衰弱。到了隋大业年间，也就是射匮可汗执政时代，西突厥的国力逐渐恢复，开始攻城略地，开疆拓土。唐武德初年，射匮可汗卒，其弟统叶护可汗继位。

统叶护是一代雄主，史称其"勇而有谋，善攻战"。他上台之后，进一步加大了对外扩张的力度："北并铁勒，西拒波斯，南接罽宾，悉归之。控弦数十万，霸有西域！"（《旧唐书·突厥传》）

到唐太宗李世民即位的时候，整个西域的控制权已经牢牢掌握在西突厥手中。

贞观二年（公元628年）年底，西突厥突然爆发政变，统叶护可汗被其伯父莫贺咄所杀，莫贺咄随后自立为可汗。统叶护可汗的旧部不服从莫贺咄，遂拥立统叶护之子为可汗，称为肆叶护可汗。于是双方开打，西突厥陷入内战，对西域的控制开始削弱。

贞观四年（公元630年），唐帝国一举平定了曾经如日中天的东突厥，这对西域诸国无疑是一个极大的震撼。同年九月，伊吾（今新疆哈密市）国王率先摆脱西突厥的控制，亲自入朝，以其国七城归附唐朝，李世民在其地置西伊州。十二月，西域的一个重要国家高昌也向唐朝伸出了橄榄枝，国王麴文泰亲自到长安朝见。李世民隆重接待了他，不仅赏赐甚厚，而且赐其妻宇文氏姓李，封为常乐公主。

伊吾的归附和高昌的入朝让李世民大喜过望。

因为唐朝如果要经营西域，要从西突厥手中夺取对西域的控制权，就必须首先控制伊吾和高昌。

尤其是高昌——它的地理位置实在是太重要了。

从河西走廊出玉门关后，第一站是伊吾，第二站就是高昌。而伊吾面积狭小，与高昌不可同日而语，所以高昌的战略地位就显得十分突出。

高昌（今新疆吐鲁番市东）在汉代称为车师国，自古就是兵家必争之地。两汉时期，汉朝与匈奴就曾经为了争夺此地而爆发多次战争。

要从西域诸国进入河西走廊，本来有两条通道：一条是南道，也就是穿过白龙堆沙漠，途经楼兰国，抵达玉门关；另一条是北道，就是穿过高昌国境，经伊吾到玉门关。

但是自从楼兰古国神秘消失后，南道就被废弃了，于是高昌自然就成为丝绸之路上独一无二的黄金通道，其重要性没有第二个国家可以取代。当初玄奘西行求法时就曾经在此滞留数月，差一点被麴文泰挽留而无法成行。

由于其地理位置的特殊性，高昌几乎垄断了西域与中原之间所有的过境贸易，从中获取了源源不断的巨额利润。

高昌的得天独厚令人羡慕，自然也就令人垂涎。

位于高昌西南面的焉耆就对此垂涎不已。

但是光垂涎是没有用的，心动不如行动。

焉耆人很快就行动了，他们卷起袖子喊出了一句令高昌人振聋发聩的口号——要想富，先修路！

是的，焉耆要修路，要把当初废弃不用的那条碛路——楼兰古道重新修起来。

贞观六年（公元632年），焉耆国王龙突骑支遣使到长安朝贡，"顺便"向唐太宗提出了请求——"开大碛路，以便行李"（《旧唐书·焉耆传》）。

李世民觉得这是个不错的主意。

反正多修一条路，对唐朝只有好处没有坏处，更何况是地方政府自筹资金，又不要中央政府拨款，何乐而不为呢。于是李世民当即表示同意，并对焉耆善于搞活经济的思路和做法给予了高度肯定。

听到焉耆喊出修路的口号后，麴文泰本来就憋了一肚子气，如今听说他们居然还跑步进京，把唐朝政府的"红头文件"都搞到手了，顿时暴跳如雷。

这还了得！这不明摆着跟老子抢饭吃吗？

还有，这李世民也忒不靠谱了，对于这种抢人饭碗、恶性竞争的卑鄙行径不但不进行批评教育，反而还公开支持，鼓励纵容，这当的是哪门子天可汗！

麴文泰当即决定出兵，给龙突骑支一点厉害尝尝。

你小子想虎口夺食，老子就打得你满地找牙！

随后麴文泰便纵兵攻打焉耆国，并尽情地洗劫了一番，然后满载而归。

高昌估计是把焉耆打算修路的资金都抢走了，要不就是把他们搞活经济的勇气给吓没了，所以修路之事后来就莫名其妙地没了下文。

修路事件虽然不了了之，但高昌与焉耆却因此结下了梁子，而唐朝与高昌的关系也从此蒙上了一层阴影。

随后的几年里，高昌对唐朝越来越不客气，不但自己不来朝贡，而且屡屡拦截西域各国的入朝使者和过往商旅，摆出了"一夫当关，万夫莫开"的蛮横架势。

这已经不叫垄断经营了，而是活脱脱一个车匪路霸。

麴文泰之所以敢如此嚣张，背后的原因跟西突厥有关。

西突厥在贞观初年爆发内战，后来肆叶护可汗击败莫贺咄，重新统一了西突厥。但是到了贞观十二年（公元638年），西突厥就再度分裂为东、西二部，以伊犁水为界，西部由乙毗咄陆可汗统辖，东部由咥利失可汗统辖。两个可汗一方面大打内战，一方面又积极寻找外部盟友。东部的咥利失与唐朝通好，成了亲唐政权；西部的乙毗咄陆则与高昌结盟，成了麹文泰的后台老板。

正是有了这支西突厥势力的撑腰，麹文泰才会有恃无恐，屡屡与唐朝作对。

为了加强自己的垄断地位，麹文泰又于贞观十三年（公元639年）与西突厥联兵进攻伊吾（西伊州），大有将其吞并并彻底封锁河西走廊之势。

李世民勃然大怒。

这一次要是再不出面干预，不但天可汗的脸面无存，大唐帝国的安全和利益也要受到赤裸裸的威胁和侵犯。李世民下诏怒斥麹文泰，点名要高昌的执政大臣阿史那矩入朝，当面作出解释。

可是，麹文泰却拒绝派遣阿史那矩，只派了长史麹雍来到长安，装模作样地向唐太宗谢罪。

李世民叫麹雍回去告诉麹文泰：要谢罪可以，但是要拿出点诚意和实际行动来。当初东突厥败亡时，很多流亡当地的汉人转而投奔了高昌，你们马上把这些汉人都送回来。

麹雍带着李世民的诏命回去后，麹文泰依旧装聋作哑，毫无行动。

非但如此，他还变本加厉，又联合西突厥大举进攻他的死对头焉耆，连破焉耆三座城池，大掠其男女而去。满腹冤屈的焉耆国王龙突骑支连忙遣使向天可汗告状。

李世民再次遣使诘问高昌。麹文泰却冷笑着说："苍鹰在高天上飞翔，野鸡在荒草中躲藏，猫在堂间悠游嬉戏，鼠在洞里偷吃东西，各得其所。难道就不能各有各的活法、各有各的天地吗？"（《资治通鉴》卷一九五："鹰飞于天，雉伏于蒿，猫游于堂，鼠嗃于穴。各得其所，岂不能自生邪？"）

明摆着，麴文泰根本就没把天可汗放在眼里。他甚至还遣使对薛延陀的真珠可汗进行挑拨，说："既为可汗，则与天子匹敌，何必对唐朝卑躬屈膝，顶礼膜拜呢？"

李世民随即遣使对麴文泰发出了严厉警告："为恶不诛，善何以劝！明年当发兵击汝！"

面对唐朝的战争威胁，麴文泰毫不示弱，开始高筑城墙，深挖壕沟，积极备战。

又一个不知天高地厚的家伙开始玩火了。

薛延陀的真珠可汗可不想引火烧身，他赶紧遣使向李世民大表忠心："我受大唐厚恩，常思报答，请允许我发兵作为前锋进击高昌。"

贞观十三年（公元639年）十一月，李世民对麴文泰发出了最后通牒，下诏"示以祸福，征之入朝"，希望他能悬崖勒马，悔过自新。然而，麴文泰却依旧置若罔闻，"称疾不至"（《资治通鉴》卷一九五）。

在所有的政治手段都宣告无效后，天可汗终于忍无可忍，只能开动战争机器。

是年十二月，李世民任命侯君集为交河行军大总管、薛万均为副总管，率赵元楷、阿史那社尔等将领，大举发兵远征高昌。

听说唐朝真的出兵了，高昌朝野顿时人心惶惶，可麴文泰还是一脸镇定自若的表情。

他胸有成竹地对群臣说："长安距我们七千里，其中沙漠戈壁就有两千里，地无水草，寒风如刀，热风如烧，大军岂能通过？以前我去长安，亲眼看见秦陇北部地区一片荒凉，城邑萧条，和隋朝根本没得比。如今他们伐我，发兵多则粮草运送不及，发兵若少于三万人，我们完全有力量将其制伏。现在我们最好的办法就是以逸待劳，坐收其弊。唐军若屯兵城下，最多二十天，粮食吃光，必定撤走。到时候我们就追，必能将其俘虏，根本用不着担心！"

大臣们听了，都觉得很有道理，满腔忧虑一扫而光，并且对国王麴文泰这种临危不惧的王者风范、这种蔑视一切帝国主义纸老虎的大无畏精神佩服得五体投地。

国王就是国王，心理素质就是比一般人强啊！

可是，让高昌人万万没有料到的是，短短几天后他们对麴文泰的信仰就彻底崩溃了。

因为麴文泰死了。

准确地说，他是被吓死的——"及闻王师临碛口，惶骇计无所出，发病而死！"（《旧唐书·焉耆传》）

高昌的臣民们目瞪口呆——几天前的豪言壮语犹然在耳，他怎么就死了呢？大敌当前、生死存亡之际，让他们无比景仰、无比信赖的这位国王怎么能抛下他的万千子民，说死就死了呢？

直到此刻，高昌人才蓦然发现，麴文泰的心理素质要远比他们想象的低得多。

可他已经两手一甩，双腿一蹬，撂挑子了。现在再去研究他的心理素质已经毫无意义。如丧考妣的高昌人赶紧把麴文泰的儿子麴智盛拥上王位，希望这位新国王能继承乃父遗志，带领他们抗击入侵之敌。

贞观十四年（公元640年）五月，唐朝远征军抵达高昌边境的柳谷（今新疆哈密市东），此时侦察兵来报："麴文泰的葬礼即将举行，达官显要都将云集于都城。"众将闻讯，纷纷建议直接对高昌都城发动突袭。侯君集却说："不可，天子以高昌无礼，命我讨伐它，如今在人家的葬礼上发动袭击，不是吊民伐罪的正义之师。"于是命大军向高昌城东南的田城（今新疆鄯善县西南）进发，于次日拂晓兵抵田城城下。唐军命守军投降，守军不从，唐军随即发起强攻，只用了半天时间就将其攻克，俘虏了七千余人。

高昌国丧结束后，侯君集立刻命中郎将辛獠儿为前锋，向高昌城发起进攻。高昌军出城迎战，辛獠儿迅速将其击溃。随后，唐军主力全部进抵高昌城下。

麴智盛慌忙给侯君集写了一封信，说："先王麴文泰得罪唐朝天子，已遭天惩，身已亡故。我继位时间尚短，恳请阁下怜悯体察。"侯君集回信说："若真心悔过，当自缚双手到军营前投降。"

自缚投降？麴智盛当然不干。他老爸生前早把高昌城修筑得沟深城坚，何况西突厥的援军此时就驻扎在北边不远的可汗浮图城（今新疆吉木萨尔县）。既然手上还有这些筹码，麴智盛岂能不战而降？

高昌不降，唐军只好开打。

侯君集一声令下，士兵们迅速填平了护城壕沟，随即把云梯、撞车、抛石机、巢车等大型攻城器械全部推上战场，一股脑儿往高昌城上招呼。

一时间，箭矢飞石犹如暴雨倾盆而下，高昌城内顿时血肉横飞，一片哀号。守军一个个抱头鼠窜，纷纷躲进房屋里面，压根就不敢露头。

值得一提的是，唐军此役动用的这些攻城器械都是经过特殊改进的，不但打击力度超强，而且精确程度非常高，属于当时世界上技术含量最高的尖端武器。比如巢车，就是高昌人以前闻所未闻的东西。它的高度足有十丈，士兵躲在巢车中，足以"俯瞰城中"，"有行人及飞石所中，皆唱言之"。（《资治通鉴》卷一九五）

也就是说，巢车并不是攻击型武器，而是一种"精确制导"武器，犹如今天的卫星定位系统和电子制导仪器。在它的指挥下，唐军的抛石机指哪打哪，一打一个准。如果准确命中目标，车顶上的"观察员"就向下面汇报战况；假如没有命中，下面的投石手就根据观察员的提示，改变打击的角度和力度，直到命中为止。

在唐军的这种致命打击之下，高昌军根本没有还手之力。

眼看高昌城即将灭顶，麴智盛不住地向天祈祷，巴望着西突厥援军赶紧到来。

可是，西突厥的援军到底在哪里呢？

其实他们所在不远——就在唐军的军营里。

准确地说，是在唐军的俘虏营里。

尽管高昌很早就和西突厥乙毗咄陆可汗订立了攻守同盟，相约"有急相助"，然而，这种"相助"绝对是有条件的。如果是帮助高昌欺负伊吾、焉耆这些西域小国，顺便掳掠财帛子女，咄陆可汗的积极性当然很高，可要是碰上唐朝这样的巨无霸对手，咄陆可汗的态度马上就不一样了。

这一次，当侯君集的远征军刚刚抵达高昌国境，咄陆可汗就一溜烟跑了，"惧而西走千余里"（《资治通鉴》卷一九五），只留下一个亲王驻守可汗浮图城。没想到这个亲王比咄陆更怕死，咄陆前脚刚走，他后脚就开门投降了唐军。

事已至此，麹智盛还有什么指望呢？

这一年八月初八，彻底绝望的高昌国王麹智盛举城投降了唐军。侯君集随即兵分数路，把高昌境内的二十二座城池全部占领，俘获人口共计一万七千七百。

早在唐朝出兵之前，高昌国内就已经悄悄流传着一首民谣。

> 高昌兵马如霜雪，汉家兵马如日月。
> 日月照霜雪，回手自消灭！（《旧唐书·焉耆传》）

这是一则末日预言。当时麹文泰怒不可遏，曾下令彻查初唱者，可后来却一无所获。麹智盛断然没有想到，他即位不过才几天，这则可怕的预言就应验了。

至此，曾经猖獗一时的高昌，终于像烈日下的霜雪一样化为乌有。

贞观十四年九月，唐太宗李世民在高昌故地设置西州，将可汗浮图城置为庭州，各置属县，同时在交河城（今新疆吐鲁番市）设置安西都护府，留兵镇守。

唐朝征服高昌后，"国威既震，西域大惧"（《唐会要·高昌》）。

尤其是安西都护府的设立，既确保了丝绸之路上这条黄金通道的安全与畅通，又使得大唐帝国的疆域得到了极大的拓展，"唐地东极于海，西至焉耆，南尽林邑，北抵大漠，皆为州县，凡东西九千五百一十里，南北一万九百一十八里"（《资治通鉴》卷一九五）。

唐帝国在西域的强势介入令西突厥大为恼怒并且深感不安。

一山不容二虎。

西突厥一贯将西域诸国视为自己的势力范围，他们自然不甘心就此放弃这个经营已久的"后花园"。

所以，围绕着西域诸国的控制权，一场激烈的较量在所难免。

西域：激烈的较量

西突厥自贞观十二年（公元638年）分裂为东、西二部后，西部的乙毗咄陆可汗和东部的咥利失可汗一直处于混战状态，双方势均力敌。贞观十三年（公元639年）底，咥利失可汗被叛乱的部下所杀，其麾下的另一个部落拥立其侄继位，是为沙钵罗叶护可汗。自此，咄陆的政权称为北汗庭，沙钵罗叶护的政权称为南汗庭。南汗庭继承了咥利失的外交政策，仍旧与唐朝通好，"累遣使朝贡"，唐太宗李世民则"降玺书慰勉"（《旧唐书·突厥传》）。

贞观十五年（公元641年）七月，也就是唐朝征服高昌之后，李世民再次遣使前往南汗庭，赐以鼓纛，极力扶持这个亲唐政权。然而从这一年起，北汗庭的势力逐渐强大，"西域诸国多附之"，南汗庭的沙钵罗叶护可汗又在随后的一场战斗中被杀，北汗庭的咄陆可汗遂重新统一了西突厥。

这对唐朝来说实在是一个非常不利的消息。

因为南汗庭的败亡意味着唐朝几年来的外交努力付诸东流，而北汗庭的崛起则意味着西域的安全开始受到严重威胁。

果不其然，统一后的咄陆可汗"自恃强大，遂骄倨"，不但出兵攻灭了吐火罗，而且屡屡"拘留唐使者，侵暴西域"（《资治通鉴》卷一九六）。

贞观十六年（公元642年）九月，西突厥突然发兵入侵伊州（伊吾）。

唐朝与西突厥在西域的激烈较量自此展开。

由于西突厥刚刚一举踏平了吐火罗，咄陆可汗的气焰十分嚣张。

他认为唐朝在西域经营的时间还很短，驻扎的兵力也十分有限，所以在他看来，要击溃唐朝在西域的势力，重新夺回对西域的控制权，简直是易如反掌之事。

可是，咄陆错了。

唐朝不是吐火罗。

在西域等待他们的，将是一个异常强悍的对手。

这个人就是唐太宗亲自选拔任命的安西都护——郭孝恪。

郭孝恪，许州阳翟（今河南禹州市）人，史称其"少有志节"，隋末率数百乡人投奔瓦岗。因其足智多谋，深受李密赏识，他与李世勣一同被派驻黎阳仓，随后与李世勣一起降唐。虎牢之战中，郭孝恪曾向李世民献策，力主两线作战，围洛打援，被李世民采纳。破窦建德、王世充后，李世民在庆功宴上当众褒扬："郭孝恪谋擒建德之策，出诸人之右也。"（《旧唐书·郭孝恪传》）此后，郭孝恪历任贝、赵、江、泾四州刺史，因能力突出，政绩显著，不久便获得升迁，入朝担任太府少卿，随后又迁左骁卫将军。

在考虑安西都护人选的时候，李世民很自然地想到了郭孝恪。因为他既在开国战争中立过功勋，有勇有谋，又拥有丰富的地方管理经验，足以独当一面，这样的人才当然是镇守西域的不二人选。李世民随即任命郭孝恪为安西都护兼西州刺史。

李世民的选择是正确的。

西突厥很快就要在郭孝恪面前尝尽苦头。

西突厥此次入寇的目标之所以选择伊州，很显然并不是为了劫掠财帛子女，而是出于一种试探虚实、炫耀兵威的目的。因为伊州远在高昌故地之东，西突厥要攻打它，就必须横穿整个高昌故地，即眼下的安西都护府辖境（西州），倘若仅仅是为了打劫，显然不必如此大费周章，舍近求远。

所以，郭孝恪马上就判断出——这只是一次试探性的战略进攻，敌人出动的兵力肯定不会很多。他当即决定予以迎头痛击。

郭孝恪亲率两千骑兵轻装疾进，在半道上对西突厥军发动了一场阻击战，轻而易举地击溃了这支来犯之敌，给了突厥人一个狠狠的下马威。

第一次试探失败，西突厥很快又组织了第二次进攻。

这次攻击的力度明显加大了，而且兵锋直指安西都护府。

咄陆可汗命令屯驻在西州附近的处月、处密两个突厥部落，出兵进攻西州境内的天山城（今新疆托克逊县）。在它东北面不远处就是安西都护府所在地——交河城，可见西突厥此次进攻的目的是想直捣郭孝恪的心脏，企图一举摧毁唐朝在西域的指挥中枢。

假如天山失守，交河必定危急。

郭孝恪意识到，与其被动防守，不如主动出击。于是火速率部进援天山城，亲自指挥城防战。

突厥军队多为骑兵，本来就长于野战，短于攻城，何况此次郭孝恪又亲自坐镇指挥，所以西突厥军根本捞不着半点便宜，多次强攻均被击退，付出了重大伤亡。处月、处密两部落见取胜无望，只好收拾部众，灰溜溜地打道回府。

他们万万没有料到的是，郭孝恪居然率部出城，紧紧咬住了他们。

突厥人慌了神，赶紧拍马狂奔。可不管他们跑多远，郭孝恪就追多远。这一追直接追到了处月部落的老巢。处月人逃进城中，还没来得及喘息，唐军就开始攻城了。而且，与他们啃不动天山城形成鲜明对比的是，唐军没花多少力气就把城攻破了，处月酋长慌忙带着族人再次落荒而逃。

相比之下，处密部落似乎幸运得多，他们眼见唐军追着处月部落去了，心里大呼侥幸。可他们做梦也不会想到，就在他们翻过遏索山（天山支脉），狼狈不堪地回到驻地不久，郭孝恪的唐军居然又打过来了。

处密人彻底傻了——这唐军到底是插了翅膀还是会分身术，怎么能两头一块打呢？

还没等他们回过神来，唐军的刀已经架到了他们的脖子上。

结果，处密的下场比处月更为不堪——处月只不过丢了王城，处密的部众则大多数投降了唐军。

偷鸡不成，反倒蚀了一把米。

这样的结局真是令咄陆可汗大跌眼镜，同时也让他惊愕不已。

他终于意识到——这个安西都护郭孝恪实在是一个可怕的对手。

一连两次败北之后，咄陆可汗再也不敢与唐军交锋了，转而向西攻击康居国（今乌兹别克斯坦撒马尔罕），途经米国（今撒马尔罕东南朱马巴扎尔）的时候，又顺便将其攻破，掳获了大量战利品。

咄陆可汗打仗很有一套，可他这个人却有一个不大不小的毛病——吝啬。

对于普通人来说，吝啬也许算不上什么毛病；对于一个土老财来讲，吝啬兴许还是一种优点。但是，对于一个政治领袖而言，吝啬就是一种致命的缺陷了。

咄陆可汗获得这些战利品后，全部据为己有，一毫也没有分赏给部下。将领们大为不满，其中有一个将领企图强行夺取，结果被咄陆可汗一刀砍了。这个杀鸡儆猴的举动顿时引起了部众的公愤，大伙忍无可忍，索性起兵造反。咄陆被打了个措手不及，被迫逃奔白水胡城（今乌兹别克斯坦境内）。随后，咄陆可汗的旧部阿史那屋利等人遣使入唐，请求废黜咄陆，改立可汗。

这对唐朝实在是一个意外的喜讯。唐太宗李世民随即下诏，册封莫贺咄的儿子为新可汗，称为乙毗射匮可汗。新可汗为了表达感激之情，连忙将以前被咄陆扣押的唐朝使节全部送回了长安。

唐朝在西突厥重新扶持了一个亲唐政权后，西域渐渐恢复了往日的安宁。

然而，这样的安宁终究是短暂而脆弱的。

因为从地缘政治的角度来说，夹在西突厥和唐帝国这两个强国之间的西域，说白了就是一块是非之地、一块四战之地。

除非西突厥彻底灭亡，否则它与唐朝在西域的较量就不会停止。

短短两年后，新的战争就爆发了。

这次战事发生在焉耆——就是当初因修路事件被高昌多次暴打的那个小国。

焉耆原本一直亲附唐朝，可西突厥为了拉拢它，就搞了一次和亲，让重臣阿史那屈利的弟弟娶了焉耆的公主。如此一来，焉耆国王龙突骑支自然感觉西突厥更为可亲、更可依赖，于是转而投向突厥人的怀抱，对唐朝的朝贡从此就有一搭没一搭，一回比一回少了。

安西都护郭孝恪马上就愤怒了。

对于这种见异思迁、朝秦暮楚、到处磕头认老大的家伙，最好的教训就是——扁他。

贞观十八年（公元644年）八月，郭孝恪征得朝廷的同意之后，率部讨伐焉耆，生擒其国王龙突骑支。但是阿史那屈利不久便在焉耆重新扶植了一个亲突厥的傀儡政权。

此后的几年里，唐朝接连对高丽和薛延陀用兵，暂时无暇顾及西域。到了贞观二十一年（公元647年），随着一个新契机的出现，李世民当即决定大举出兵，彻底解决西域问题。

这个契机源于西域的另一个国家——龟兹。

龟兹位于塔里木盆地的北部、焉耆的西面，有大小城池八十余座，算是西域诸国中实力较强的一个国家。就像其他的西域国家一样，龟兹一直在西突厥与唐帝国之间采取骑墙策略，一方面对唐朝"岁贡不绝"，一方面又"臣于西突厥"，打算两边讨好，两边都不得罪。可是在郭孝恪讨伐焉耆时，龟兹却犯了一个严重错误，不但"遣兵援助"焉耆，而且"自是职贡颇阙"（《旧唐书·龟兹传》）。

龟兹之所以援助焉耆，很可能是出于唇亡齿寒的担忧；而它之所以从此对大唐的朝贡锐减，估计是对唐朝强硬的西域政策心存不满。

对于龟兹的心态，李世民洞若观火。

贞观二十一年，龟兹老国王病卒，其弟诃黎布失毕继位。新国王上台后，不但没有及时修复与唐朝的关系，而且又"渐失臣礼，侵渔邻国"（《资治通鉴》卷一九八）。

龟兹这么做，无疑是在自取灭亡。

李世民绝不允许任何藩国蔑视天可汗的权威，无视大唐宗主国的地位。

他意识到征服龟兹、威慑西域的时机已经成熟，遂于这一年十二月任命左骁卫大将军阿史那社尔为统帅，右骁卫大将军契苾何力为副统帅，会同安西都护郭孝恪所部，集结铁勒十三部、东突厥、吐蕃、吐谷浑等骑兵部队共计十余万人，联兵进讨龟兹。

此次远征是大唐自经营西域以来出动兵力最多的一次，而且上自最高统帅，下至普通士兵，大多是来自四夷的胡人，这样的安排绝非偶然。它一方面显示了唐太宗李世民志在必得、彻底控制西域的决心，一方面也是对唐帝国主导下的天可汗制度的重申和强调——各国军队必须统一接受天可汗的征调，在必要的情况下可以组成联军，对破坏和平的成员国发动制裁性的战争。

贞观二十二年（公元648年）十月，阿史那社尔率大军兵分五路，以犁庭扫穴之势横穿焉耆国境，兵锋直指龟兹。焉耆国王薛婆阿那支丢弃王城，望风而逃，准备投奔龟兹。阿史那社尔遣兵追击，将其捕获，二话不说就把他砍了，另立其堂弟先那准为新国王，并命其对唐朝修藩臣礼，按时朝贡，从而在焉耆重建了一个亲唐政权。

焉耆不战而败，龟兹举国震恐，各地守将纷纷弃城而逃，唐军如入无人之境，顺利拿下龟兹都城伊逻卢城（今新疆库车县），生擒国王布失毕。龟兹国相那利逃脱了唐军的追捕，从西突厥搬来救兵，大举反攻郭孝恪驻守的伊逻卢城。郭孝恪寡不敌众，与长子郭待诏一起壮烈殉国。

唐军随后重新夺回伊逻卢，擒获那利。此后，阿史那社尔率领大军如同秋风扫落叶一样，接连攻克了龟兹的五座大城，同时招降了七十余座小城，彻底占领了龟兹全境。

唐朝成功征服龟兹之后，史称"西域震骇"，"西突厥、于阗、安国争馈驼马军粮"（《资治通鉴》卷一九九），以此表示对唐朝的臣服之意。

此役的胜利，标志着在与西突厥争夺西域的较量中，唐朝笑到了最后。

阿史那社尔在龟兹立下一块石碑，把大唐远征军取得的赫赫武功永远镌刻在了碑石之上，然后班师凯旋。

诺真水之战：经略北疆

在唐朝经营西域的这段时期，唐太宗李世民也一直没有放弃对帝国北疆的经略。

尽管东突厥汗国早在贞观四年（公元630年）便已被彻底平定，可是代之而兴的薛延陀汗国却趁"北方空虚"之机强势崛起，雄霸漠北，麾下足足有"胜兵二十万"，成了唐帝国北面的一大军事强国，同时，无疑也成为帝国北疆潜在的一大边患。

对此，李世民当然不会视若无睹。

他知道，如果不采取措施对其进行遏制，日后薛延陀必将成为唐帝国的一大劲敌。

贞观十二年（公元638年）九月，薛延陀的真珠可汗命他的两个儿子分别统辖其国的南部和北部，李世民立刻意识到这是分化其势力的一个良机，随即遣使册封他的两个儿子为小可汗，并"各赐鼓纛"，"外示优崇，实分其势"（《资治通鉴》卷一九五）。

然而，这毕竟只是一种间接的防范手段，要想确保帝国北部边塞的安宁，就必须在漠南地区——唐帝国与薛延陀之间的东突厥故地——设置一道捍卫的屏藩。

贞观十三年（公元639年）七月，李世民颁下一道诏书，册封右武候大将军阿史那思摩为东突厥的新可汗，"赐之鼓纛"，同时命"突厥及胡在诸州安置者，并令渡河，还其旧部，俾世作藩屏，长保边塞"。

东突厥突然复国，这对薛延陀绝对不是一件好事。

李世民知道薛延陀的真珠可汗必定会有抵触情绪，于是也给他发了一道诏书，说："中国贵尚礼义，不灭人国，前破突厥，止为颉利一人为百姓害，实不贪其土地、利其人畜，恒欲更立可汗……既许立之，不可失信。秋中将遣突厥渡河，复其故国。"为了稳住真珠可汗，李世民又强调说："尔薛延陀受册在前，突厥受册在后，后者为小，前者为大。"

但是在诏书的末尾，李世民也对薛延陀进行了警告："尔在碛北，突厥在碛南，各守土疆，镇抚部落。其逾分故相抄掠，我则发兵，各问其罪。"（《资治通鉴》卷一九五）

真珠可汗虽然心里是一百个不乐意，可表面上也只能唯唯。

东突厥复国，不但薛延陀不乐意，就连被李世民册封为新可汗的阿史那思摩也是一百个不情愿。

对于这顶从天而降的可汗冠冕，阿史那思摩丝毫感觉不到喜悦和荣耀，有的只是恐惧和忧虑。因为时移世易，今非昔比，如今的薛延陀早已不是当初那个任人吆喝的铁勒小部落，而东突厥就算重建，也不是那个"高视阴山、控弦百万"的大汗国了。

这北返漠南的一步，阿史那思摩始终没有勇气迈出去。他犹犹豫豫、拖拖拉拉，一直拖到了两年后的贞观十五年（公元641年）正月，才带着一脸凄惶动身北上。临行前，他凄凄惨惨地给皇帝上了一道临别奏疏，说：

"臣非分蒙恩，为部落之长，愿子子孙孙为国家一犬，守吠北门。若薛延陀侵逼，请从家属入长城。"（《资治通鉴》卷一九六）

阿史那思摩打定了主意，反正自己就是一条看门狗，一旦薛延陀来攻，自己立即撒腿往南跑，管他三七二十一。

阿史那思摩北渡黄河后，建牙帐于定襄故城，麾下有户数三万、士兵四万、马匹九万。

看着这个迷你型的东突厥汗国，薛延陀的真珠可汗又好气又好笑——就这点家当还复什么国啊，捏死你不跟捏死一只蚂蚁一样容易吗！

这一年十月，真珠可汗听说唐太宗李世民要前往泰山封禅，大喜过望地对部下说："唐朝天子去泰山封禅，必有大部队随从，边境必然空虚，我利用这个机会打阿史那思摩，简直就是摧枯拉朽！"随即命其子乙失大度为统帅，征调同罗、仆骨、回纥、鞑靼等部落军队，共计二十万人，以志在必得之势横穿大漠，直扑定襄。

阿史那思摩风闻敌人来了，赶紧带着他的部众一溜烟跑进了长城内，一直到朔州（今山西朔州市）才停下来喘气，随即派快马去长安告急。

阿史那思摩说他要为大唐"守吠北门"。如今看来，"守"是谈不上了，"吠"倒是吠得挺及时。

该来的终于来了。

其实李世民早就在等这么一天。

重建东突厥，让阿史那思摩迁居漠南的目的其实有两个：一是防范，二是试探。如果薛延陀有自知之明，与东突厥相安无事，那当然最好不过；但是，假如它始终不愿放弃扩张的野心，那就利用东突厥的复国来刺激他们，使其狼子野心尽早暴露，那么大唐就能顺理成章地铲除这颗日渐壮大的毒瘤。

所以，与其说李世民担心薛延陀来打，还不如说他担心薛延陀不来打。

道理很简单——乙失夷男要是够聪明的话，再忍个十年八年，到时候唐朝要铲除薛延陀必将付出更大的代价。

贞观十五年（公元641年）十一月，李世民迅速作出了反击薛延陀的战略部署。唐帝国一共出动了十几万兵力，在东起营州（今辽宁朝阳市）、西至凉州的数千里战线上，命兵部尚书李世勣、右卫大将军李大亮、营州都督张俭等人，分五路出击，与薛延陀拉开了决一死战的架势。

大军出征之前，李世民特地召集众将面授机宜："薛延陀自以为强大，横穿大漠南下，行程数千里，战马定已疲瘦。凡用兵之道，见利速进，不利速退。薛延陀军队未能趁思摩不备而迅速发起攻击，在思摩退入长城之后，他们战机已失，却又没有果断撤退，他们败局已定。我已授命思摩在撤退时焚毁沿途的草场，薛延陀军队粮草日尽，在野外又劫掠不到任何东西。方才谍报人员回来，说薛延陀的战马没有草料，只好啃树皮，而且连树皮都快啃光了。你们当与思摩互为犄角之势，不必急于交战，等他们撤退之时，立刻发动进攻，必能大破薛延陀。"

真珠可汗眼见儿子领着二十万大军直扑漠南，虽然吓跑了阿史那思摩，却没有捞到半点好处，反而让几十万大军陷入粮秣日尽的困境，而且唐朝多路大军已经出动，要是再拖下去，自己这点老本怕是要全部赔光。无奈之下，真珠可汗只好遣使入唐，要求与东突厥和解。

和解？

说得倒轻巧，你乙失夷男把漠南当什么了？当你们家门口的草坪吗？想来就来，想走就走，没那么便宜！

李世民没有对薛延陀的使者作出任何答复。

他料定，不出十天，前线的李世勣必能传回捷报，到时候再让使者回去传话，教教乙失夷男如何做人。

乙失大度亲率三万骑兵一路猛追阿史那思摩，追到长城脚下不得不勒住了缰绳。

再往南就是唐朝的地界了，乙失大度可不敢轻举妄动。

要进进不得，要退又不甘心，乙失大度左右为难，只好派人登上长城叫骂，想把阿史那思摩逼出来。

可阿史那思摩就是龟缩着不肯出来。

男子汉大丈夫，说不出来就不出来。

任你口水漫天，我自岿然不动。

乙失大度站在长城脚下吹胡子瞪眼，彻底没辙。

就在此刻，远处忽然尘埃滚滚、杀声震天——李世勣率领的唐军主力到了。

乙失大度顿时倒抽了一口冷气，随即马鞭一挥，掉头就跑。李世勣亲自遴选了六千名精锐骑兵，迅速向北追击，越过白道川（今内蒙古呼和浩特市北），一直追到了青山（阴山山脉东段大青山）。

乙失大度跑到青山北麓的诺真水（今内蒙古艾不盖河）时，决定不再跑了。

因为经过白道川的时候，他已经和自己的主力部队会合，眼下足足有二十万人。

三万人被六千人追着跑已经够没面子了，难道二十万大军也要被六千人追着跑？乙失大度愤愤地想，那我回到薛延陀还怎么立足？

不，老子今天不跑了，就在这里和你李世勣决一雌雄。

随后，薛延陀的二十万大军在诺真水沿岸一字摆开，阵势横亘十里，刀枪林立，旌旗蔽日。看那架势，就是踩也要把唐军踩死。

六千对阵二十万，这绝对是李世勣军事生涯中少有的一场恶战。

李世勣能赢吗？

乙失大度之所以敢和唐军决战，除了兵力占据绝对优势之外，还有一个重要原因——薛延陀通过这些年的征战，尤其是在对付突厥骑兵的过程中，逐步摸索出了一种新的战术：作战时以五人为一组，其中一人负责管理五匹马，其余四人徒步作战，而马匹主要是在战斗获胜后追击敌人用的。

换句话说，作为擅长骑兵作战的游牧部落，薛延陀已经在固有的骑兵优势基础上，着重强化了步兵的战斗力，所以当两个兵种的优势结合在一起时，仍旧固守单一骑兵战术的突厥人就远远不是他们的对手。

此刻，乙失大度正带着一脸得意的笑容注视着兵少将寡的唐军，想看看当世名将李世勣如何败在他的手中。

果不其然，当李世勣麾下的三千突厥骑兵率先对薛延陀军队发起进攻后，很快就招架不住，迅速败下阵来。乙失大度战旗一挥，薛延陀大军立刻以排山倒海之势扑向唐军，同时万箭齐发，唐军骑兵的战马纷纷扑倒。

李世勣果断下令士兵下马，用长矛与薛延陀士兵贴身肉搏。

这是一场血肉横飞的白刃战。

乙失大度自以为他的步兵已经很强悍了，可是在唐军面前，他这套所谓的新战术无异于班门弄斧。唐军步兵的战斗力远远超乎他的想象。尽管薛延陀人多势众，可还是抵挡不住唐军的冲锋，阵脚开始溃乱，乙失大度的指挥系统顿时有些失灵，人多的优势不但发挥不出来，反而变成了劣势。

就在这决定胜败的关键一刻，李世勣使出了撒手锏。

早已埋伏在附近的副总管薛万彻率领数千骑兵突然杀出，直冲敌军后方，专砍那些负责管理马匹的士兵。薛延陀军没料到唐军会来这一手，那些牵马的士卒顿时抱着脑袋各自逃命，受惊的战马无人看管，四散逃奔。

前方的步兵回头一看，集体傻眼。

那些战马不但是战胜时追击敌人用的，也是战败时逃命用的。更何况，现在时值严冬，他们又是在远离薛延陀千里之遥的地方作战，无论此战胜负，他们都不可能留在漠南地区过冬，可眼下战马都跑光了，他们如何回去？总不能用两条腿走回郁督军山吧？

所以战马就是他们的命根子，没了战马，他们死定了。

在这种心态下，薛延陀军的士气一落千丈，人人无心恋战，二十万人瞬间变成了二十万只无头苍蝇。乙失大度知道大势已去，立刻掉头而逃。主帅一跑，薛延陀军兵败如山倒。唐军乘胜追击，砍杀三千余人，生擒五万余人，大获全胜。

屋漏偏逢连夜雨，乙失大度率残部穿越大沙漠时，又碰上了暴风雪，结果又有大部分士兵与马匹活活冻死。

等到乙失大度狼狈不堪地回到薛延陀时，二十万大军只剩下不到两万。

诺真水一战，大唐名将李世勣以六千破二十万，而且生擒五万，创造了中国战争史上又一个以少胜多的经典战例，同时也在他那辉煌的名将征途上又书写了传奇的一页。

贞观十五年十二月十二日，李世勣的捷报传回长安。与薛延陀使者入唐要求和解，时隔仅仅五天。

李世民笑了。

一切都在他的意料之中。

就在薛延陀使者灰溜溜地打点行囊，准备返回漠北的时候，李世民又特意召见了他，说："吾约汝与突厥以大漠为界，有相侵者，我则讨之。汝自恃其强，逾漠攻突厥。李世勣所将才数千骑耳，汝已狼狈如此！归语可汗：凡举措利害，可善择其宜。"（《资治通鉴》卷一九六）

回去告诉你们可汗：要做一件事之前，最好先动动脑子！

不知道薛延陀使者把这句话转告真珠可汗的时候，他老人家会作何感想？

不管他有什么想法，反正这次老本是赔光了——将近二十万铁勒将士啊，外加与之数量相等的战马，就这样埋骨黄沙，有去无回了。

乙失夷男仰望苍天，无语凝噎。

这就叫血的教训。

可是，薛延陀会汲取诺真水惨败的教训吗？

天可汗悔婚：薛延陀的末日

诺真水惨败后，薛延陀的真珠可汗锐气尽失。

他决定夹起尾巴做人，向唐朝臣服。

起码在薛延陀恢复元气之前，乙失夷男绝不敢再与唐帝国为敌。

贞观十六年（公元642年）九月，真珠可汗派遣他的叔父入唐，献上三千匹良马、三万八千张貂皮和一面稀有的玛瑙镜，请求与唐王朝和亲。李世民征求大臣们的意见："是要以武力征服薛延陀，还是要与之和亲？"房玄龄说："中国新定，兵凶战危，还是和亲比较有利。"李世民遂同意与薛延陀和亲。

随后，李世民遣使赴薛延陀，答应将大唐的新兴公主许配给真珠可汗，但是有一个条件，薛延陀必须释放一个人——契苾何力。

这个曾经在吐谷浑战争中千里追击伏允可汗、为大唐立下赫赫战功的勇将，怎么会落到真珠可汗手里呢？

契苾何力是铁勒族契苾部落的人，东突厥败亡后，他与母亲、弟弟率千余部众归降唐朝，任左领军将军，在大唐征服吐谷浑和高昌的战争中屡建战功，深受唐太宗李世民赏识。贞观十六年（公元642年）年初，被安置在凉州的契苾部落有异动迹象，李世民遂命契苾何力前往凉州探望他母亲和弟弟，同时安抚其部落。

没想到契苾何力抵达凉州后，契苾部落已经决定叛逃薛延陀，而且他的母亲和弟弟（时任贺兰都督）早已先行离开凉州，逃到了薛延陀。何力大为震惊："主上对我们恩重如山，为何突然反叛？"族人要挟说："老夫人和都督都已经走了，你怎么能不走？"何力坚决不从，说："我弟弟孝顺母亲，我忠于君王，绝不跟你们走。"

族人一听，不由分说就把他绑了，强行押往薛延陀。

到达真珠可汗大帐前的时候，桀骜不驯的契苾何力突然拔出佩刀，向东高呼："大唐烈士岂能在此贼帐之中受辱？我之忠心，天地日月可鉴！"说完一刀割下自己的左耳，以表誓死不降之心。真珠可汗勃然大怒，准备把他砍了，后来可汗夫人劝解，真珠可汗才悻悻作罢，把契苾何力关了起来。

契苾部落叛逃，朝野哗然，群臣纷纷传言是契苾何力带的头。李世民说："这绝对不是何力的主意。"有人阴阳怪气地说："蛮夷就是蛮夷，臭味相投，契苾何力到了薛延陀，岂不是如鱼得水了！"

李世民脸色一沉："大谬不然！何力忠肝义胆，心如铁石，必不叛我！"

薛延陀的和亲使者来到长安后，李世民详细询问了契苾何力的情况，听到他自割左耳一事，李世民不禁泣下，对左右说："听见了吧？何力是你们所想象的那样吗？"

随后，李世民便以和亲为条件，命薛延陀放回了契苾何力。为了表彰他的坚贞和忠义，李世民将他提拔为右骁卫大将军。

贞观十七年（公元643年）六月，按照预定的和亲协议，薛延陀遣使入唐，向唐太宗呈上了和亲的聘礼目录：马五万匹，牛和骆驼各一万头，羊十万头。

这份聘礼绝对够厚重，如果不出现什么意外的话，薛延陀与大唐的和亲就算成了。

可意外还是出现了。

因为有人坚决反对此次和亲。

他就是契苾何力。

薛延陀暗中策反契苾部落一事，让李世民颇有几分不悦。所以他实际上对这门亲事也已心生悔意，只是天子金口玉言，实在不好轻易反悔。李世民有些为难地说："我既然已经答应了，身为天子，岂可食言？"

契苾何力反正是铁定了心要搅黄这门婚事，所以早就想好了对策："臣不是让陛下一口回绝，而是故意迁延，命夷男亲自到大唐迎亲，就算不来长安，起码也要到灵州（今宁夏宁武市）。夷男必定不敢来，到时就名正言顺地把这门亲事推掉。夷男生性刚愎暴戾，大唐一旦不与其和亲，其号召力自然减弱，部众必怀二心。而且臣斗胆估计，夷男已经年老，也没有几年好活了，只要他一死，两个儿子争位，其国必乱，到时候陛下便可坐而制之！"

李世民一想，有道理，于是依计而行。

可是，出乎李世民和契苾何力意料的是——乙失夷男居然来了。

他不顾大臣们的强烈反对，毅然带上他的聘礼——几十万头牲畜，一路浩浩荡荡直奔灵州而来。

这回，他也是铁定了心要把唐朝公主娶到手。

眼看契苾何力的计策失灵，李世民也有点头大，没想到乙失夷男这老匹夫这么有勇气。如果他如期抵达灵州，李世民也只能硬着头皮把公主嫁了。

然而，谁也没想到，乙失夷男的运气实在是太背了。由于薛延陀距灵州有数千里之遥，所经之地又多为沙漠戈壁，尽管他一路紧赶慢赶，恨不得插上一双翅膀，可赶到灵州的时候，还是错过了约定的时间，而且更惨的是——他的几十万头牲畜因为缺乏草料而饿死了将近一半。

李世民总算找到了借口，于是忙不迭地下诏拒绝了这桩婚事。

乙失夷男也只好自认倒霉，带着一肚子委屈和怨气打道回府。

堂堂天可汗居然食言悔婚？

此事顿时在朝中激起轩然大波。

时任谏议大夫的褚遂良立即上疏表示强烈反对。他认为，天子既然已经许婚，就不应"一朝生进退之意，有改悔之心"，此举实在是"所顾甚少，所失殊多"，其不良后果就是"彼国蓄见欺之怒，此民怀负约之惭"，而"嫌隙既生，必构边患"！他最后说："陛下君临天下十七载，以仁恩结庶类，以信义抚戎夷，天下莫不欣然，为何不能有始有终呢？更何况漠北的夷狄部落数不胜数，中国岂能尽而诛之？臣以为，应当怀之以德，使为恶者在夷不在华，失信者在彼不在此！"

此外，群臣也纷纷表示："国家既许其婚，受其聘币，不可失信戎狄，更生边患。"（《资治通鉴》卷一九七）

可在李世民看来，这些看法通通是书生之见、迂阔之谈。为此，他很不客气地给群臣上了一堂"国际政治"课。

"诸卿只知古代而不知当今形势。汉初匈奴强、中国弱，所以采用和亲政策，这在当时是正确的。可如今中国强大，戎狄弱小，以我步兵一千，可击破胡骑数万。薛延陀之所以向我们匍匐叩首，不敢骄慢，只不过是想借中国之势威服周边部落罢了。倘若同罗、仆骨、回纥等十几个部落联手进攻，薛延陀必定破灭。这些部落之所以不敢发动，是因为真珠可汗是中国册封的。如今再把公主嫁过去，乙失夷男自恃为大唐之婿，其他部落谁敢不服？戎狄人面兽心，一旦微不得意，必然反咬一口，成为大唐的祸害。如今我拒绝和亲，其他部落知道他被大唐抛弃，用不了多少时日，就会把他的汗国瓜分一空。诸卿走着瞧！"

这次和亲失败让乙失夷男顿感颜面扫地。

没想到自己一张热脸居然贴到了唐朝的冷屁股上，乙失夷男又羞又恼，一腔愤怒无从发泄，只好找东突厥出气。当然，他不敢再像上次那样兴师动众了，而是不断派出小股部队对东突厥进行骚扰。

阿史那思摩本来就不想当这个可汗，如今面对薛延陀的骚扰更是束手无策，只好上疏太宗，要求南渡黄河，迁往河套地区。

李世民知道阿史那思摩镇不住他的手下，只好同意。

贞观十八年（公元644年）十二月，光杆司令阿史那思摩灰溜溜地回到了长安。李世民给了他一个右武卫将军的职务，以示安慰。

至此，由唐帝国一意扶持、大力重建的东突厥汗国再度宣告解体。

贞观十九年（公元645年），唐太宗不顾文武百官的极力反对，御驾亲征高丽，乙失夷男马上遣使入唐，表面上说是来朝贡，实则是来刺探虚实。李世民很清楚夷男在想什么，对他的使者说："回去告诉你们可汗，如今我父子东征高丽，要是他觉得有能力乘虚而入的话，叫他赶快来！"

乙失夷男一听天可汗这话味道不对，赶紧再次遣使到长安谢罪，还说要出兵帮助唐朝打高丽。李世民一摆手：出兵就免了，叫你们可汗自重就行。

唐军开始攻打高丽后，高丽执政官泉盖苏文派人游说薛延陀，让他们南下进攻长安，并以厚礼相诱。乙失夷男鉴于诸真水的惨败，又想起李世民的警告，最后还是拒绝了高丽的游说。

这一年九月，乙失夷男病卒。他一死，薛延陀的灾难就来了。

因为一切就像契苾何力当初预测的那样，他的两个儿子果然为了争夺汗位大打出手，结果嫡出的小儿子杀了庶出的长子，自立为多弥可汗。

都说初生牛犊不怕虎，多弥可汗显然就是这么一只牛犊。他上台后做的第一件事，就是出兵攻打唐朝。乙失夷男苦心孤诣维持了好些年的和平局面，就这么被他儿子一朝打破了。

而薛延陀的末日也随之降临。

多弥可汗自以为唐帝国正对高丽用兵，所以有机可乘。可他错了，李世民早在出征高丽之前，就已命右领军大将军执失思力率部驻扎在夏州（今陕西靖边县北白城子）的北面，专门防备薛延陀。现在听说薛延陀来犯，李世民又命左武候中郎将田仁会率部驰援。

贞观十九年（公元645年）年底，多弥可汗亲率大军入侵河套地区。执失思力故意以老弱残兵诱敌深入，然后在夏州境内与田仁会部左右夹击，大败薛延陀军，并且一直向北追击了六百余里，直到将其打回漠北，才班师凯旋。

第一次出兵就狼狈而回，年轻气盛的多弥可汗大为不甘，没几天就再度集结大军卷土重来。此时李世民已从高丽退兵，闻讯立即派遣李道宗镇朔州，薛万彻、阿史那社尔镇胜州（今内蒙古托克托县），宋君明镇灵州，执失思力镇夏州。

多弥可汗没想到唐军的反应速度如此之快，见对手已经严阵以待，不敢贸然进攻，可又不甘心退兵，于是就在夏州北面与唐军对峙。

贞观二十年（公元646年）春，唐军经过一个冬天的休整之后，开始对薛延陀军发起猛烈进攻，再次将其击破，俘虏了两千余人。

经过这么多次打击，多弥可汗总算领教了唐军的厉害，当即丢下他的大军，轻骑逃遁。

看见这个年轻的可汗如此不堪一击，并且如此贪生怕死，薛延陀国内顿时人心思变，辖下的各个部族开始蠢蠢欲动。

多弥可汗为了稳定政局，于是大力清除前朝旧臣，培植个人势力。可在这个节骨眼上，他这么做无异于加速自己的灭亡。薛延陀朝野更是人心惶惶，回纥酋长随即联合仆骨、同罗等部落一起发动兵变。多弥可汗又被打了个措手不及，薛延陀顿时陷入空前的混乱状态。

一切就跟当年的东突厥一样，薛延陀亡国的征兆已经彻底显露。

贞观二十年六月，天可汗果断地出手了。

李世民任命江夏王李道宗、左卫大将军阿史那社尔等人数路并进，大举北伐；同时又征调薛延陀东边的乌罗护、靺鞨两部落，命他们出其不意，从东面攻入薛延陀。

在如此泰山压顶般的致命打击面前，多弥可汗又岂是唐军的对手。少数仍然忠于他的军队稍微抵抗之后便纷纷溃散，薛延陀举国震恐。

多弥可汗迅速丧失了对局势的掌控，随即带着数千骑兵准备投奔其他部落，却在半道上被回纥骑兵截住。多弥的脑袋很快就被砍了下来，其领地被回纥部落全部占据，宗族也被屠杀殆尽。

多弥一死，薛延陀各部落一边大打出手，互相攻击，一边争先恐后地遣使归唐。多弥可汗的旧部尚有七万余人，他们共推真珠可汗的侄子咄摩支为首领，咄摩支随后自动削除可汗之号，并遣使奉表向唐朝称臣，请求回到其旧地郁督军山之北。

此次北伐，唐军几乎不费吹灰之力就征服了薛延陀，接下来的问题，就是如何处置咄摩支这支残余的薛延陀势力。

李世民针对这个问题举行了廷议。廷议的结果，群臣普遍认为：假如保留咄摩支这个势力，恐怕日后又会坐大，遗患无穷。与此同时，原来臣属于薛延陀的铁勒九部听说咄摩支又要回郁督军山，无不担心其死灰复燃，也是极力反对。

在此情况下，李世民当然没有理由再留着这条尾巴了。他随即派遣李世勣前往漠北，会同铁勒九部一起解决这个问题。李世勣临行前，李世民给了他一个八字方针——"降则抚之，叛则讨之。"

李世勣抵达郁督军山后，咄摩支部下的一个酋长随即率部投降。可咄摩支却率众逃进了郁督军山南麓的荒谷中，既不抵抗，也不投降。李世勣先礼后兵，派通事舍人萧嗣业前往招降，咄摩支意识到薛延陀已经没有复国之望，经过一番激烈的思想斗争后，终于还是向萧嗣业投降。

但是，他的部众仍有三万多人不肯放下武器。李世勣随即命令军队发起进攻。

这一战当然没有任何悬念。尽管薛延陀这支最后的武装力量依旧进行了顽强的抵抗，但是在被唐军砍下五千颗首级之后，余下的三万人再也没有斗志了，全部缴械投降。

至此，这个继东突厥汗国之后称雄大漠十余年的薛延陀汗国，终于在唐帝国的致命打击下彻底灭亡。

贞观二十一年（公元647年）正月，唐太宗李世民下令在漠北设立六个羁縻都督府、七个羁縻都督州，合称"六府七州"，各以其酋长为都督、刺史。

六府是：瀚海府、金微府、燕然府、幽陵府、龟林府、卢山府。

七州是：皋兰州、高阙州、鸡鹿州、鸡田州、榆溪州、蹛林州、寘颜州。

其范围包括今蒙古中部、北部和俄罗斯南部。

同年四月，李世民又设置了燕然都护府（治所在今内蒙古乌拉特中旗），统辖六府七州。

此后，随着漠北其他部落的归降，燕然都护府的管辖范围不断扩大。同年八月，骨利干部落归附，唐朝在其地置玄阙州。骨利干部落位于今西伯利亚贝加尔湖畔，即汉代苏武牧羊之处，"去京师最远，自古未通中国"（《旧唐书·北狄传》）。

贞观二十二年（公元648年）二月，结骨部落归降，唐朝在其地置坚昆都督府。据《资治通鉴》记载，结骨部落的人"皆长大，赤发绿睛"，意思是他们身材高大、红发碧眼，显然属于白色人种。

这就是伟大的天可汗时代。

这个时代虽然已经离我们远去，但它已然成为一座历史的丰碑。

时至今日，天可汗时代之所以仍然值得每一个中国人崇敬和仰望，就是因为它能把华夏帝国的疆域拓展得如此广袤而辽远，也能把许多不同文、不同种的少数民族纳入中华文明坚毅而宽广的怀抱。

在大唐帝国开疆拓土和文明传播的过程中，我们看见了一种强悍而勇武的英雄血性，也看见了一种开放而博大的文化胸襟，更看见了一种自强不息、拼搏进取的民族精神。

无论岁月如何久远，无论世事如何变迁，天可汗的精神必将在每一个炎黄子孙的血脉中传承，天可汗时代也永远是中华民族记忆中不朽的骄傲与荣光。

马上扫二维码，关注"**熊猫君**"

和千万读者一起成长吧！